ちくま学芸文庫

増補　現代美術逸脱史

1945〜1985

千葉成夫

筑摩書房

Yへ
―

増補　現代美術逸脱史　1945〜1985

目次

序

おそらく、美術はいま非常に困難なところにやってきている。それは、ある角度からは崩壊とみえるかもしれないし、別の角度からは繁栄とみえるかもしれない。どちらとも取れるということだろうし、美術そのものがどちらの方へも傾斜しうるようなあるさかいめに立たされているということでもある。いずれにしても大きな変貌に見舞われつつある。そしてこの変貌は、いま日本の社会がこうむりつつある大きな変貌と、なんらかのかたちでつながっているはずである。ただその関係は、かならずしも直接的なものとも見やすいものとも限らない。美術は社会の動きや変化とはまったく無関係ではありえないが、まったく軌を一にするとも限らないからだ。古代や中世のばあいはともかく、近代美術は程度の差はあれ自律的な歩みをたどってきたから、社会の動き方とぴったりかさなるわけではない。とりわけ十九世紀末期以降の美術の流れは、むしろ社会のながれからは逸脱することのほうに本質があったとさえ言えなくはないかもしれない。

また、この変貌は国際的にもみとめられる。すくなくとも先進国といわれる国々の美術においては、変貌ということで括ることのできる共通性がみとめられる。ただ変貌の具体的な様子は、それぞれの民族・地域・国によって異なっている。「言葉」がそれぞれちがうように、「美術」の内容も民族・地域・国によってちがう。美術が言葉を介さない芸術だから国際的たりうると考えるのは、あまりに早計である。美術とはそれじたいがひとつの固有の表現であり、そしてこの固有性の半分は民族・地域・国の、したがって時代の固有性から成っている。

そして、非常に大きな変貌に直面していること、あるいはこれまで類例のなかったような変貌にさらされていること、それと同時にそれぞれの民族・地域・国によって美術というものを成り立たせている文脈が固有だという事実があきらかになり差異が表面化しはじめていること、こういう問題こそ、現在の美術状況に孕まれているいちばん根本的な問題ではないか。このふたつの問題が交差するところに、現代日本という特定の時代・地域において美術とは本当は何であり、どんな崖っぷちにさしかかっているのか、という問いがあらわれる。

この問いかけのなかで、日本の現代の美術がここ四十年ほどのあいだにどのような歴史をたどり、そしていまどんな地点をむかえているかを明らかにしようというのが、本書の目的である。したがって本書は、戦後日本美術史であり、同時に美術の現在を解明しようとする批評のこころみでもある。

もちろん、わたしの主たる関心は、日本の美術がいま置かれている状況の本質をまるごとつかみとりたいというところにあるから、戦後日本美術の歴史を、すでに過ぎ去ったものとして整理するのではなく、あくまでも現在をもたらしたものとして、じつは人が歴史をみるときにいつもそのようにしかできないように現在の側から見ている。また、戦後日本美術史であるとはいっても、事象羅列のいわゆる通史のやりかたは採らない。

ただわたしは、いま日本の美術批評においてとくに必要とされているのは、歴史を正当にふまえることだと考えている。いまの状況を把握するためには、歴史の流れをたどりなおしてみることだ。しかし、この常識を、近代日本の美術批評はふまえそこなってきている。そう言わざるをえないようにおもう。近代日本の美術批評は、この常識をないがしろにしてきたことによって、いわば土台そのものを欠いていた。

そこで、課題は二重である。ひとつはこの土台を構築し整備することであり、もうひとつはその先へと批評のことばをつむぎだしていくことである。しかも、できることなら、このふたつのことを同時に、同一のこととしてやっていかなければならない。求められているのは、そういう意味で二重の回路をもった批評である。いま大きな変貌ないし転回をはじめている美術の動きが、そういう批評を要求してやまない。

では、いまどのような変貌がはじまっているのか。何を指して大きな転回というのか。なによりも、これまで近代西欧美術の概念を規矩として走ってきた近代日本の美術が、その模倣・追随・折衷・束縛からようやく脱しはじめていることがあげられる。すくなくとも一九五〇年代半ば以降は、現代日本に独自の美術の流れをたどってくることが可能である。この流れは「具体」と「反芸術」によっていちどほとばしりをみせ、六〇年代には地下でいくつかの水系をあつめ、六〇年代末期から七〇年代初頭にかけて「もの派」によってふたたび大きなほとばしりをみせ、七〇年代には「七〇年代作家群」を中心とする活動を通して水脈をさらに豊かに広げてきた。そして、いま、それはひとつの河となって顕在化しようとしている。この流れこそ、明治以降の美術史のなかで実は唯一の正統と呼びうるものだ。

さらにくわしく言うと、まず、明治維新によって西欧化・近代化がはじまってから、アカデミズムの摂取がはじまり、アカデミズムと反アカデミズムの確執の約五十年にわたる時期がくる。それから、大正年間(一九一〇年代半ば)にはじめて登場する「大正期新興美術」(これまでは「大正アヴァンギャルド」と呼ばれてきている)を皮切りとする動きが、昭和十年代末期(一九四〇年代初頭)に軍部ファシズムによって窒息させられてしまうまでの、およそ三十年あまりの戦前期「新興美術」(前衛美術)の時代が続く。そして太平洋戦争のあとは、この戦前の「新興美術」の流れが、もはや新興美術としてではなく、現代日本の美術の中核を形成していくのである。

歴史の流れからみれば、「具体」から七〇年代にかけての時期は、戦前期「新興美術」

の展開過程ないし拡大再生産過程とみることができる。しかし現時点から、この時期を、戦前期「新興美術」の徹底・拡大・土着化による超克の過程としてとらえなおすなら、「具体」から七〇年代にかけての時期は、日本の現在の美術が実現しはじめている固有性の獲得への前史をなしていたことが、みえてくる。

ただし、近代および現代日本の美術に固有の文脈を読みとっていこうとするときに注意しなければならないのは、ローカリズムや伝統主義に下手に足をすくわれてしまったり、逃げこんだりしてはいけないということである。ローカリズムに居直ることは、根無草のインターナショナリズムの裏返しにすぎない。「具体」以降の美術は、現実的に、ローカリズムや伝統主義を克服しながら展開されてきている。

もうひとつ問題になってくるのは、ローカリズムや伝統主義の眠りからさめずにいるかぎり、表面的ないし現象的に日本的なものが日本の独自性だ、といった議論がまかり通ってしまいかねないことである。しかし、現代日本の美術の独自性を語るばあい、ジャポニスム的特異性、つまり、すでになき過去の遺産の墨守や、劣性を逆手にとって欧米の優性意識に媚びるようなねじくれた自己主張などは、きちんと清算したところで、語られてしかるべきだろう。現代日本の美術には固有の独自性があり、それは欧米の現代美術と無関係ではありえない。

現代日本の美術にとって欧米の美術がもはや神たりえないことは自明である。しかし、だからといって、欧米の美術との関係（影響関係、対応関係、並行関係等）を無視することはできない。第一に、明治以降の西欧化（そしてアメリカ化）じたいもわれわれの現実であったし、今もそうだからである。第二に、とくに戦後の美術については、表現の基底は、彼我でけっして同じではないけれど、表現の水準ということでは同時代的な意識がおのずと形成されてきたからである。欧米に追随するのではなく、しかし表現としての水準の高さはおのずからふまえつつ、しかも借りものではない作品を実現していく——そこにこそ独自性がローカリズムを脱していくみちすじを想定することができる。

アメリカやヨーロッパの美術家たちにしても、べつだんインターナショナリズムをめざしているわけではなく、それぞれの国なり地域に固有の文脈のなかで表現をきわめようとしている。しかしアングロ・サクソン系文化圏を中心にして、一九六〇年代から七〇年代はじめにかけて展開されたミニマル・アートやコンセプチュアル・アート（概念芸術）において、美術表現は、様式の革新といったようなレヴェルを超えてしまった。そういう面が大きい。表現の基盤そのものが問いなおされ、美術の意味そのものが深甚な衝撃をこうむったのである。そしてそのことは、アングロ・サクソン系文化圏を超えて、世界に波及した。世界的な同時代性を背景にして美術表現の水準が一定のレヴェルに達していた国や地域にあっては（また、個々の美術家にとっては）、この、表現そのものの極限化と問いなおしということに無関心ではいられなかった。

西欧の模倣と追随に必死になってきた日本の美術は、なんとか格好がつくようになったとはいえ、いまだ真に独自といえるものを生みだしてはいない段階で、表現それじたいの根底的問いなおしの波をかぶらざるをえないことになった。その意味で、困難は二重だった。われわれはこの二重の困難をいまもひきずっている。そして、それを創造の出発点に転化できるような問題意識と、知性および感性の明晰さを求められている。

最後に、現代日本の美術の固有性とは何かを、あきらかにする必要があるだろう。

ここでわたしは、明治以降の日本における「美術」の意味内容そのものを、従来とはまったく異った視点からとらえなおしてみたいとおもう。明治以降の日本において「美術」というばあい、その語じたいが翻訳語であり、西欧の art (painting, sculpture) の概念とほぼ同一のものとされてきた。たとえば岡倉天心らが西欧の席捲に対抗してナショナリズムの旗をかかげたばあいでも、日本画を西欧の絵画と同じ概念の土俵にのせてその優秀さと独自性を主張するという方法がとられたのであって、土俵じたいがちがっている事実は、知ってか知らずか、等閑に付されていた。だから、西欧主義者も伝統主義者も、西欧概念によってとらえなおされた美術という立場に立っていたことではじつは一致していた。

大正期「新興美術」にはじまる流れも、ご多分にもれず西欧の同時代の前衛美術に触発され、それを追尾しようとしてはじまり、全般的にはその模倣と追随に終始していった。だが、西欧の美術への一元化ではなく、西欧的な美術概念に下駄をあずけた独自性の主張でもなく、西欧の美術が達成してきた表現の水準はとりこんだうえで日本に固有の「美術」を創出していくこと――その可能性のいとぐちをはじめて垣間見せたのが、この流れにほかならなかった。もちろん、大正期「新興美術」にはじまる流れのなかにしかこういう可能性がみられないというのではない。その流れのなかにいちばんはっきりしたかたちで見ることができる、ということである。

この大正期「新興美術」の流れのなかに登場しはじめる、通常の（つまり西欧的な意味での）「絵画・彫刻」を逸脱・否定・破壊するような作品群は、あくまでも西欧の美術概念を逸脱・否定・破壊しただけのものにすぎず、しかもその日本版（ローカル版）でしかないかもしれない。そうだとしても、それがわれわれの「美術」の現実だった。われわれが現実に生みだしたのはそういう「美術」だった。そして、無意識のうちにも西欧の美術を最初におもいうかべかねないわれわれの知的および感性的束縛をいったん離れてみるならば、そういうものをこそ「美術」として、いわばひとつけたあげされた意味での「美術」として、とらえることができる。

むろん大正期「新興美術」の段階では、この可能性のいとぐちが見えただけだったし、戦前期「新興美術」の段階の全体を通しても、その先へ大して進んだとはいえない。だが、「具体」以降は、ひとつけたあげされたところでとらえられる「美術」の流れこそが主流となり、中核をかたちづくってきている。そして、この流れが生みだしてきた「美術」の位相こそ、現代日本に独自のものなのではないか。それは、「具体」および「反芸術」によってまずあらわれはじめ、ついで一九六〇年代末期から七〇年代初頭にかけて、「日本概念派」と「もの派」が、かたやことば（観念）へ、かたやものへと美術を極限化したことで、ほぼ全面的にあきらかになっていった。そしてさらに、「七〇年代作家群」がその全体をいまいちど根底から洗いなおしたことによって、七〇年代最末期以降、現在の状況そのものとなっている位相である。

それをわたしは「類としての美術」の位相と呼びたい。「絵画・彫刻」という「種概念」のレヴェルを超えたところで展開されている「美術」、もっと正確にいうと、「絵画」や「彫刻」でも「美術」でもない「何事か」、それをとらえるために仮に「類としての美術」と呼ぶことにする。

この位相は、見方をかえると、「ポスト・モダニズム」的なものかもしれない。ただ、ポスト・モダニズムは主として建築において語られており、そこでは今の建築の様式を指して使われている。しかし、もし美術においても現在の「様式」を指すのだとしたら、ほとんど語るにおちると言わなければならない。様式の変化や交代の歴史としてしか美術の流れをみないことに、われわれはもうウンザリしているからである。そして様式としてでないとしたら、それはモダニズムの末期の一場面ということになるだろう。ポスト・モダニズムという様式が問題なのではない。依然として近代末期（レイト・モダニズム）のパラダイムから脱け出せないのに、ポスト・モダニズム的状況にまで否応なく踏込みはじめてしまっているのかもしれない、ということが問題なのだ。

そういう意味でなら、わたしが仮に「類としての美術の位相」と呼ぶのは、われわれのパラダイムではまだとらえられない位相のことである。ただし、そう言えるためには前提がひとつある。日本が西欧と同じ「近代」をすでに体験し、同じ「近代美術」をすでに体験してきたという前提である。この前提が成り立たなければ、混乱を避けるために、「ポスト・モダニズム」論に乗ってしまうのはやめたほうがよいだろう。たしかに「類としての美術の位相」はポスト・モダニズム状況とまったく無縁ということはありえない。だがそれは、直接の関係があるということでもなければ、差異を捨象して類比が可能だということでもない。日本の現代美術が「絵画」でも「彫刻」でもない地平にまで出てしまっているようにおもわれる点が、ある種の類推を誘うというだけなのである。だがそういう類推をするよりも、現代日本の美術に即して見、考えていくことが先決である。

現代の美術とその状況が一般の人々にとってどれほど関心をひくものであるのか、わたしにはわからない。わからないということには、あまり切実なものとして受取ってもらえないのではないか、美術というものはあまりにも特殊なものにおもわれてしまうのではないかという、悲観的予測も含まれている。しかし、現代の美術の最先端ないし最深部の隘路とみえるところにもぐりこんでしまってでも、戦後日本の美術の流れと現在の状況をいかにして統一的かつ包括的な視点から、そしてどこからの借りものでも誰からの借りものでもないことばによって語りきることができるかというのが、ここでのさしせまった問題意識なのである。わたしのかんがえでは、美術の現在の状況は、日本の現在の文化総体の状況、現在の思想そのものの状況とけっして無縁ではない。両者のあいだに直接的な対応関係をみてとるわけにはいかないにしても、いま美術家たちが苦闘をくりひろげている場所、表現を獲得しようとしている場所は、そのまま、いまの日本の思想が置かれている場所そのものである。最も自覚的な美術家たちがそれを感じとっている。

批評は、美術家が自分の営為の場所が思想の場所そのものだと自覚していることを、批評のことばのなかにくりこまなくてはならない。美術批評は、まず「実作という位相の意識」の意識たらんとするところから、はじまるだろう。そして最後にもそこへ帰ってくるかもしれない。実作の後追いでしかありえないという批評の本質あるいは宿命を、プラスに転化する可能性があるとしたら、それは、批評が「実作という位相の意識」の意識たりうるという点においてこそなのだ。

第一章　「具体」―アンフォルメル―「反芸術」

はじめに

　敗戦直後の十年間はここでの考察の対象外にある。だからといって、この十年間の美術を無視しているわけではない。まず、敗戦の直後に、戦前の抽象画家も前衛美術家もほとんどこぞってといってよいくらい、多かれ少なかれ人間の姿をおもわせる具体的な象形的（フィギュラティフ）な絵を描いたという現象がみられた。それから、幾多の泰西名画展の再来とともに復活したエコール・ド・パリ風の微温的絵画が「サロン・ド・メ（Salon de Mai）日本展」（一九五一年二月、正式には「現代フランス美術展」）あたりを頂点として瀰漫（びまん）していく。他方では、かたちはさまざまであったにせよ戦前に前衛美術の波をかぶって戦争に生きのこった作家たちが戦後の現実のなかでみずからのシュルレアリスムや抽象絵画をそれなりに展開させていった（北脇昇、福澤一郎、古澤岩美（いわみ）、鶴岡政男、阿部展也（のぶや）

1-1：北脇昇《クォ・ヴァディス》1949年（油彩、画布。91×117 cm。東京国立近代美術館蔵）

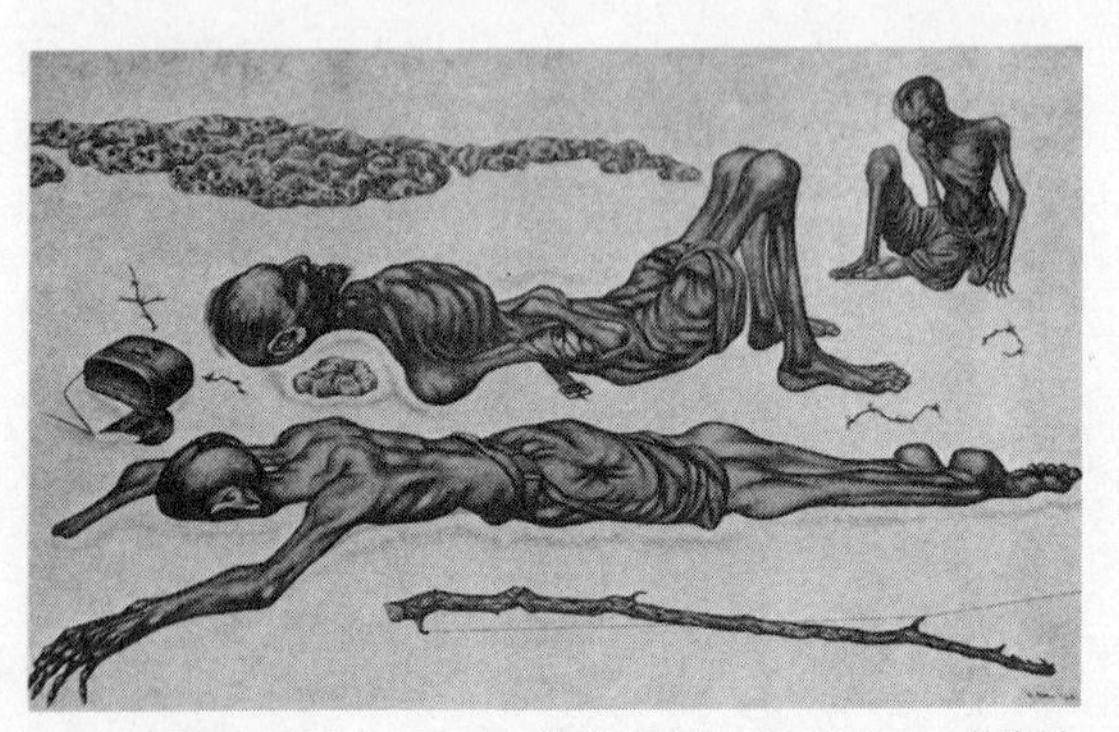

1-2：阿部展也《飢え》1949年（油彩、画布。80×130 cm。神奈川県立近代美術館蔵）

ら）［図1-1〜3］。また日本アンデパンダン展と読売アンデパンダン展のふたつのアンデパンダン展が発足して大きな役割をはたしはじめ、タケミヤ画廊が瀧口修造に企画を依頼して展覧会をつづけた。「青年美術家連合」（山下菊二、池田龍雄、中村宏、桂川寛ら）「日本アヴァンギャルド美術家クラブ」「アヴァンギャルド芸術研究会」「世紀の会」そして「実験工房」（山口勝弘、北代省三、福島秀子ら）といった一連の運動が表現のあたらしさを模索した［図1-4〜6］。そしてなによりもこの十年間の最後の時期に、河原温をはじめとする「密室の絵画」が生れた。また、松本竣介による自由意志にもとづく美術家の互助組織をつくろうという構想（「全日本美術家に諮る」、一九四六年一月）とその挫折、日展の復活と改革、美術団体連合展の発足、諸美術館の誕生（神奈川県立近代美術館、国立近代美術館、ブリヂストン美術館など）、画家の戦争責任をめぐる論議、雑誌『美術批評』（一九五二年創刊）、などといった出来事があった。

1-3：鶴岡政男《重い手》1949年（油彩、画布。130×97 cm。東京都現代美術館蔵）

ただ、わたしのここでの目的意識からすると、敗戦後の十年間は根本的には、欧米の美術とその動向を規範として設定してそ

1-4：山下菊二《あけぼの村物語》1953年（油彩、ドンゴロス。137×214 cm。東京国立近代美術館蔵）

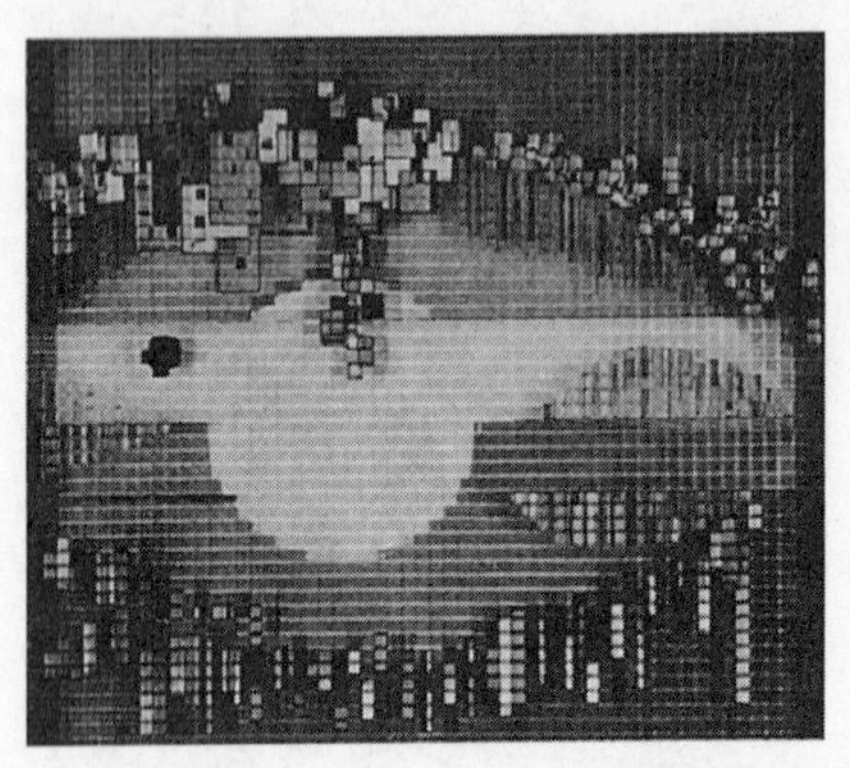

1-5：山口勝弘《ヴィトリーヌ 空虚な眼》1952年（鉛筆、型板ガラス、ミクストメディア。56×65×9 cm。東京都現代美術館蔵）

れにならっていくという、戦前からの発想の枠組みそのものはなんら改変することなく存続させていた点で、戦前の延長とみるほかはない。そのような制約のなかにあっても、たとえば「密室の絵画」[1]と呼ばれた、模倣や借りものではない作品群が生れたこともあったが、大勢としては、よみがえった欧米信仰が支配的だった。この点にかんするかぎり、極端にいうと、戦争と敗戦は大半の美術家にはなにもあたえなかったのかもしれない。自分とはかかわりのないたんなる災厄、ほとんど天災のようなものとしてしかとらえられていなかったのではないか、という気さえする。

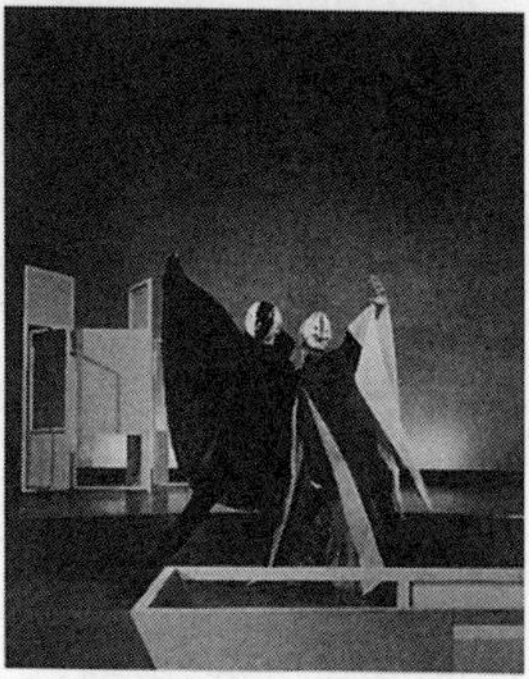

もちろん戦争は、否応なくある種の自律性をもつほかはない美術のながれに、直接的な影響力をもつとはかぎらない。とくに二十世紀の美術においてはそうである。美術家もふくめた人間の心と精神に戦争が大きな衝撃でないわけはなく、その意味で美術家の表現になんらかの波及がないはずはないし、ばあいによってはそれはきわめて甚大なものとなろう。しかし戦争およびそれをめぐる状況を表現しようとするときのその「表現」そのものが、独自のながれをたどって変質してきてしまっていた。簡略にいうと、二十世紀の

1-6：実験工房《月に憑かれたピエロ》1954年

美術における「表現」とは、「内なるものを外へ押しだす」という意味での"ex-pression"や、形あるものをかたどって再現するという意味での"re-presentation"などの概念ではおさまらないものをかかえこんでしまった。というよりは、それではおさまらないところへ飛びだしてしまった。そのために、従前のような意味ではかならずしも「戦争を表現する」ことができなくなってしまっていたのだ。一流の美術家ならそのような表現の水準を無視して制作することはできなかった。日本の戦争記録画が無残なのは、社会的・道徳的なこと以前に、まるで当時の絵画の表現の水準などまったく知らないとでもいうようにありきたりの写実的リアリズムにいとも簡単に走ってしまったからなのだ。たとえば戦争画のなかで最良のものといってよい藤田嗣治の戦争画と、それ以前の彼の作品とのひどい落差をみるがよい。無残なのはなによりもまずこの落差であり、こういう転身を無造作・無節操にやってのけることのできる画家の心と精神のありようなのである。そしてこのことは、敗戦後に戦争および敗戦後の状況を「表現」する場合でもおなじだった。戦争や敗戦後の惨状、あるいはあてがわれた民主主義の謳歌を写実的リアリズムで描くなど、ほんとうはとんでもない時代錯誤にすぎなかった。

ちなみに、第二次世界大戦から生れた最高の戦争画といってよいヘンリー・ムーアの連作《地下壕の人々》や、敗戦後のわが国の状況のひとつの真正の表現たりえた河原温の《浴室》連作(一九五三~五四年)[図1-7]、《物置小屋の中の出来事》連作(一九五四年)

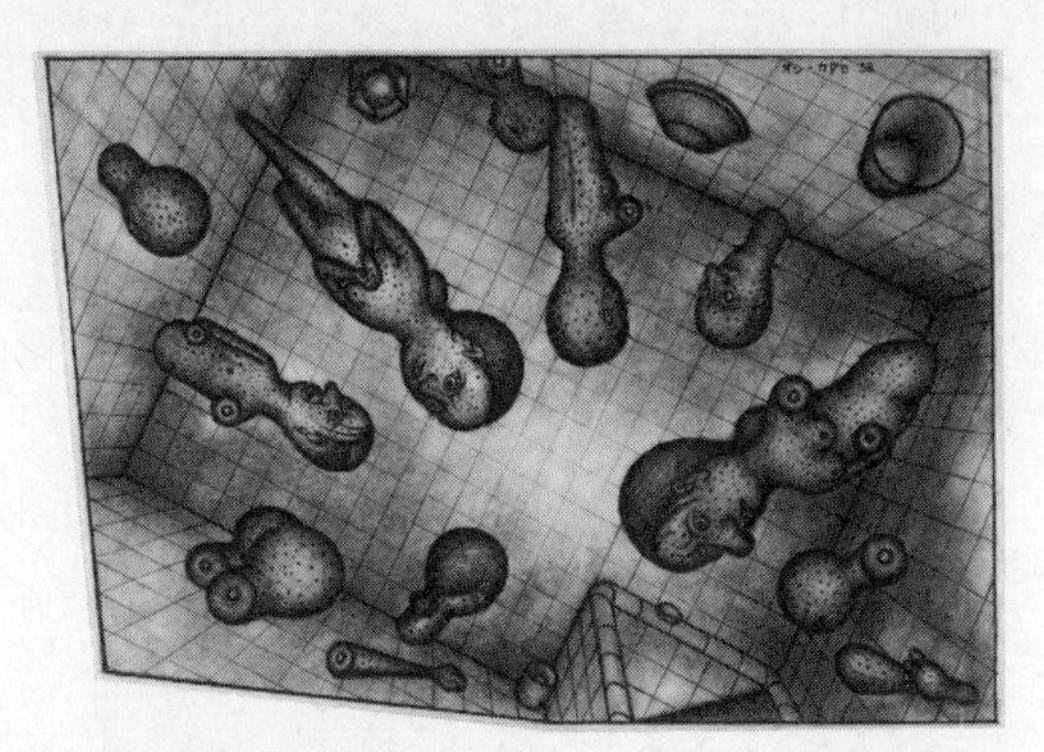

1-7：河原温《浴室》連作より 1953年（鉛筆、紙。25.0×36.4 cm。東京国立近代美術館蔵）
© One Million Years Foundation

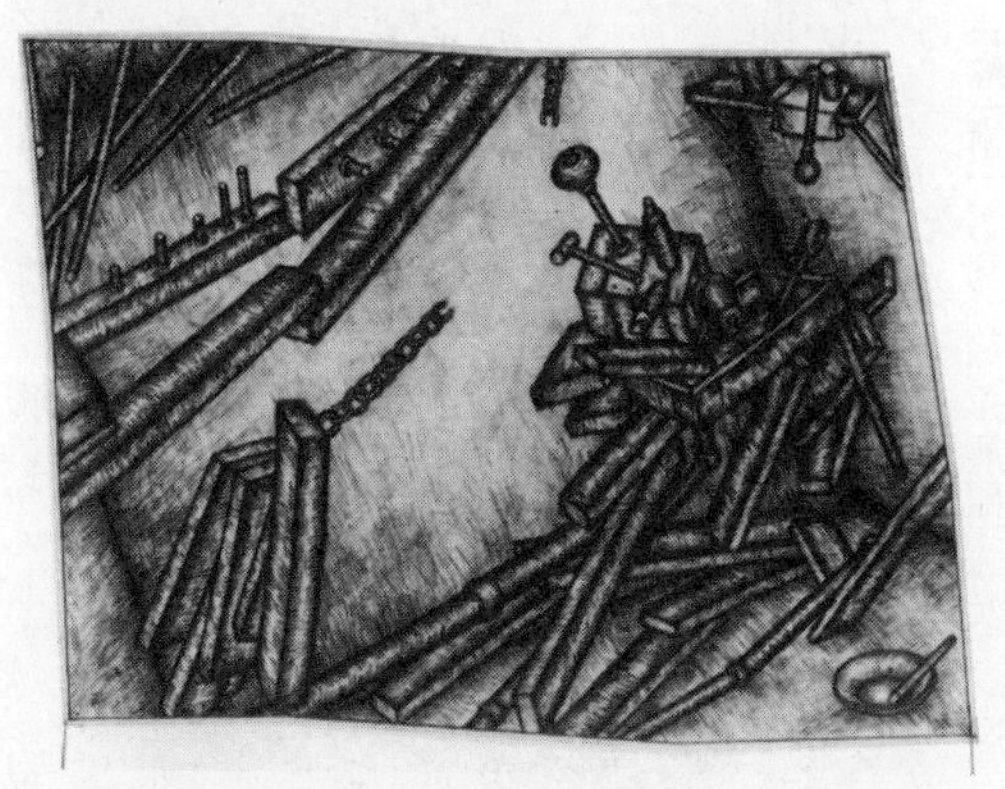

1-8：河原温《物置小屋の中の出来事》連作より 1954年（鉛筆、紙。29.6×40.4 cm。東京国立近代美術館蔵）
© One Million Years Foundation

［図1-8］などをおもいだしてみれば、当時の水準をふまえたうえでの表現というものがどのようなものになるかが理解されるだろう。すくなくとも美術にかんしては、自律的な展開をへてきた表現の水準が先行する。それをくみこまないかぎり、たとえ戦争であろうと表現の対象とすることはできないし、ましてや戦争（の表現）だからという免罪符など通用しない。

したがって、第一に欧米信仰の温存ないし存続、第二に表現じたいの水準にたいする自覚の欠如、主としてこのふたつの理由によって、敗戦後の十年間は美術の現在にとっては前史をなすものに終始したといわなければならない。いま例にあげた河原温の作品群の制作されたのがこの十年間の最後の頃にあたっていることは、象徴的と言ってよいかもしれない。河原温の作品、さらにひろげていうならば「密室の絵画」を経過したのちに、日本の美術は現在のなかへと入ってくるのである。

皮切りは一九五五年にはじまる「具体美術協会」の活動だった。「具体」の意義はいまでもまだ十分正当に評価されているとはいいがたいが、現実的には美術の現在はここからはじまった。一九五七年のアンフォルメル・ショック以降のアンフォルメル旋風がこれに続く。すぐ追いかけて一九五九年頃以降の「反芸術」の諸動向が展開されていく。だから一九五五年から一九六〇年代初頭にかけての数年間は、「具体→アンフォルメル→反芸術」

という線をひけば中核的なみちすじをおさえることができるといってよい。むろんこの三つの動向はそれぞれ別個のものであり、またそういうものとして論ずることができる。しかし、「具体」はアンフォルメルに変貌ないし変質をとげ、アンフォルメルは「反芸術」に爆発のきっかけをあたえるというように連関して起きており、その意味で一九五五年から六〇年代初頭にかけての時期をひとつのまとまりをもった時代として理解することができる。

この第一章では、「具体—アンフォルメル—反芸術」を、それぞれは独自の個別の動向であると同時に全体としては一連のながれをかたちづくったものとしてとらえて、考察をすすめていく。そのまえに、当時の状況(一九五四〜五年)について一言ふれておきたい。この年は、国際的にはフランスが南ヴェトナムから撤退し、かわってアメリカがインドシナ三国に直接介入を開始し、SEATOが発足し、またアジア・アフリカ会議がひらかれ、ヨーロッパではパリ協定発効によって西ドイツが主権を回復し、ワルシャワ条約が調印された。国内的には六千体にちかい遺骨が南太平洋地域から帰国したりするなかで日ソ交渉がはじまり、また重光・ダレス会談によって日米共同声明が出され、共産党が極左冒険主義を自己批判して六全協をひらく一方で、社会党統一および保守合同が実現した。社会的には出生率低下が顕著になり、神武景気がはじまり、マンボ・スタイルが流行し、巷には「ガード下の靴みがき」(宮城まり子)「赤と黒のブルース」(鶴田浩二)「別れの一本杉」(春日八郎）といったはやりうたがながれていた。日本についてだけみても、敗戦と敗戦直後の混乱の名残りを依然としてかかえながらも、経済的な上昇気流がはじまるなかで、政治的・社会的にひとつの相対的安定期に入り、戦後それじたいを相対化して問いなおす時期をむかえた重要な年であった。

I　批評の推移

最初に、「具体―アンフォルメル―反芸術」というながれにたいして美術批評がどのような反応をしめし、把握していったかをみてみたい。それは、これまでのいわば通説的な理解にあたるものをまず例示することになるだろう。日本の美術批評がこの時期にまがりなりにも本格的な出発をとげているとすれば、その出発の様態のなかに、批評がそののちかかえこむことになるゆがみがかなり明瞭なかたちであらわになっているとかんがえられる。その点をあきらかにしていくことは、とりもなおさず美術の現在にたいする知解のゆがみを修正していくことになるだろう。

日本の美術批評はこの時期にはじまるといまいったが、彦坂尚嘉（なおよし）のいいかたをかりていえば、それは新旧批評家の世代交代ということをも意味している。(2) 旧世代の批評家とは、瀧口修造、土方定一、今泉篤男、富永惣一、植村鷹千代、岡本謙次郎らであり、新世代の批評家、戦後批評家とは針生一郎（一九二五年生）、江原順（一九二七年生）、瀬木慎一（一九三一年生）、中村義一（一九二九年生）、東野芳明（一九三〇年生）、中原佑介（一九三一年生）、すこしおくれて宮川淳（一九三三年生）らである。つまり日本版サロン・ド・メの季節の末期に登場してくる新批評家たちが、一九五三年登場の針生、五四年登場の東野、五五年登場の中原の三人を中心にして、ちょうど「具体―アンフォルメル―反芸術」の時期に自分たちの批評を形成して、旧批評家たちにかわって批評の前面に出てくる。そしてこの新批評家たちが日本の美術批評においてはじめて批評として自立しうることばを成立させていく。

しかし、彼らの新批評がいくつかの大きな問題点をはらんでいたこともいなめない。それは第一に旧批評家にとってのフランスにかわってアメリカを「神」としたこと、つまり、またもや自己以外のなにかに規範をもとめたことであり、第二にそれゆえ日本の美術の固有の文脈という視点を決定的に欠落させてしまったことであり、第三に彼らの批評が歴史性、歴史的規定性の視点を内在させない傾向批評だったことである。第一点では旧世代批評家とかわりがなく、(3)第二点と第三点については、見方によっては土方定一や瀧口修造にも及ばないという結果にすらなっている。ここから派生してくるゆがみは、彼らが唱導・擁護・あとづけしていった「具体―アンフォルメル―反芸術」という美術上のながれに、かなり大きな影響をあたえていたようにおもわれる。宮川淳が「アンフォルメル以後の問題はまたすぐれて批評の問題でもあった」[4]といったのにならっていえば、ここでの批評の問題は、またすぐれて「具体」以後の美術そのものの問題でもあった。

「具体」の等閑視

まずなによりも、当時の批評が「具体」の動向と意義を理解しようとしなかった事実に眼をむけなければならない。この点では旧批評家も新批評家もかわりがなかった。「具体」は誰にも相手にしてもらえなかったのだ。当時の美術雑誌をいくらひっくりかえしてみても、「具体」の特集はおろか、まともに取上げたものすら皆無にひとしい。展覧会月評とか時評でときたま言及がなされるくらいのもので、それも他の多くのグループ展と同列にあつかわれたにすぎなかった。「具体」と同時代のものとしては、機関誌『具体』をべつにすると、「具体」の当事者の発言のたぐいのものがすこしだけだったという結果になっている。[5]

このおそるべき批評的貧困はそれでおわりではなく、すくなくともそれから十年は続いた。見方によってはさらに長く続いたと言わざるをえない。一九六〇年代には、『美術ジャーナル』誌に三回にわたって掲載された吉原治良の「具体美術の十年」(一九六三年四月号~六月号)や、白髪一雄の自伝「冒険の記録――エピソードでつづる具体グループの12年」(『美術手帖』一九六七年七月号~十二月号)など、やはり当事者によるものしかない。

アンフォルメルから「反芸術」にいたる動きについてあれだけするどい洞察をしめした宮川淳でさえ、「具体」に関してはなにも語っていない。一九六七年十月の東京セントラル美術館における具体第十九回展のときに、関西の批評家乾由明が「具体美術の15年」を書いているが(『みづゑ』一九六七年十一月号)、「具体」全体を通覧したという点で意義は大きいものの、「具体」の意味についてのとらえかたはいまひとつ物足りない。おなじころ、「反芸術」の動きがほぼ出揃って一段落したときに、針生一郎は戦後の美術を通史的にたどるこころみである「戦後美術盛衰史」を執筆した(『美術手帖』一九六三年一月号〜四月号、六月号〜十二月号)。だが「具体」については、アンフォルメルの喧伝者ミシェル・タピエが「具体」の中心作家たちをひどくもちあげた、としか触れられておらず、アンフォルメルに移行するまえの初期「具体」に関しては無視されている[6]。

「具体」の重要性が認識されてくるのは、それも初期「具体」の重要性がただしく把握されて認識されてくるのは、じつに一九七〇年代に入ってからのことだった。しかも、先鞭をつけたのは批評家ではなく、美術家の彦坂尚嘉と(ノイズ・ミュージックの)刀根康尚との共編(協力・赤塚行雄)の年表「現代美術の50年」(『美術手帖』一九七二年四月号、五月号)と、彦坂尚嘉の論考「閉じられた円環の彼方は——〈具体〉の軌跡から何を」(『美術手帖』一九七三年八月号)とにおいてである。後者は、解説としてではなく「具体」の意味を問うたものとしてははじめての秀れた論考である。また、一九七二年四月〜五月に、大阪・神戸・姫路・芦屋で「具体美術17年の記録」展、一九七六年十一月に大阪府民ギャラリーで「具体美術の18年」展、一九七九年一月には兵庫県立近代美術館で「吉原治良と具体のその後」展が開かれた。さらに一九八一年九月に東京都美術館で開かれた「一九五〇年代――その暗黒と光芒」展では、「具体」がかなり大きくとりあげられた。過小評価されてきた「具体」に光をあてようというこころみは、こうして何度かなされてきている。これらの展覧会は「具体」の再評価という点では意義があり、これによって「具体」のじっさいの作品（再制作や復元によるものもふくめて）のいくつかを眼にすることができた。ただ、カタログでみるかぎり、資料の調査や整理という点はいまひとつ不十分だったとおもう。それはともかく、こうして七〇年代後半に展覧会というかたちで「具体」再評価がこころみられたのだが、ここでも批評の側からの反応はかんばしいものではなかった。批評はまだ「具体」の重要性をみとめようとしないのだった。こうして現在（一九八六年）にいたっている。どうして「具体」は同時代に評価されなかったのだろうか。

乾由明は、「本質的には、それはかれらの活動が特定の観念や主張を前提とせずに、もっぱら制作行為そのものにすべてを賭ける、あの無媒介の直接性において成立っているという事実によるのではないか。つまり一切の思弁や論証を拒否し、いわば肉体そのものの無私な自発性を生命とする具体の性格が、観念的な根拠や論理をつねに要求する批評家たちにとっては、あまりにも即興的、偶発的な遊戯にみえたし、また作品の造形的な完成度だけを問題とする唯美的な論者にとっては、それは未成熟で幼稚な運動としかうつらなかったのである。せいぜいのところ、それはダダとみなされたに過ぎなかった」といっている（「具体美術の15年」）。そういうことかもしれない。とくに批評家の一般的なうけとめかたは、この後半で言われているとおりだっただろう。

ここで批判されている批評家の一人である針生一郎はのちに「当時のわたしたちは『造形』の観念にしばられて、火星からきた生物にでも出会ったように、これらの作品をうけとめるべき概念も座標ももたなかったのだ」と書いている（『戦後美術盛衰史』）。それも事実だろう。うけとめることすらできなかった、その基盤じたいがそなわっていなかった。その根元には、日本の美術の固有の文脈をさぐる視点からものをみるという姿勢が基本的に欠けていたという事実があることを、指摘しておかなければならない。「具体」が戦後の美術において、はじめてわが国の美術体験にねざした固有の自発性から起った動向であったために、欧米の美術とその論理の基準によってしか判断をくだしえなかった批評は、かえって的確な反応をしめすことができなかったのだという、まことに皮肉な事態がここにみえてくる。

この欠落、そこから生ずるゆがみを、世代として登場して日本の美術批評を確立していくべきだった当時の新批評家たちはかかえこんでしまい、しかもそれを自覚することがほとんどなかった。彼らは、「具体」を看過して、あるいは無視して、アンフォルメルと

「反芸術」に反応をしめすことから彼らの批評をつくっていく。だが、新世代批評家たちがいかに当時はかけだしだったにせよ、第一に日本にのりこんできてアンフォルメルを唱導したタピエらがいちばん注目したのが「具体」の作家たちだったという点、第二にこうして注目された彼らが「具体」初期の活動からアンフォルメル絵画へと迅速に変貌をとげた点、この二点についてだけは、無関心でいられるはずはなかったとおもうのだ。しかしじっさいには、この二点についても無自覚ないし無関心なままだった。その結果、アンフォルメルが日本に入ってきたのは事実上は「具体」を通してであるということがなおざりにされてしまった。新世代批評家たちはアンフォルメルについて書くことから出発したといってよいのだが、彼らがアンフォルメルをとらえたとき、そこからは「具体」がぬけおちてしまっていたのである。

アンフォルメル・ショック

日本にアンフォルメル・ショックをひきおこしたのは、一九五六年十一月に東京日本橋の高島屋で開かれた「世界 今日の美術展」だった。(7) これ以前にもいくらかの紹介はおこなわれていた。たとえば岡本太郎はヨーロッパ紀行のなかの「ヨーロッパの戦後派」と題された文章のなかで、「アルトゥング、ドビュッフェ、ドーヴァ、キャポグロッシ」、「サン・フランシス」、「ジョルジュ・マチウ、カミーユ・ブリエン、アンリ・ミショー、死んだヴォルス……ラウール・ユバック、ジャン・アトラン、ジェルマン等」の名をあげている（『藝術新潮』一九五三年九月号）。また、「具体」の作家たちも大挙して出品していた、一九五五年三月の第七回読売アンデパンダン展には、ジャン・アトラン、ノーマン・ブリューム、ジャン＝ポール・リオペルら、フランスの画家七人の作品が特陳されている。しかしこの段階では紹介も不十分だったし、受容の素地、気運もととのっていなかった。

それが「世界 今日の美術展」になると、戦後のわが国の画壇・美術界に紹介されてきた「サロン・ド・メ」系統のものとはまったくことなった、ヨーロッパ（フランス）の真正戦後派の美術の作品がまとまって紹介されることによって、大きな衝撃をもたらした。この衝撃をうけて、まず、「具体」の作家をはじめとしてそのころ前衛的とみなされていた美術家の多くがアンフォルメルの画家に転向し、そして画壇の作家たちもそれにならっていく。たとえば翌一九五七年二月の第九回読売アンデパンダン展などは、はやくもアンフォルメルの影響を顕著にみせていた。

しかし、注意すべきことは、擡頭しはじめていた「反芸術」の作家たちが、この衝撃波をあびながらも前二者とはちがううけとめかたをみせていた点である。つまり旧世代の作家たちが、いかに深甚な衝撃だったとはいえ、おおむねアンフォルメルを様式としてしかうけとめていなかったのにたいして、「反芸術」を形成する新世代の美術家たちは、様式としてではなく、これまでとは異質な表現を獲得するためのたんなるきっかけにすぎぬものとしてうけとめていたのである。しかし、西欧美術史のながれのなかでアンフォルメルがはらんでいた絵画概念をほりさげて表現を問いなおすということの意味は、（どこまで自覚していたかはべつとして）正当に察知していた。しかもその表現の零度の地点をうのみにするのではなくて、自分たちの固有の文脈のほうへと（これもどこまで自覚的だったかはべつにして）読みかえていこうとした。その意味では、アンフォルメルの模倣へと走った画家たちよりは、かえって深くアンフォルメルの意義をとらえていたということができる。

　当時の美術批評はその間の事情をどうとらえていただろうか。これについては、すでに宮川淳が一九六三年に「変貌の推移・モンタージュ風に」というすぐれた文章を書いてひとつの整理をこころみている。それをふまえていうと、まず、瀧口修造をのぞく旧世代批評家たちは、富永惣一のように手ばなしに礼讃するか、徳大寺公英（きんひで）のように模倣を憂えるかのちがいはあっても、総じてアンフォルメルを抽象絵画を延長したところに位置する様式としてしかとらえていなかったといってよい[8]。おそらくはその結果として、次の「反芸術」に関しては、河北倫明（みちあき）の「ロカビリー的狂乱」という悪口[9]に典型的にみられるように、からさわぎとしてしか理解できない状態におちいってしまうしかなかった。

　そのなかで瀧口修造だけは冷静な展望をしめしていた。はやくも一九五七年の第九回読売アンデパンダン展を評した文章のなかで「必ずしもこんどの傾向をアンフォルメル絵画と結びつけて考えるまでもなく、むしろ方向を求めて鬱積した表現意欲がまず行動に直結しているのであって、アンフォルメルはその機縁になっているにすぎないと思う」と、するどい洞察を加えている（『読売新聞』一九五七年三月一日、傍点引用者）。アンフォルメルでも、その移入と定着でもなく、アンフォルメルをきっかけとして流出口をもとめていた日本の美術そのものが問題なのだと指摘したのである。これはきわめて重要な指摘であり、後述する新世代批評家たちのアンフォルメル理解もそれにまなぶところが多かった。しかし瀧口はこのあと、あまり語らなくなる。たとえば一九五九年三月五日の『読売新聞』紙上では篠原有司男の作品に触れて「これはたしかに類のない『わるい彫刻』の一つとして記録に値しようが、だれもこの作品の未来を予言するものはいないだろう。私はひやかしているのではない。アンデパンダンはこれを避けて通ることができないことをいいたいのだ」と語った。さらに翌一九六〇年の第十二回読売アンデパンダン展にふれた「一つの挿話」という文章のなかでは「ここではネオ・ダダとか『反芸術』とかいう最近の流行標語に結びつけて物をいうことを私はしばらく差し控えたいと思う。私もいずれは『反芸術』について一言なかるべからずかもしれないが、いまはこの出来合いの用語で定義するよりも、この世界独特のアンデパンダン展でこの一群の芸術家たちの思考と表現が烈しいエネルギーを発散していることを率直に認めなければならないだろう」（『藝術新潮』一九六〇年四月号）と語った。だがそのあたりがほぼ最後である。正確にいうと、瀧口は「反芸術」についてはついに語らなかった。すくなくともことばによっては語らなかったといわなければならない。

東野芳明

これにたいして新世代批評家はどのように対応したかをみるために、東野芳明と針生一郎のばあいを検討してみよう。

東野芳明は処女評論「自由の騎士——パウル・クレー」(『みづゑ』一九五四年六月号)以後の数年間はおもに『美術批評』誌の個展評などを書いて、本人のことばによるなら「観念のデッサンの体操」(座談会「戦後美術批評の成立と展開」)をやっていた。しかし彼の批評が同時代の美術作品や動向によってゆさぶられることでためされることになったのは、アンフォルメルから「反芸術」の時期だった。一言にしていうと、この時期の東野は、アンフォルメルにたいしてよくわからないながらに自分をぶつけ、つぎに瀧口修造の「アンフォルメル機縁説」を採用する。それから外遊してアメリカのネオ・ダダに衝撃をうけて帰国し、このネオ・ダダを通して「反芸術」を解釈し、しかしすぐに追尾しきれなくなって、ネオ・ダダやポップ・アートの主としてアメリカの作家たちの作家論に主力をそそぐことでひとつの円環をとじる。そういうすじみちをたどっている。

まず、「世界・現代芸術展と今井俊満、サム・フランシス個展を見て」という副題をもつ「ひとつのアンフォルメル観」という文章を、「世紀は変ろうとしている。いや、それはもう変ってしまったのかもしれない。しのび足でやってきた冬が、突然、そのカン高い白の音色で世界を埋めつくしてしまうときに、ボロボロの夏の切れっぱししかもっていないのでうろたえる、ねぼけ眼のぼくら」と書きだして、「下手くそなオマージュを捧げるのを禁じえないほどに、ショックを受けて茫然としている現状」を率直に告白してみせている（『美術手帖』一九五七年十二月号）。しかしすぐに気をとりなおし、前田常作（じょうさく）、小野忠弘、藤松博、嶋本昭三、毛利武士郎、田中稔之（としゆき）らに「抽象表現主義的な、あるいはアンフォルメルに近い傾向」を共通なものとしてみとめて「ここにアンフォルメルの表面的な影響だけを見るのは少々皮相的すぎる。街にはたしかにその愚劣な模倣が氾濫しているが、それは論外として、アンフォルメルのもつイマージュへの不信、想像的世界の亀裂そのものの定着、素材との直接的な衝突による粗々しい内心の表白——これらのいわばすべてをタブラ・ラーサに化することによって未知の領域に踏込もうとする意欲が潜在的に日本の一部の作家にも鬱積しており、それがアンフォルメルとの接触によって爆発した、と見るのはあまりに好意的だろうか。ある世代感覚が、このあたりに、ようやく明確に出てきたのではないだろうか」と語った（「新人繁盛記」、『みづゑ』一九五八年一月号、傍点引用者）。あきらかに瀧口の「アンフォルメル機縁説」をふまえた発言といってよく、ただ、それによってもたらされたのがタブラ・ラーサ（白紙還元）だという主張に東野の個性があらわれている。このあと彼は一九五八年五月から翌年九月にかけてヨーロッパとアメリカをまわってくる。そして帰国早々の一九五九年十一月号の『藝術新潮』に発表した「狂気とスキャンダル――型破りの世界の新人たち」のなかで、ジャスパー・ジョーンズ、ロバート・ラウシェンバーグ、イヴ・クライン、ジャン・ティンゲリーの四人について「ただのルポルタージュでもなければ、客観的な作家論でもない。ぼくのカラッとした賭」を書いて、とくに前二者にみられるアメリカのネオ・ダダにたいするあついおもいを披瀝(ひれき)した。(10)それから、彼じしん知らないうちに「反芸術」の名付親となって、たとえば座談会「反絵画・反彫刻・反批評」(『みづゑ』一九六〇年四月号、東野芳明、針生一郎、江原順)にみられるように「反芸術」を擁護する側に立つかたちになった。

だがそれは、針生一郎がはじめのうち「反芸術」に批判的ないし懐疑的だったことと相補的なことにすぎず、かならずしも東野が「反芸術」の実相を正確につかんでいたことを保証するわけではない。「反芸術」を擁護するかたちになったとはいっても、実質的には、針生が「僕は篠原とか荒川というのは、エネルギーを発散することと、作品を作るということと、とりちがえているのではないかという気がする」(座談会「反絵画・反彫刻・反批評」)というのにたいして、そこに逆に可能性を感じとって肯定的に評価してみせた、というほどのことだった。そして、針生の伝えるところによれば、「昨年(一九六二年)の読売アンデパンダン展の会場で、東野はわたしに苦笑していった。『とうとう、オレにもつきあいきれなくなってきたよ』そして、秋にはポップ・アート全盛のニューヨークから、『ニューヨークもつきあえなくなってきた』と書いてよこした」という(『戦後美術盛衰史』)。こうして東野は、『みづゑ』誌上に一九六一年四月号から翌年九月号にかけて「現代美術の焦点」を連載するのをはじめとして、そのあと状況の前線からしりぞき、解釈のたわむれという処女評論の方法へとひとつの螺旋をえがいてたちもどっていく。

東野の「反芸術」理解に関してもうひとつ指摘しておくべきなのは、それがあきらかにアメリカのネオ・ダダを下敷にしていることである。ジョーンズやラウシェンバーグを知ることがなければ日本の「反芸術」に肯定的に接することになったかどうかわからないし、ネオ・ダダにタブラ・ラーサをみて、それを日本の「反芸術」にあてはめるということもなかっただろう。いうまでもなく、タブラ・ラーサという観念そのものがじつは近代の神話にすぎなかったことは、当時すでに宮川淳によって指摘されていた。いまでは、アメリカのネオ・ダダじたいがかならずしもタブラ・ラーサだったとはかぎらないという相対化された視点を、わたしたちはもっている。それは言わないにしても、そして当時の状況がタブラ・ラーサないしそれに相当するある種の発想の転換といったことを必要としていたことは十分にみとめるにしても、タブラ・ラーサという観念を無原則的に日本の美術の状況にあてはめようとしたことは決定的な錯誤だった。日本の美術の固有の文脈にたいする自覚が欠如していたことについては、彼だけが責められるわけではなく、当時は一般的なことだった。ただ、「反芸術」については東野芳明にいちばんはっきり露呈してしまったということなのである。

針生一郎

針生一郎の批評が意味をもってくるのが、ここにおいてである。ふたたび宮川淳のことばをかりていえば、針生は「アンフォルメルによってひき起されたアンフォルメルの必然性を認めて、それを主体的に受けとめ、以後、アンフォルメルにたいして日本の美術の『地すべり』に一貫した方法論で対した、ほとんど唯一人の批評家であった」(「変貌の推移・モンタージュ風に」、傍点引用者)。東野よりは日本の美術の固有の文脈にたいする自覚をもっていた点がなによりも重要である。しかし針生のばあい、この固有の文脈の自覚のなかみというか根底というか、それがもうひとつはっきりしない。それが明確に批評のことばに、批評の論理に結実しているとはいえない。そこのところをあきらかにしていくこと——針生の批評を検証することはそのことをも意味している。

この時期の針生一郎の批評をおおざっぱに素描してみるなら、アンフォルメルに関してはひとつの様式としてしか受容しない点を衝き、「反芸術」に関しては基本的にはダダの再来ととらえて、たんなる「アンチ」の不毛を衝くというように、一貫して御意見番のように否定的評価ないしは条件付肯定の評価を下しつづけ、そこから「前衛」の意味をとらえかえすところまでいく。だが、針生の批評にはいつも、平衡感覚がありすぎるためなのかどうか、本音の部分ではみとめているのに否定的に語るのか、本当はみとめていないのに注文をつけるようなものいいをしてしかし根はみとめているとおもわせようとするのか、よくわからないところがある。しかしこれは、わたしのかんがえでは、のちに東野が針生の批評を揶揄していった「あれもだも、これもだめ、おれは待ってるぜ」ということではないとおもう。むしろ針生の批評の方法とレトリックにひそむ、もっと本質的なあいまいさに由来しているのではないだろうか。

一九五七年一月号の『みづゑ』に発表した「物質と人間」において、針生は、アンフォルメルは「キュビスム以後の美術が、それを拠点として自然主義をのりこえた〝造形〟観にたいして、その根本的な再検討をうながすような新しい美学、新しい世界観を築きつつあるのではないか。そしてその遠心的な冒険の背後には、戦後のヨーロッパに鬱積していた反抗精神がつよく感じられる」といい、タピエがダダを重視していることをひきあいにだして、この「反抗精神」をダダとむすびつけ、つまりアンフォルメルをダダと規定する。そして「アンフォルメルがダダを回復しようとするのは、ふたたび外部の物質的現実への通路を求めているとみることができる」とのべている。

つけくわえておけば、これはヨーロッパのアンフォルメルについて書かれた文章で、[11]日本のことについてはなにも語っていない。そして、おもしろいことに、この一九五七年初頭からほぼ一九五九年いっぱいまで、針生は本格的なものを書いていない、というか発表していないようなのである。一九五九年にはいくつかの時評や展評のたぐいの文章があるが、一九五七年から五八年にかけては奇異な感をいだかせられるくらいに少い。原因についてはわからないが、いまからみると要するに腰がさだまらない時期だったとおもわれてくる。一九五八年四月号の『みづゑ』にのせた「新人はどこにいる」のなかで、そのころの「批評の停滞」に触れているのは、あるいはそれをうらづけているとみてよいのかもしれない。腰がさだまらなかったのは針生だけではない。一九五七年から五九年にかけての時期は、アンフォルメル・ショックと「反芸術」とのあいだにごくみじかかったとはいえ存在していたすきまの時期を含んでいたから、前のショックとぼつぼつ出はじめていた奇態な作品群とに挟撃されて誰もがとまどっていたのが実情だったのだろう。

そして針生一郎のばあいのとまどいは、ヨーロッパのアンフォルメルについては「物質と人間」での考察でいちおう片はつけたものの、それが日本の美術の現実のなかではどうとらえられるものなのか、あらたに起りつつある「反芸術」はいったい何なのか、アンフォルメルとはどのように関連づけられるものなのか、にあった。このとまどいはもっともだが、しかしそれは「物質と人間」の論理に発していた。アンフォルメルをダダととらえ、それに共感はいだきながらもダダよりはシュルレアリスムを高く買っていたということ、外界の物質的現実との直接的なかかわりの展望を予感しながらもなおイメージによる表現にたいするのぞみを捨てきれないでいたということ[12]――この矛盾のなかに発していたとかんがえられる。

だいたい、アンフォルメルをダダととらえたことに狂いがあった。そのために、アンフォルメル日本版をダダと理解したばかりでなく、逆に日本の「反芸術」(いいかえればネオ・ダダ的動向)の初期のものまでアンフォルメルと一括してとらえてしまった。たとえば、一九五九年二月の第十一回読売アンデパンダン展を評した文章を、「読売アンデパンダン展は数年ぶりに高潮期を迎えた。一昨年あたりからめだっていたアンフォルメル張りのヤケクソ・スタイルは、だいぶ良識派の眉をしかめさせたようだが、その混乱もどうやらもう先がみえた。あれは要するに、子どもが一度はかかるハシカのようなものだったろう」と書きはじめている(『美術手帖』一九五九年五月号、傍点引用者)。そうかとおもうと、同じ年の十一月号の『藝術新潮』の個展評は、「八月末から、アンフォルメル系作家の発表がヤケにつづくと思ったら、教祖タピエが何どめかのテコ入れにきている。日本も国際的な市場になったわけだろう。上野の公募展をみても、今やいたるところアクション・ペインティングの花ざかり。その類型化も病コウモウ(ママ)に入ってきたようだ。……わたしはこの混乱のなかにあるエネルギーを、全然不毛だとは思わない。批評家やジャーナリズムがなんといおうとも、新人たちはおのれの欲求にしたがって危険のどんづまりまで辿りつめ、デカダンスと自己解体にたえる能力があるかどうか、たしかめてみるがいい。だが、衝動を内側から規制し、物の内部に侵入する明確な戦略なしには、いうところの破壊すらありえぬことを、肝に銘じておくべきである」と書きだしている。後の引用の後半で語られている批判じたいは正当なのだが、「アンフォルメル張りのヤケクソ・スタイル」とか「新人たち」とかいったことばでさししめしているものがはっきりしていない点が問題なのである。

そこまではまだいいかもしれない。アンフォルメルと「反芸術」とが錯綜しあっていたこともたしかだからである。しかし、「反芸術」の動向が決定的となった一九六〇年三月の第十二回読売アンデパンダン展以降は、話はべつだと言わなければならない。だが彼はここでもまだ、「今年の読売アンデパンダン展には、一種ダダ的な原理にたった反絵画、反彫刻ともいうべき傾向が進出して、話題をにぎわした。だが、じつのところ、はやったのは反絵画、反彫刻などの言葉であって、アンチというほどの作品はみあたらなかった、というのがわたしの印象である。なるほど、新しい素材を工夫して使い、絵具をしたたらせ、もりあげ、書道に似た筆勢を強調した作品は多かったが、それらはもう公認された方向にすぎない。公認の安全なレールの上で、アンチ、アンチと雀の学校よろしくさえずっている風景なら、たいがいみあきるくらいだ。いったいかれらは、何に反逆し、何をこわしたというのだろう。多くの作品にみるのは、依然として物にイカれやすく、物にウップンのはけ口を求める、フォーヴ以来の甘やかされた感性である」と書くのである（「画壇の条件と創造の条件」、『美術手帖増刊』一九六〇年四月号、傍点引用者)。それだけではない。ここで針生が「ダダ的な反絵画・反彫刻」と呼ぶのは、アンフォルメルとは決定的にことなる「反芸術」のことなのだが、だとすれば、これは針生自身のなかで「ダダ」の語の意味するものが変化したことを物語っている。つまり、アンフォルメルと「反芸術」との落差がきちんとおさえられてはいないということなのだ。

針生一郎はこの誤差をかかえたまま、「反芸術」にたいする評価を微妙に変化させていく。それとともに「前衛」の概念そのものの変質をみていこうとする。「前衛」の概念そのものをとらえなおすことで誤差を解消していこうとしたといいかえてもよい。むろん、圧倒的な「反芸術」の動向が針生に転位を強いたのである。「危機のなかの前衛群」(『美術手帖』一九六一年四月号)では、依然として「反芸術」に懐疑的な意見をくりかえすとともに、「前衛派にはこと欠かないが、前衛はほとんどみあたらない、というのが日本の美術のいくらか宿命的な事情である」と記す。そして一九六一年四月に国立近代美術館で開かれた「現代美術の実験展」にさいして書かれた「実験展という名の実験」(『美術手帖』一九六一年六月号)において、「今日、明らかなのは、前衛をひとつの傾向、ひとつの様式とみていた、蜜月時代の通念が破産したことではないか」とのべ、「前衛の概念そのものが変質したのである」と明言するにいたった。

この文章は針生一郎の転位を明瞭にしめす重要なもののひとつであり、それまで否定的に応対してきた「反芸術」的動向にたいして、「わたしのみるところでは、現代美術の尖端には、数年前とはまったくちがった性格があらわれていて、その地すべりのきっかけとなったのは、アンフォルメル、アクション・ペインティングといった外来の刺激だった」というように、アンフォルメルと「反芸術」とをはっきり区別したうえで、ほぼ「アンフォルメル機縁説」とおなじ立場にたつにいたっている。そして、これは一種のひらきなおりといえなくはないが、「わたしたちはもう何がでてきてもおどろかないし、作家の方でも実験の前衛のと力みかえってはいない。非情な物質ととりくんで、甘ったれた人間をねじふせてゆくといった、悲愴な観念のドラマはもうないし、だいいち芸術でなくったっていっこうかまわない。そのカラッケツでそうぞうしい虚無の表情が、何よりも印象的だった。戦後十数年を経て、若い美術家たちはようやくこの『零の地点』にたつことができたのである」という確認をのべている。「カラッケツでそうぞうしい虚無の表情」などというくだりは、これより一年ほどまえの東野芳明の口ぶりそのままといってよいが、事実上、針生はすこしおくれて「アンフォルメル機縁説」をふまえることで「反芸術」を肯定するところへとやってきたのである。(13)

ただ、東野とはふたつの点がちがっている。ひとつは東野がタブラ・ラーサ説を公言したのにたいして、針生はダダととらえた点だ。しかし、針生のダダ説にもタブラ・ラーサの観念は色濃くしみとおっている。そしてもうひとつは、東野には欠けていた日本の固有の文脈にたいする自覚が針生にはとにかくあった点である。「実験展という名の実験」のなかの「日本ではあらゆる観念は外来のものであって、それが個性に根ざすためにはひとたび感覚化され、雲散霧消する過程が必要らしい。そうした解体と拡散の過程のはてに、こんどこそ自前のメタフィジックを、時間空間の独自なヴィジョンを、つくりあげねばならないのだが、そのコースはまだ十分明らかにされていない。ここに並んだ若い作家たちの仕事は、そうした可能性と困難とを示している。かれらがその困難さに挫折したとしても、わたしたちはぜひともそのコースをきりひらかなければならないのだ」という結びにみられるのも、この問題意識にほかならない。それからほぼ一年後の「前衛芸術に疲れました」(『藝術新潮』一九六二年八月号)で、「ただひとつの宣言、形式原理、プログラムのまわりに、芸術家があつまって前衛的な運動をなしえた時代」すなわち「アヴァンギャルドの古典的啓蒙期は終った」ことを確認し、しかるのちに、一九六三年の一月号から『美術手帖』に「戦後美術盛衰史」を連載して戦後十五年の日本の美術の再検討をおこなっていく。

だとすれば、この「盛衰史」は戦後の日本の美術の固有性のなかに前衛の概念そのものの変質をあとづけていくこころみになってもおかしくはなかったはずだが、そうはならずに、どちらかというと網羅的で平板な通史、ドキュメンタリーふうのルポルタージュとなるのである。わたしのかんがえでは、針生はルポルタージュをひとつの方法として批評のなかに自覚的に導入した。これ以降の彼の批評は、基本的には、方法としてのルポルタージュというところにかたまっていったと言えるのではないだろうか。視野がひろくてめくばりがきいているという長所も、するどい垂直的な切りこみに欠けるという短所も、方法としてのルポルタージュという点に由来している。

当時はおろか現在でも、戦後の日本の美術の全体をとらえようとするこころみがないという点で[14]この「盛衰史」の意義は十分高く評価されなければならない。また方法としてのルポルタージュという批評のあり方を、その平板さゆえに一方的に批判するつもりはない。ただ、「盛衰史」が書かれた時点にひきもどしていえば、前衛概念そのものの変質の確認から「盛衰史」執筆への過程で針生の批評に起った変化は、アンフォルメルから「反芸術」にいたるながれにみられた固有性をついにとらええず、記述に定着しえなかった点で、衰退をあらわにしているものとみるほかはないだろう。前衛の観念そのものの変質を戦後の日本の美術のなかであとづけていくことができなかった理由は、針生のなかにもどこか無意識のうちに西欧の「前衛」概念を踏襲しているところがあったからだとおもわれる。さらに厳密にいうなら、東野が欧米の現代美術にみたタブラ・ラーサをそのまま直接的に日本の美術に適用したとすれば、針生は（ダダの理念を念頭にはいだいていたが）日本の「反芸術」の動向が成熟するのをまってそこに世界史的同時性をみる方法をとった。いわばあちらがわをこちらがわにあわせるとみせて、文脈の差異に眼をつぶることでこちらがわをあちらがわにあわせていくという方法をえらんだ。だからヴェクトルの向きは逆でも結果は変らなかった。針生のほうが結果的にすこし手が込んでいただけであり、その分だけ当時の現実をより正確に網にかけることができたのである。ただし、文脈の差異に眼をつぶったことはたしかであり、そのために、ここでも日本の美術の固有の文脈にたいする自覚のみちは断たれてしまったとみるべきだろう。

宮川淳

こうして、批評は状況をとらえきることができないまま、一九六〇年代の初頭がすぎさろうとしていた。そのとき登場してきたのが宮川淳だった。したがって宮川は、東野・針生のあとをうけて、アンフォルメルから「反芸術」にかけての動向にかんする混乱した言説のさなかからはじめることになった。そして東野・針生が及ばなかったそのさきへと論議をすすめることで、アンフォルメルや「反芸術」をめぐってより深い洞察をしめし、あらたな地平をもたらしたのである。東野・針生がそのなかにとらわれていた論理、パラダイムじたいをえぐりだしてその限界をつきつけてみせたといってもよい。ちょうど新世代批評家たちがひとめぐりをしおえて、ひとつの節目をむかえていたときだった。

宮川淳は、まず、美術出版社第四回芸術評論コンクール第一席入選論文の「アンフォルメル以後」(『美術手帖』一九六三年五月号)によって問題の所在を深くつきつめて提出するとともに、アンフォルメル以後を特集した同年十月号の『美術手帖増刊』に発表した「変貌の推移・モンタージュ風に」において批評の推移をたどることで自分の論理をあとづけてみせた。宮川が「アンフォルメル以後」を書いたひとつの動機は、批評の不在あるいは批評の危機にあった。つまり芸術とはなにかという根源的な問い、そして問いなおしが当時つよくもとめられていたにもかかわらず、誰もあえて問おうとしない、あるいは問うことができないという状態にあった。彼はそこのところを剔出することからはじめる。彼によれば、その状態は、アンフォルメルがさししめしている美術上の大きな意味とは「単なる表現の次元をこえて、なによりも表現論の次元における断絶である」ことを見ようとしないところからやってくる。別言すれば、「以後、われわれが芸術といい、作品といい、あるいは創造というとき、意識する、しないにかかわらず、われわれは必然的に近代芸術のコンテクストの中で語らずにはいない」にもかかわらず「現代においてなお、近代芸術のコンテクストの中で語りつづけることができるかどうか」という根源的な矛盾、「反芸術」は必然的に芸術を前提とするほかはないという矛盾——それは表現の次元と表現論の次元との断絶、そして前者から後者への転換を示唆している。こうした批評への要請をふまえて語らなければならない。「たしかに、ひとびとはすでに近代芸術に対して、たとえば現代絵画を語りはじめてはいるが、しかし、それはあくまで様式概念上、既成事実化した部分が近代から区別されたにすぎない。だが、近代とは様式概念であると同時に、また、ボードレールにはじまる強烈な近代の意識と感覚に裏づけられた価値概念として成立してきた」(傍点宮川)のであり、近代芸術とは様式概念であるとともに価値概念として成立してきたものである。

そして、アンフォルメルという例が典型的にしめしているのは、この「様式概念としての現代と、価値概念としての近代との矛盾」ということにほかならない。だがアンフォルメルにおいて、「人間観の価値転換が主張されるのに急で(中略)それに対応すべき表現概念の価値転換が明確に把握され」ずにおわったとき、批評は失権するほかはなかった。こうして「絵画のテロル」としてのみ規定されたアンフォルメルは、様式概念としての現代と価値概念としての近代との矛盾を顕在化させずにはいなかった。「表現行為の自己目的化」があきらかだったにもかかわらず(「たとえば、ポロックのドリッピングについて、それがすでにマックス・エルンストによって試みられている、と指摘することはむずかしくはないだろう。しかし、問題は、エルンストにあってはさまざまな他の技法とともに、ひとつの手段としてあったものが、ここでは目的と化しているということであり、しかも、それにもかかわらず、それが無償の行為に陥るのではなく、逆に、ほとんど倫理的といいうるほどの要請にまで転化されているという事実なのだ」)、あいかわらず近代のコンテクストのなかでうけとられてしまったからである。「そして、その破産のあとに残されたものは『反芸術』であった」。そして、「最近のいわばオブジェ化ともいうべき傾向が必然的なものであるとすれば、それが語るものは、まさしく表現行為の自己目的化が表現主体の唯一のアンガジュマンたらざるをえないという現代の逆説以外のなにものでもありえないだろう。（中略）しかし、アンフォルメルの失権が抽象の行きづまりにすりかえられるとき、オブジェ化にはらまれていた現代の可能性もふたたび見失われる危険にさらされているようだ。そして、一方、単に抽象への反動、現実への復帰としてのみ捉えられたオブジェ化の傾向と結びついて、アンフォルメルの落し子にほかならなかった反芸術は、いまやエディプスにまで成長する。だが、それはかつてアンフォルメルが直面しなければならず、また、それゆえに破産しなければならなかった矛盾の再生産でしかありえないだろう」。

この宮川の論理から三つのキイ・ワードをとりだすならば、「表現の次元から表現論の次元へ」、「様式概念としての現代と価値概念としての近代との矛盾」、そして「表現行為の自己目的化」である。第一の批評の視点をふまえて第二の根源的状況を洞察し、第三の美術上の現実的状況をあやまたずに読みとっていくというのが、彼の批評の骨格だった。「アンフォルメル以後」が原理的考察の論文だとすれば、この間の批評の推移の推移をたどることでその原理的考察を検証しようとしたのが「変貌の推移・モンタージュ風に」だったということができる。

はじめに宮川はつぎのように記す――「問題はつぎのように要約できるだろう。ここ数年来、戦後美術はよかれあしかれ、加速度的な変貌をとげたが、なぜアンフォルメルがその機縁となったのか、そして、なぜアンフォルメルが反芸術、ネオ・ダダへと転化されなければならなかったのか、そしてさらに、なぜそれが、ひとつの曲り角にさしかかっているのか」。それから、東野芳明と針生一郎、とりわけ後者のこの間の批評を分析していき、「彼がアンフォルメルの必然性を見たのは多くの俗論家たちのように、単に抽象絵画のアカデミスム化という様式的次元においてではなく、より深く、自己解体の方向としてであった。だが、その場合、解体さるべき自己とは『実感』や感覚の特異性だけによりかかる主観性であり、彼が自己解体のプログラムを立てるのは、そのはてに予想されたトータルな人間の回復から逆算してである。(中略) 針生一郎はあくまで個人の内発性を信じているが、しかし、自我の解体は必然的に近代的な表現概念そのものの崩壊とならざるをえないだろう。そこに悪循環がありはしなかったか」とのべ、「しかし、決算を迫られているのは、実はなによりもタブラ・ラーサという固定観念そのものではなかったか。ダダの神話以来、たえずタブラ・ラーサが、トータルな変革が求められつづけて来たのは事実だろう。アンフォルメル、ネオ・ダダ、反芸術――それらはすべてそのようなコンテクストで受けとられてきたのである。(中略) たしかに針生一郎が指摘するように、ダダが可能であったのは、個我の内発性を反抗の起点として信じえたからであった。しかし、もはや反抗の起点が一義的には見出しにくくなったとすれば、それは単に外的情況の変化――大衆社会化状況の進行――のためにすぎないのだろうか。それはむしろ、個我の内発性、内的必然性（そしてその系としての表現）それ自体が『自然』にではなく、『歴史』に属するもの、なによりも価値概念としての近代にほかならなかったからなのだ。（中略）要するにダダといい、タブラ・ラーサといい、それはあくまでも『近代』の神話だったのであり、『近代』というコンテクストの中においてしか成立しえなかったのである。今日の状況においては、それはひとつの自己矛盾たらざるをえないだろう」と結論づけている。そして宮川は、ここが興味ぶかいところなのだが、「反芸術」ではなくてポップ・アート、欧米のポップ・アートあるいは日本の「反芸術」のなかから生れてきたポップ・アートをかんがえて「表現行為そのものの意味の変容が問われるべきなのだ」と指摘し、批評について、「方法論的にいえば、われわれに必要なのはタブラ・ラーサではなく、芸術における近代とはなんであったか、あるいは、ありえたかを確認することが、同時にその確認の手続きそのもののうちに、表現における現代を定立しうるような、二重の回路なのである」と、この論考をしめくくるのである。

三つの基本的視点に変更はないのだが、ここであらたに出てきているのはポップ・アートにたいする評価ということだ。「アンフォルメル以後」ではまだ漠然と「ヌーヴォー・レアリスム、ないしはネオ・ダダとおそらくは誤って呼ばれている」「反芸術」的動向のなかに「オブジェ化」をみてとり、そこに可能性を指摘していただけだったが、ここではっきりポップ・アートと規定され、しかも「反芸術」ないしネオ・ダダを超えたあとのもの、それとは異質なものとしてとらえられている点である。いいかえると、アンフォルメルが機縁となった解体作業は「反芸術」まで続いたが、ポップ・アートはこの解体のはてに出てきた表現の変容とみなしうるのだというように、自説をより明確にさせている。

このように展開された宮川淳の批評は美術批評の歴史において画期的なものだった。ほかにどんな欠点があったとしても、理論的な切りこみのするどさ、ある種のランパー（概括者）としての能力は抜群だった。なによりも批評のことばそのものが迫力と魅力をそなえていた。批評として、ことばとして自立しうるものだったのである。仔細に検討していけばいろいろ問題はあるだろう。まして二十年がすぎたいまでは、近代美術史、戦後の美術史に関する知識ととらえかたじたいが、ずいぶん変ってきているから、なおさらである。しかし、彼の批評がなしとげたことをおもえば、それは重要なことではない。三つの軸をもつ宮川淳の批評は、二十年をへたいま、客観的に判断し、また当時の他の美術批評家たちの批評の意義も十分にみとめたうえで、やはり当時の批評のなかでは群を抜いていたと言ってよい。わたしが大学に入ったのは一九六五年だが、「変貌の推移」が載った『美術手帖増刊』が単行本として刊行されたのは前年の夏のことだった。そして、わたしたちの世代にとって、当時この本は一種のバイブルとさえいってよいものではなかったろうか。すくなくともわたしじしんにとっては、宮川の批評の垂直的な論理性がいちばん豊穣におもわれた。

しかし、わたしもそれから二十年の時をへて、一九八六年のいま、宮川淳には見えていなかったもの、あるいは見ようとしなかったもの、切りすてたものを、はっきりとことばで言うことができる。宮川淳に決定的に欠けていたもの――それは日本の美術の固有の文脈にたいする自覚にほかならない。宮川はかなり自覚的にそこを排除し、切って捨てたのではないかとおもう。彼の文章を読んでいてそういう気がすることがときどきある。かかえこんだらこれはたいへん厄介な問題になることを、彼は承知していたのではないか。すこし意地悪い見方をするなら、宮川の批評的達成は、この厄介な問題を排除したから可能だったといえないことはない。この欠如が宮川ばかりでなく、多かれ少なかれ当時の批評家に通有のものだったことは、これまでのべてきたとおりである。だが、宮川の批評が状況の本質にいちばん迫ったものだっただけに、欠如もまたあらわにうかびあがらざるをえないようにおもわれる。彼の眼にうつっていたのもまた、まず欧米の美術なのであり、そこから類推されたものとしての日本の美術、欧米の美術から透かしてみられた日本の美術だった。それは、やはり輸入のヴェクトルであり、輸入品を至上のプロクルステスの寝台として裁断する批評にほかならなかった。「表現行為の自己目的化」といい「様式概念としての現代と価値概念としての近代との矛盾」といい、当時の状況を言いあてているのだが、彼の論理のよってきたるところは、日本の美術の現実のなかにはなかった。問題は言いあてかたで、矢はアンフォルメルや「反芸術」を言いあてたのだが、べつのところから来てべつのところへ去ってしまったものだった、と言ったらよいだろうか。じじつ宮川は「反芸術」以後、「芸術が存在しないことの不可能性」というところまでつきつめていく。それもまた、ミニマル・アートからコンセプチュアル・アートへといたる欧米の美術の動向に対応させるときには有効な論理なのだが、日本の一九六〇年代後半の美術の現実からは、こんどはかなりはっきり乖離してしまうのである。

「表現」といい、表現上の「近代と現代」というときの意味内容が、欧米と日本とでは本質的にことなっている事実をふまえるかどうかの問題である。すなわち「美術」ということばじたい、そしてそれがさししめすなかみじたいの差異、文脈の差異に、どこまで自覚的でありうるかということである。そして、さきほどいったように、わたしのかんがえでは、おそらく宮川はこの点を意識しながら排除したのであり、さらに推測するなら、排除してもなお有効な論理を提出しえたとふんだのだとおもう。たとえそうだとしても、それは決定的な誤算だった。美術という「表現」そのもの、表現上の「近代と現代」そのものが、戦後に限ってみても、日本では固有の文脈をたどってきているからである。その意味では、世界的ないし世界史的な同時性ということは、根本的にはア・プリオリなものではありえない。誰よりも実作者じしん、水と空気がちがったら、人間と人間がつくりだすものはおなじものではありえないことを、よく知っている。わたしは国粋主義、排外主義、地方主義にたてこもりこりかたまることも同時に否定するから、世界的ないし世界史的な同時性をうけつけないなどというのではない。そんなことはありえない。ただ、この同時性の方が先に前提にされてしまうようなことは考えなおされる必要がある。誰でも特定の時代に、特定の場所に、特定の両親から特定の言語を母国語として生れおちるという事実を回避や否定することはできない。美術だからといってこの現実を超越しうる根拠などありはしない。事実を事実としてみとめて、同時性に向うなら向えばよい――ヴェクトルはそうでなければならないのである。固有性すらもちえないのに同時性をもちえたためしはない。アンフォルメルから「反芸術」にいたる時期が決定的なひとつの転換期だったのなら、その内実は日本の固有の文脈によって検討されなければならなかったはずである。

というのも、たとえば「表現行為の自己目的化」は、日本の美術の固有の文脈のなかでは、まず最初は、アンフォルメルではなくて「具体」の活動のなかにみとめられるからである。いまではそれはあきらかだろう。宮川はアンフォルメルの絵画に「本来、手段であるべき表現行為の自己目的化」をみたわけだが、日本の戦後の美術のなかでは、「具体」の白髪一雄や村上三郎らのアクションに「表現行為の自己目的化」、もう一歩すすめて「表現過程の自立」の端緒が存在していた事実を、ないがしろにするわけにはいかない。ほかの批評家たちと同様に、宮川においても、当時、「具体」がほとんど視野に入っていなかったことは、歴史的な限界として容認してもよい。だが、アンフォルメルから抽出した「表現行為の自己目的化」を、日本の美術の現実のなかで検証する作業だけは、最低限なされなければならなかった。なされなかったために「具体」を発見できず、そして「具体」を発見できなかったために、欧米の文脈とはべつの位相で「具体」から「反芸術」にかけて進行していた日本の美術における固有の表現過程の自己目的化ないし自立ということが、ついに直視されなかった。そのことは指摘されなければならない。アンフォルメルから、ではなくて、「具体」から、「反芸術」にかけて、表現過程の自己目的化という事態はたしかに起っていた。しかし、それは欧米におけるアンフォルメルやアクション・ペインティングにみとめられるものとは本質的にことなっていた。この差異が問題として提起されず、同質のものとしてかんがえられてしまったとき、「具体」においてはじめて明瞭にあらわになりはじめた、日本の美術の固有の文脈が正しくとらえられる機会もまた、うしなわれてしまった。

こういう事情は、表現上の「近代と現代」の問題についても同様だといえる。宮川淳の批評は、一方で批評言語として「表現の次元から表現論の次元へ」という要請をになったみごとな達成をなしとげ、またアンフォルメルから「反芸術」にいたる動向に関してするどく深いほりさげをしめした。しかし他方、日本の美術の固有の文脈にたいする視点を決定的に欠落させていた点で、状況の最深部をついにとらえられなかったのである。

この欠落、この批評の敗北は、宮川自身にとってばかりでなく、その後の批評に大きな禍根、自覚されていなかっただけにかえって深刻な禍根としてのこされることになったようにおもう。

Ⅱ 「具体」とは何か

「具体」は同時代の美術批評および美術ジャーナリズムからはほとんど黙殺、といっていいすぎならば、多くの美術団体と同列のグループていどのものとしか扱われなかった。グループだったのは事実だが、運動体としての側面は無視された。これにはいくつかの理由があろう。当時の美術批評およびジャーナリズムがまったく東京中心で、関西(つまり東京以外)に眼をむけることがなかったこととか(「具体」の第一回展、第二回展、舞台を使用する具体美術展などが東京で開催されたにもかかわらずである)、「具体」そのものがアンフォルメル・ショックの結果、あまりにもはやくアンフォルメル絵画へと移行してアンフォルメル旋風のなかに混入してしまったこととかである。しかし本質的には、日本の国内に現実に起っている美術をその固有性においてみるという基本的な態度が、成熟はおろか、生れてさえいなかったからだとおもう。だからこそ、いま、これまでに倍する評価が「具体」にあたえられなければならない。だがそれは、「具体」のすべてにたいして、全時期にわたってではない。

一九五四年から一九七二年にわたる「具体美術協会」のあゆみをひとわたりみてみれば

わかるように、「具体」の活動は、アンフォルメルに移行する一九五七年と、あらたな活性化のみられる一九六五年を分岐点にして、三期に大別できる。ここで問題にし、評価しようとするのは、その第一期と、そこにいたる前段階の時期にほかならない。これまでの「具体」史、「具体」論は、彦坂尚嘉のものを除いて、いずれもグループとして成立してから後の時期のみをあつかってきた。だがわたしは組織ではなく運動としての「具体」を重視し、制作活動と作品のうえで第一期を最重要視するので、そこに照明をあててかんがえてみたい。

運動としての「具体」

「具体」の生みの親はもちろん吉原治良だった。彼は敗戦直後の自分の一連の具象的絵画に触れたあとでつぎのように語っている――「しかし、こんな絵をかいている一方、私は美術の大きな流れとして、ちょうど第一次世界大戦のあとにダダイズムが発生したような何ものか、戦前になかった画期的な考え方が、絵の世界にも起こらなければならないと考えていた。……戦後いちはやく私のアトリエへは若い画学生が続々とやって来た。これらの人たちはそのいずれもが新しい絵をやりたい人々であった。私はその人たちに『今までになかった絵をかけ』と言い渡した。ちょうど20年前にフジタさんから『一切まねはいけないよ』といわれたのと同じように」[15]。彼は藤田嗣治からたたきこまれた、絶対にひとのまねをしてはいけないというモットーをたずさえて、活動を開始する。一九四八年八月、代表となって「芦屋美術協会」を結成し、そこから「芦屋市展」が発足する。さらに一九五二年十一月、自由参加の月例の討論会「現代美術懇談会」（略称・ゲンビ）を発案し、翌年七月からそれを母体に「ゲンビ展」が開かれる。また、こうした動きに刺激をうけた、主として若手の美術家たちが、「若い作家による前衛美術展」や「モダンアート・フェア」といった展覧会を開催していく。この一連の動向が「具体」を生みだす前段階をかたちづくっているのであり、若手作家たちはそのなかで大胆、野放図、破天荒、ラディカルな、さまざまなこころみを展開していった。そのあたりは、白髪一雄の「冒険の記録　エピソードでつづる具体グループの12年」（『美術手帖』一九六七年七月号〜十二月号）のなかでくわしく語られている。

たとえば嶋本昭三は「カンバスにぷすぷすとたくさん穴をあけただけの」作品、吉原通雄は「土くれや小石、灰などを使って地べたの一部を切りとって来たとしか見えないような作品」（《地べたも作品》）、元永定正は「黒や赤や黄の原色に塗られた丸い石に、麦わらの短い角を植えつけたユーモラスな作品」、吉田稔郎は合板上に炭火で焼痕をつけた作品、岡田博は「松丸太で古カンバスをたたいてもみくちゃにした」作品である。さらに、そのころ新制作展に出品していた抽象画の仲間がつくっていた「０会（ゼロ）」のメンバーは、「田中敦子は、絵具でカンバスに絵を描くのは古いといって、布地を使った非常にシンプルな形の作品をつくっていた」し、「村上三郎は、ゴムボールに墨をぬり、カンバスに投げつけたり、あるいは床に一度バウンドさせたものを画面にあてたりして、不思議な速度感の表現に腐心していた（投球絵画）」し、白髪一雄は「意識的な構図や色彩構成をすてて、本能の感動を直接絵にしようと掌で描いたり、指絵のような試みをしているうちに、足の裏ですべって描くことになって」いたし、「金山明は、モンドリアンの純粋抽象の作品をもっと単純化したような絵を描いていた。それを突き進めて線と色面の構成をぎりぎりまで省略していったら、ついにカンバスの縦と横の比率だけが残ることになった。そこで何も描いてないカンバスでも立派な作品であると、大まじめでこれを展覧会に出品しようとした」りしていた。

こういうなかで、吉原通雄、嶋本昭三ら若手を中心として前衛美術展をやっていた「前衛美術協会」が雑誌を出すことになり、それを機に一九五四年十二月に設立されたのが、「具体美術協会」である。機関誌『具体』は翌年一月に第一号が刊行された。この時点では「0会」のメンバーや元永定正らはまだ加わっていない[16]。そこで、嶋本を使者にたててはたらきかけた結果、一九五五年三月に「0会」が解散して「具体」に合流、また同年七月の芦屋野外展のおりに元永定正、鷲見康夫ら、新入会員をむかえることになり、「具体」のメンバーがほぼ揃った[17]。そしてグループとしての活発な活動がはじまる。

一九五五年

三月、第七回読売アンデパンダン展(18)（東京都美術館）

六月、第八回芦屋市展

金山明―まっ白に塗りつぶした六十号の画面の下隅に赤で「上」の字が小さく描かれているだけの作品

田中敦子―黄色いキレ地で正方形、長方形、円の形をつくった三点の作品

七月、真夏の太陽にいどむ野外モダンアート実験展（芦屋美術協会主催、芦屋川畔の松林）

参加五十名、そのうち「具体」の作家二十三名。出品作品七十点。

金山―《作品B》七メートル四方の白い土台の中央に直径三十センチの赤い球をおいた作品［図1-9］

白髪―《斧》赤く塗った丸太を組んでそれを斧で切りつけた作品

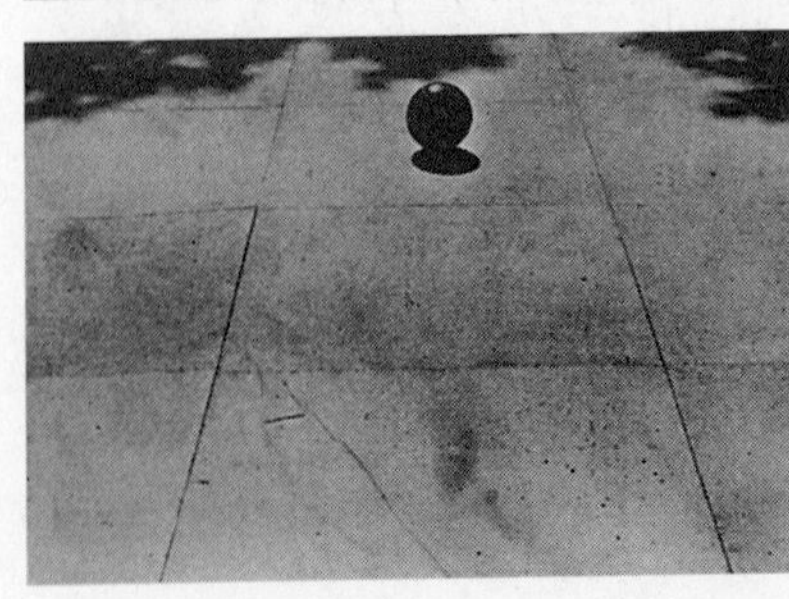

1-9：金山明《作品B》（部分）1955年 © Kanayama Akira and Tanaka Atsuko Association

田中―《舞台服》十メートル四方のピンクの人絹地を地上数十センチのところに張った作品
―プルッシャン・ブルーの木片三十五個をかすがいでつないだ七メートルにおよぶ作品
村上―《作品》アスファルト・ルーフィング（屋根ふき材、1×21m）の両端を走りながらやぶった作品
嶋本―トタン（1.5×2.8m）に穴をあけた濃紺の作品
元永―赤い液体をいれたビニール袋を吊した作品
吉田―白い木杭（頭の色はそれぞれことなる）を五十センチ間隔で六十メートルにわたってならべた作品
鷲見―金網（1.5×10m）に紙をはりつけて描画した抽象画の作品

十月、第一回具体美術展（東京・小原会館）
小原豊雲（ほううん）[19]のすすめによって実現。参加十六名。出品作品十六点。

金山―白い大きなバルーンで、ななめ上方から電球を仕込んだ赤いたまがそれを照している作品

白髪―《泥に挑む》オート三輪二台分の壁土にセメント十俵をたたきこみ練りあげた泥の山との格闘のアクション（三回実演）［図1-10］

田中―《ベル》ボタンをおすと鳴音が間歇的に次々に起って会場を一周してくる作品

村上―会場入口の《入口》を含めて五点の〈紙やぶり〉の作品

山崎―トタン板で鎖状のものを作り、公園の樹から地面に垂らした作品。会場では観客への配慮から「危険」という立札を立てた［図1-11］

＊この年の雑誌『具体』は、第二号「木下淑子・乾美地子特集」（十月十日刊）、第三号「七月の野外展特集」（十月二十日刊）。

一九五六年

四月、アメリカの『ライフ』誌の取材のため、武庫川で

1-10：白髪一雄《泥に挑む》1955年

1-11：山崎つる子《危険》1955年（トタン、木、釘。高さ500 cm）

一日だけの作品展示。
五月、アンデパンダン展（神港新聞主催）で「具体グループ室」の特陳。
六月、第九回芦屋市展参加。
七月、第二回野外展（芦屋川畔の松林）
金山―百メートルにある白いビニールに点々と足跡をしるした作品
白髪―泥をビニールで包みこんだ作品
田中―七個の巨大なひとがたの電飾人形で、それぞれの体の中央を着色した管電球が骨格のようにつらなり、一定のリズムで、次々に点滅して光のながれをつくる作品
村上―《空》布の円筒で頂部に穴があいており、空をのぞく作品
―《あらゆる風景》二十号大の木枠のみを空中に吊した作品
嶋本―《大砲絵画》手製の大砲にエナメルをつめて

1-12：嶋本昭三《大砲絵画》1956年（赤いビニールシートにエナメルペイント。10×10m。現存せず）

ガスの爆発力で発射し、ビニールの布（10×10m）に飛沫をとばした作品［図1-12］
元永―《水》色水の入ったポリエチレンの袋を樹間に張りわたした作品［図1-13］
山崎―トタン板をつないだ、風にゆれうごく作品
吉田―泥紙の壁に鏡面を埋めこんだ作品
吉原治良―十坪ほどの入れぬ部屋、渦巻状で奥に進めば進むほどせばまって身動きできなくなるという作品
吉原通雄―《発見》地面に穴を掘って電球を仕込んで光る穴を現出させた作品［図1-14］
佐藤誠一―メリヤスの袋に入ってもがくハプニング
十月、ゲンビ展参加
十月、「具体小品展」（東京・三省堂画廊）
十月、第二回具体美術展（東京・小原会館）
八日間、参加二十九名。
金山―足跡の作品

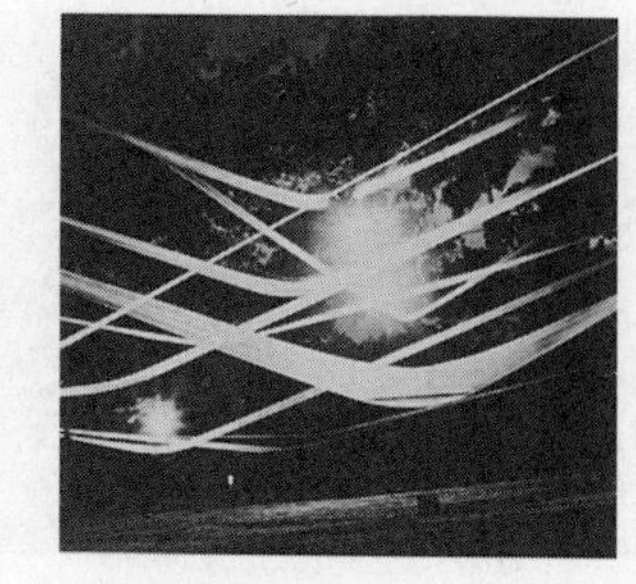

1-13：元永定正《水》1956年（ポリエチレン・チューブ、色水。約10m四方（可変）撮影・元永定正）

白髪―大きな紙に足で絵を描くアクション、フット・ペインティング
田中―管電球をつらねた《電気服》［図1-15］
嶋本―屋上で、ラッカーをいれたガラスびんを大きく下にひろげたキャンヴァスにたたきつけるアクション
村上―《通過》二十一のついたて計四十二枚のハトロン紙を破りながら走りぬける［図1-16］
吉田―紙に如雨露（じょうろ）で墨汁をまきちらした作品
吉原通雄―百メートルほどの紙に絵を描いて巻き、観客がハンドルでまわして自由に見るという作品

＊この年の雑誌『具体』は、第四号「前年の第一回野外展特集」（七月一日刊）、第五号「第二回野外展特集」（十月一日刊）

一九五七年
四月、第三回具体美術展（京都市美術館）

1-14：吉原通雄《光る水》（上）《発見》（下）1956年

1-15：田中敦子《電気服》（通称）1956年 © Kanayama Akira and Tanaka Atsuko Association

参加二十九名。

金山―玩具のタンクや自動車にマジック・インキを取付けてまったく機械的に描かせた作品

白髪―フット・ペインティング

田中―《電気服》

村上―画面に塗った絵具に破れをつくり、ぼろぼろの絵具におおわれた五百号以上の作品

嶋本―《大砲絵画》―穴をあけた作品

吉田―黒白のスプレーによるオートマティズムの作品

五月、「第一回舞台を使用する具体美術」（大阪・産経会館）。企画・構成・演出＝吉原治良。参加十二人。

七月、同（東京・産経ホール）

金山―《巨大なバルーン》舞台にはしぼんだままの白いバルーンがよこたわっている。作品と助演者が登場、嶋本による単調な音楽を背景に送風

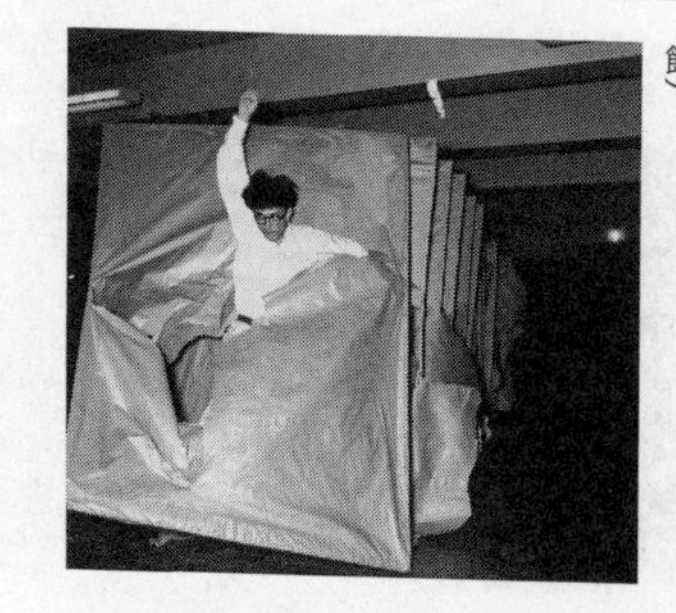

1-16：村上三郎《通過》1956年（画像提供・芦屋市立美術博物館）

器で空気をいれてゆく。舞台いっぱいにふくれあがると、色々な照明をあびて回転する。作者がナイフを手にさっと走り、バルーンは急速にしぼんでゆく［図1-17］。

嶋本―作者が黒衣に防塵メガネをかけて立っている。天井から輝く電球がするするとおりてくる。手にした木刀で一撃のもとにたたきわる。つぎに白い箱がおりてくる。それをやはりたたきわると、なかから無数のピンポン玉がはじけ出る。

吉原治良―真暗闇にわずかな光がゆれ、赤い光が点滅し、青白い金属の反射光が左右にはげしく行きかって、蛍光塗料がひとりでにながれて暗闇に抽象画を描きだしていく。それから突然、ぱっと舞台が明るくなると、舞台にはなにもない、空虚である。幕がおりる。

1-17：金山明《巨大なバルーン》1957年 © Kanayama Akira and Tanaka Atsuko Association

前年一九五六年十一月の「世界・今日の美術」展を機にアンフォルメル・ショックが起り、この一九五七年の八月から九月にかけてタピエ、マチュー、今井俊満らが来日し、それ以降、「具体」は全員でアンフォルメル絵画、抽象表現主義の絵画へとすみやかに移行してゆくから、事実上一九五七年の第一回舞台展が「具体」第一期、すなわち初期「具体」の最後の出来事になったといってよい。

表現過程の自己目的化

ここまでの「具体」の動向をみてきてわかるのは、「具体」の中心作家になったのは、吉原治良を別格とすれば、「0会」からの合流メンバーである金山、白髪、田中、村上と、吉原通雄、嶋本、そして元永、吉田らであり、さらにつけくわえるなら鷲見、山崎らである。なかでも金山、白髪、田中の三人の活動のなかに、「具体」がはらんでいた可能性がするどいかたちであらわれていたといえるだろう。つまり、金山の観念的ラディカリズム、白髪における行為そのものの自立、田中の特定の素材＝もの（布）にたいする執着やインター・メディアないしインター・ジャンル的関心というように、それぞれ個性はあるが、おしなべて既成のジャンルを否定・逸脱・超越したところで美術がこころみられている。しかも、たんに既成の（したがって西欧的な）意味でのジャンルの廃棄を意図していたというよりは、西欧的な意味での美術の枠とは異質な地平を期せずしてあらわにしているのではないか。絶対に他人のまねはしないというモットーがここまでは生きていたし、そこから文脈の差異の自覚にまで到達する可能性さえなくはなかった。

西欧の美術とは異質な地平は、ここではどのようなところにあらわれていたのだろうか。第一に、白髪、村上、嶋本らのアクションからは表現過程の自己目的化ということが抽出されるが（すなわちアンフォルメル以前に、だ）、これは、宮川が欧米のアンフォルメルやアクション・ペインティングについて指摘した描くという行為の自己目的化ということと、通ずるところがあると同時に、決定的にことなるものである。描く行為そのものを目的と化しても、描く行為は必然的にその行為を支えるもの（すなわち支材＝support）を必要とする。空に描くことはできず、描くとはなにものかのうえに描くのだ。その結果、描く行為を支えるもの（キャンヴァス、板、紙などの支材）のうえに、痕跡を作品として（すくなくとも行為じたいとともに作品の一部として）のこさざるをえないから、最終的には絵画の概念にからめとられ、包摂されるほかはない。ポロックの大画面の作品をまえにしてわたしたちは、目的にまで化している描く行為を感じないわけにはいかないと同時に、それがやはり一枚の絵であることに変りがないことをも知る。それにたいして、「具体」のアクションがしめしているのは、表現行為の自己目的化そのものだということができる。ここで表現行為を支えているのは主として物質（もの）であり、しかもそれは目的でもなければ結果として作品に化すものでもないのであり、そのことによって、表現行為の無償性が獲得されている。さらに重要なことは、アンフォルメルやアクション・ペインティングが究極的には絵画概念を自明とするところで展開されていたのにたいして、「具体」のアクションは、絵画も彫刻もけっして自明ではなく、つまり西欧的な美術概念がかならずしも自明ではないなかで展開されていたということである。換言すれば、表現過程の自己目的化というときの「表現」とは、西欧的な美術表現の概念とはまったくことなるものをさしている点をみのがすべきではないということなのだ。

　第二に、物質（もの）とのかかわり、物質（もの）の世界の開示をしめす作品群が存在する点である。このうち「かかわり」の側面を強く感じさせるのは、上述のアクションにおける物質（もの）たち、とりわけ白髪のアクションにあってアクションとひとしく主役をはたしているともみえる丸太や壁土の泥などである。また、「もの」の側面が強くでているのが、たとえば田中の布、元永の水、吉原通雄の廃品、山崎のブリキなどである。こうしたものの作品は、欧米のダダやシュルレアリスムのオブジェとか戦後の廃品芸術（ジャンク・アート）のそれとは、一見してまったくちがっている。なによりもオブジェを「世界」からきりはなして聖別ないし俗別して作品化するという思想がない点がちがう。だいたいにおいて、「具体」のものは、自然物またはそれに類するものが用いられるときに典型的なように、いうならば世界からきりはなさないまま扱われている。だから、ものを扱うことがそのまま世界とかかわることたりうる、という可能性がひらかれている。こ

1-18：金木義男《見せヘン》
1955年

れは、物質を造形作品のための材料・手段とみなすかんがえかたから、物質そのものの存在をおもてに出すことで造形性に代えるかんがえかたにいたるまでの西欧の彫刻概念とは、根本的にことなる造形思想がそこに胚胎しているということを意味している。ものを世界そのものとみ、世界をものとみるがゆえに、切離したり切取ったりしてものを世界から区別するのではなく、もの＝世界にかかわる、しかも身体的にかかわるという、のちに「もの派」において全面展開される思想の萌芽がみとめられる、ということである。

そして第三に、金山の一連の作品、田中のベルの作品、吉原治良の入れない部屋、吉原通雄の《地べたも作品》や《穴》、さらに金木義男の五十号くらいの油絵にベニヤ板をかぶせて釘づけにして絵が見えないようにして板上に「見せヘン」と書いた作品［図1-18］、実現はしなかったが小屋を建てて観衆のまえで焼打ショウをやろうという計画、酒光昇の立方体の寒天の作品［図1-19］など、数はかならずしも多くはないかもしれないが、時代的には一九六〇年代を先取りしたともいえる作品がつくられたことをあげておきたい。こんな奇態な作品は当時の欧米にはなかったという意味ではなく、六〇年代に日本の美術

1-19：酒光昇〈寒天〉の作品　1956年

がみせることになる極限化を部分的に先取りし、すでに予告していたという意味においてである。欧米における六〇年代のミニマル・アートや概念芸術といった極限化とはちがう文脈で、日本では日本概念派と日本「もの派」にいたる極限化が六〇年代に進行するが、「具体」のこれらの作品は、概念派でも「もの派」でもないが、極限化へ向うという点では、日本の美術に特有の方向性を明確にしめしているといってよい。[20]

以上の三点は、初期「具体」の特徴としてあげてよいものであり、それらがそのまま欧米とのきわだった異質性を露呈させている。「具体」が問いかけているのは、たんにジャンルを逸脱してなにかあたらしい表現をしようということではなく、そもそも、本当にわたしたちは西欧的な絵画・彫刻概念を有し、それに規定され、それを消化し、それにのっとって制作しているものなのかどうかという問題である。本来は西欧的な意味での絵画も彫刻もじつはもっていなかったのではないか、という疑いである。「具体」初期を検討すればするほど、疑義はますます強くなるといってよい。誰もが自明のものとしてかんがえてきた美術の概念、西欧的な意味での美術の概念とはちがうものと、ここではじめて本当にぶつかっていたのではなかったか。西欧的なるものの圧倒的な影響をうけながら、なお日本の美術の固有の文脈があるのだということ、西欧の影響と日本の固有性の双方ともに現実であるために、このふたつが葛藤し相互に影響しあっている矛盾的状況こそが現実なのだということを、ここでみてとるべきではなかったか。

アンフォルメルへの移行

だが、「具体」はこうした大きな可能性を垣間見せていたにもかかわらず、いわばすべてを萌芽の状態でうちすてたまま、あまりにも急速にアンフォルメルへと移行していってしまった。初期「具体」のみせた可能性が大きいものだっただけに、あまりにも早すぎたこの変貌は異様というほかはない。アンフォルメル・ショックという外的要因はあきらかだが、やすやすとアンフォルメルに一元化してしまった内的要因は問われなければならない。

ひとつには、「具体」の中心、吉原治良がもともと、そして一貫して抽象画家だったことを考慮にいれておく必要がある。彦坂尚嘉がはじめてあきらかにしたように(前出の「閉じられた円環の彼方は」)、ポロックをはじめとする「アメリカ美術の日本上陸」がおこなわれたのは、一九五一年二月の第三回読売アンデパンダン展における特陳、[21]および一九五二年五月の毎日新聞社主催第一回日本国際美術展における特陳[22]においてであった。しかし、依然としてサロン・ド・メ系統のフランス美術を神としていたために、はじめて紹介されるポロックらのアメリカ美術はほとんど反響をよばなかった。そのなかで、吉原治良だけは、「何かえたいの知れない美しさ、そうして誰でもが引かれる魅力と言ったようなもの、それ等が純粋な視覚のみに訴えるのではなく、もっと直接に来る状態のもとに、しかも明確な形で表現されている。ポロックのやっているように、描いたものよりも、エナメルのしたたりの方が美しい[23]」というように、きわめてするどい反応をしめしている。好みがそうさせたというより、おどろくべき炯眼というべきだろう。日本でポロックをはじめとするアメリカのアクション・ペインティングないし抽象表現主義の絵画を最初に評価したのが吉原治良だということだが、戦前から抽象画家だった吉原自身に即していえば、このことは、戦後になってここではやくも自分の絵画の方向性を見出したことを意味する。そして、「具体」全体の方向性や性格をかんがえるとき、このことはかなり重要な意味をもっている。じじつ、雑誌『具体』創刊号に登場し図版の掲載されている創立会員の多くは抽象表現主義的な絵画の画家だったし、見方によっては、「具体」第一期の二年半のあとはまたもとの鞘におさまったのだとかんがえられなくはない。

だが、内的要因はやはり問われなければならない。「0会」からの合流メンバーを中核とする「具体」の中心作家は吉原治良ではなかったわけだし、たとえば金山明などはむしろきわめてクールな幾何学的抽象を極限化したようなこころみさえおこなっていたからである。彦坂尚嘉にならっていえば、それはこういうことではないかとおもう──「〈具体〉がどれほど先駆的に反芸術や非芸術的な作品を産みだしたにせよ、その活動は作品領域を自明にしたままに行なわれてきたのではなかったろうか？／そこでの行為がいかにラディカルであろうとも、それはポイエーシスを荒廃させてゆく中で可能となったのではあるまいか。（中略）／今までだれにも使われていない手段を使えば、必然的に今までにないものができる。このようにして、『絶対に他人の真似をするな。今までにないものをつくれ』というインストラクションは、いつのまにか『いかにして』というテクニックの部分に収斂されてしまったのではなかろうか。インストラクションと手段との間にある、弁証法的な相互依存関係が、手段のみに収斂されてしまったとき、この両者の間にある運動関係は失われ、テクニックの奇抜さだけが残る。金山の変質と、その変質をそれなりに評価する吉原治良のことばの中に、わたしはテクニックの奇抜さだけに止まった時の〈具体〉の無残さを見てしまうのである。この無残さは〈具体〉の他の多くの作品にも見られる」。

つまり作品領域を自明にしたまま、手段をテクニックに収斂させて、制作行為の自己目的化によってポイエーシスを荒廃させてしまったということである。わたしのことばにもどしていえば、欧米のアンフォルメルやアクション・ペインティングが絵画領域を自明にしたままだったのと、違ってはいるのだが、ある意味では同じように、作品領域というものを（したがって美術概念じたいを）うたがわなかったとすれば、それは、彼我の文脈の差異、したがって我の文脈の固有性を十分には自覚していなかったからである。表現行為の自己目的化によってポイエーシスが荒廃したのも、なによりもこの文脈の差異の視点からのとらえかえしがなかった、不十分だったからではないだろうか。

ところで、彦坂は、「一九五五年、制作活動の自己目的化によって〈具体〉はポイエーシスの崩壊を引き起した。この崩壊によって、それまでは作品といわれてきた結果的物質、制作とされてきた活動、作品が置かれていた環境、構想でしかなかった思考等々はそれぞれに自立して、七〇年代初頭に至るまでの多様な展開をみせることとなった」と指摘している。そのとおりだろう。ただ、思考・制作・作品・環境が一体化していたポイエーシスの崩壊と分裂は、同時期に西欧で同じような事態が起っていたとしても、日本では美術がたどりついた果てのひとつの極限として起ったのではなかった。むしろ、わたしたちが体験してきた「美術」の矛盾的なありかたの根元が露呈されたということ、露呈された結果、この崩壊と分裂は終局ではなく、日本において美術を出発させる条件たりうることがわかったということを、それは意味するのではなかろうか。だとすれば、「思考・制作・作品・環境」を一体とするポイエーシス（美術）の崩壊と分裂は、文脈の差異の視点を導入するとき、いわばそのままプラスの位相に転化させてとらえかえすことができるのではないだろうか。

Ⅲ　アンフォルメル

アンフォルメル（l'informel）というのはヨーロッパ、とくにフランスにおける呼びかたであり、[24] ほぼアメリカのアクション・ペインティングに対応するものである。しかし日本ではこのふたつをともにあらわす語として、さらに抽象表現主義全体を指す語として用いられることもある。一九五〇年代末期当時でも、直接的にはタピエがもたらしたフランスのアンフォルメルを指していたが、それに対応するポロックをはじめとするアメリカの絵画をふくめて理解していたといってよい。だが、ここでは、欧米の抽象表現主義がどのようにして日本にもたらされ、様式としていかに展開され根づいていったかを検討しようというのではない。アンフォルメルが、アンフォルメル・ショックが、日本の美術にいったいなにを惹起し、なにをもたらしたかという点を整理するにとどめたい。

第一に、それは「具体」の変貌の起爆剤となった。初期「具体」をタブロー主義へと、絵画へと一元化させる役割をはたした点があげられるが、これについてはすでに述べた。これ以降の「具体」が生みだしていった絵画作品をおもいうかべてみると、アンフォルメルをついに様式としてしか模倣ないし消化しえなかったことは歴然としているといわなけ

1-20：白髪一雄《天究星没遮攔》1960 年（油彩、画布。182.2×273.2 cm。兵庫県立美術館蔵）

ればならない。なかにすぐれた作品がないなどといっているのではない。だが、そういう秀作のなかでもきわだっていた白髪一雄の作品にしても、じつは、絵画としてのアンフォルメルを逸脱して、泥にいどんだアクションに典型的に見られた彼の感覚の原点、原風景が、画面上に横溢するところまでふみこみえていたからこそすぐれていたのだ［図1-20］。この皮肉な、ある意味で当然の事態が裏側から証明しているように、全体としては、様式としてのアンフォルメルに忠実であろうとした「具体」は、模倣か地方的な二番煎じ以外のものを生みだしえなかったのである。このとき、「具体」は二度目の頓挫、二度目の敗北にみまわれた。

むろん、一度目にも気付かずにはじめか

ら二度目の敗北を通過した、したがって知らないあいだに二重に敗北していた人々もいる。それが第二の点にかかわる問題である。アンフォルメルをはじめからまったく絵画上の一様式としてしかかんがえず、そういう対応しかしなかったという場合である。彼ら、既成画壇、反画壇、非画壇の画家たちの多くは、概してこれをショックとはうけとらなかった。だから、ショック直後には反応をしめさず、おさまりかけてから新様式をうけいれていった。この様式としてのアンフォルメルは、主として無自覚な画家たちによってになわれ、かなりのひろがりをみせ、戦後を支配していたサロン・ド・メ風様式などを駆逐していく。だが、状況の本質はそこにはなかった。西欧の絵画概念を前提としてその枠のなかであがくことに汲々（きゅうきゅう）としているかぎり、様式の交代は流行の変化となんら変るものではありえない。流行の交代になど意味がないというのではない。それはそれで検討にあたいする。しかし、日本アンフォルメルは、本場のアンフォルメルを理解していなかった（この点、当時パリに居た今井俊満や堂本尚郎（ひさお）の場合は少し異なっているだろう。タピエと日本とを仲介したのは今井だった）［図1-21、22］。誤解すらしていた。西欧絵画史のなかでアンフォルメルが出てきた必然性と意味とに無頓着で、しかも、眼のまえにあるアンフォルメルのタブローがあらわにしている表現行為の自己目的化という極限化状況をみてとることもできずに、たんに様式として借用してしまった。では、こちらがわに借用する必然性があったのかといえば、かならずしもそうではなかったのではないか。本当は、そうした極限化

1-21：堂本尚郎《絵画1》1956年（油彩、画布。129×195 cm。兵庫県立美術館蔵）

1-22：今井俊満《無題（サムライ）》1958年（油彩・布。116.2×91 cm。兵庫県立美術館蔵）

状況を露呈させている絵のまえで、わたしたちの絵画もたちどまってみるべきだった。たちどまって足元をみつめなおすべきだった。「反芸術」の作家たちはまがりなりにもそういう方向に踏みだそうとしたのだから、それは不可能なことではなかったはずである。それができなかったところに、日本アンフォルメルの限界があった。西欧絵画史のひとつの臨界点だったアンフォルメルをとらえそこない、また、直前の「具体」によって提起されていた日本の固有の文脈の問題をとらえそこなったとき、日本アンフォルメルは前線から決定的に後退していった。逆説的にいえば、日本アンフォルメルにとってアンフォルメル・ショックは、現実にたいして眼をふさぐ結果をもたらしてしまったのだ。

日本アンフォルメルの敗北は、このとき日本の絵画全体が、ある重要なきっかけをとらえそこなったことをも意味していた。すなわち一方で、「具体」による絵画・彫刻の超克は、絵画・彫刻というジャンルじたいを日本の現実のなかで問いなおさなければならない事態をもたらしていたとすれば、アンフォルメルをきっかけにして、日本の絵画は自分の基盤を根底的に問いなおしてもよかった。他方、たとえそうでなくても、それなりに作品を蓄積させてきた日本の絵画が、アンフォルメルに席捲されるばかりというのでは、あまりに能のない話ではないか。日本アンフォルメル絵画の作品の不毛、そののちも続く日本の絵画の不毛を招来したのは、ひとつにはこの機会を逸したからではないだろうか。

そして第三に、アンフォルメル・ショックが「反芸術」の作家たちの表現の起爆剤になった点である。不思議なことに、以前から「反芸術」の先駆的な活動をおこなっていた「具体」の作家たちがアンフォルメル・ショックをプラスに転化することができずに、木に竹を接いだような変質をみせるのにたいして、かけだしだった「反芸術」の作家たちは出発点でこの波をかぶりながら、アンフォルメル絵画にイカレてしまうということがなかった。極言すると、アンフォルメル・ショックがもたらした唯一のプラスがこの点だった。アンフォルメルを絵画とばかりかんがえているかぎり、「反芸術」の作家たちがそれを絵画の問題としてはうけとめていなかったことは、奇異なことにみえるかもしれない。しかし、彼らにとってアンフォルメルが絵画の問題ではなかったこと、すくなくともア・プリオリにそうではなかったことこそ、じつは重要な意味をもっていたといえる。なぜなら、彼らこそ、アンフォルメルがわたしたちにとってもっていた本質的な意味、アンフォルメルがジャンルでも様式でもないこと、そして自分たちに固有の表現をうながしているのだということを、直覚的にせよ、とらええたからである。[25]

Ⅳ 「反芸術」のとらえなおし

「反芸術」論争

「反芸術」ということばはかならずしも公認された用語ではなく、したがって特定の動向や作家を指していたわけでもない。概してあいまいなままに使われていたし、いままでこのあいまいさにメスをいれて明確にさせようという批評的営為も十分になされてきてはいない。(26)あの当時の「反芸術」論争が不毛におわったのもひとつはそのためである。

一九六四年一月三十日に満場の観客をあつめてブリヂストン美術館でおこなわれた公開討論会「〝反芸術〟是か非か」を傍聴した宮川淳は、前年の論考を展開させて、「反芸術その日常性への下降」を書いた(『美術手帖』一九六四年四月号)。彼はそのなかで、反芸術のその時点における様式的な具体性を「オブジェ(既成の日用品や廃物)によってであれ、イメージによってであれ、卑俗な日常性への下降である、と一応規定」し、それと「アンフォルメルの余波としての『ロカビリー的喧噪』」とを混同しないために、「日常性への下降としての『反芸術』と、いわゆる『反』芸術的動向とを区別する必要がある」とのべている。そして、「反芸術は『戦後の抽象絵画が内的な表現の極限まで押しつめられた果てにあらわれたもので、日常的な物体や記号や卑俗なイメージを通して〈事実〉の世界の骨格を回復しようとした動きであると見られる』(東野)のがつねである。たしかに、いわゆる抽象表現主義の一部のアカデミスム化が反動を招いたのは事実としても、このような論理にみられるものは、抽象か具象かの相変わらずの二元論であり、加うるに芸術の衛生学にすぎない」と東野芳明を批判する。ついで表現過程の自立とその自己目的化をふたたび確認し、「反芸術の先駆ともいうべきローシェンバーグとジャスパー・ジョーンズ」すなわちアメリカのポップ・アートについて、「つまり表現過程が自立しえたとき、それは日常の物体と同じ次元に発見されたのであり、この発見が日常の物体を作品の中に導入することを許したのだ」と語る。そしてつぎのような結論をみちびきだす——「日常性への下降は芸術と非芸術との境界の最終的な無化にほかならない。芸術はどのようなものでもありうるし、どのようなものも芸術たりうる。しかし、それは芸術と非芸術との決定的な交流であるとともに、それにもかかわらずいよいよ鋭くなる芸術と非芸術との間の断絶なのだ。なぜなら、芸術がどのようなものでもありえ、また、どのようなものも芸術たりうるとしても、なお芸術がすべてであり、すべてが芸術であるわけではないからである。『反』芸術的傾向が稀薄になったとすれば、それは分解や変質ではない。逆にいまこそ、単なる『廃物芸術』をこえて、真に反芸術が問われるべきときなのだ。そこに、表面的な類似にもかかわらず、ダダと反芸術との根源的なちがいがあり、反芸術の困難がはじまるのだ。反芸術は非芸術ではない。もはや芸術を芸術たらしめる基準が存在しえない以上、この命題は芸術とはなにかという空しい問いへの逆行ではなく、不在の芸術はいかにして存在可能かという不可能な問い、三木富雄の表現を借りれば『クレージーな』問いだろう」。

これにたいして東野芳明は、「あなたの論点の大きな弱点は、昨年の当選評論『アンフォルメル以後』で定立した『表現行為（ここでは過程とはいっていない）の自己目的化』という概念を、そのままひきのばして『反芸術』に適用した点で、『反芸術』、はまさにその『表現過程の自立』自体を搦手からつきくずし、変質させている点を見逃しているのです」(「異説・『反芸術』——『宮川淳』以後——」、『美術手帖』一九六四年五月号)といい、また「宮川氏には、もっと、ポップ・アーティストひとりひとりを個別的に吟味したうえで一般論をつくり出し、それを再び個々の作家に照応して、一般論の肉付けないし転化するという努力を要求したいのである」(「デュシャン・『グリーン・ボックス』・断想3——論争にかえて」、『美術手帖』一九六四年七月号)と応じた。[27] 宮川のほうに分があったというより、これはほとんど宮川の一方的な問題提起ともよぶべき論争だった。だが、それはいまは問題ではない。いちばん注目しなければならないのは、二人とも、ネオ・ダダとポップ・アートのなかに「反芸術」をとらえた点、「反芸術」のなかにネオ・ダダ的またポップ・アート的な傾向を読みとるのならまだしも、逆にネオ・ダダとポップ・アートにみたものを「反芸術」に準用している発想そのものなのである。この発想じたい、思考の回路そのものこそが逆転されねばならない。宮川の論考が日本の美術のじっさいの作品と作家にほとんど触れていないことは、その意味で象徴的といってよい。

九州派

第一に、巨視的な通時的な視点と共時的な視点を同時にもつこと、第二に、「反芸術」が実体としてなにを指すのか、その意味は何なのかを、日本の美術の固有の文脈のなかで同時に検討していくことが、必要である。

通時的な視点、つまり歴史のたて軸の視点から巨視的にみるなら、「反芸術」的動向は、それ以前の初期「具体」にはじまり、そして一九六〇年代後半の美術の極限化状況にまでつながっているとかんがえてよい。だとすれば、六〇年代後半のことはひとまずおくとして、初期「具体」―「反芸術」―ネオ・ダダイズム・オルガナイザーズの全体をひとまとめにして「反芸術」とみなすこともできなくはない。時間にして一九五五年まえから一九六〇年代前半までのほぼ十年間にわたるわけで、この時期の全体を「反芸術」の時代とみなすことになる。じじつ、当時の「反芸術」とは要するに「現代美術」の全体を指していたのだといっても、あながち見当はずれではない。すくなくとも「反芸術」の意味をあいまいにしたまま、特定の作家群なり作品群をにおわせるよりは、ましかもしれないのだ。

しかし、共時的な地平で、微視的な視点からも「反芸術」を特定していかなければならない。年代的には、一九五七年から三年間を前半、「反芸術」の進出が決定的となった一九六〇年三月の第十二回読売アンデパンダン展から一九六三年五月の「ハイレッド・センター」結成あたりまでの三年半ほどを後半、このふたつに分けてとらえるのが便利だろう。前半についてみるべき主なことは、九州派の活動と、一九六〇年以降読売アンデパンダン展のスターになる作家たちの初期の活動である。

そして一九五九年までの前半期をみてわかるのは、初期「具体」のあと、九州派が「反芸術」的動向のイニシアティヴをとったということである。だから、一九六〇年以降の「反芸術」的動向が正統的な「反芸術」だとしても、すくなくとも九州派はそのための道をひらく役割をはたしたということができるだろう。

九州派の活動――

一九五七年

前年より活動を開始し、この年の初頭に正式結成。殴る蹴るはあさめしまえといったはげしい内部抗争と離合集散をくりかえしたが、あまたの参加者のなかで主要メンバーは、「思想者」働(はたらき)正、桜井孝身(たかみ)、菊畑茂久馬(もくま)、オチオサム(越智靖)、長頼子、山内重太郎、寺田健一郎、石橋泰幸、木下新ら。(28)

二月、第九回読売アンデパンダン展に初登場。越智、桜井、石橋らが参加。

七月、西日本美術展出品者大会(九州派主催)

十一月、第二回街頭展(福岡県庁西側大通り壁面)[図1-23]

1-23:九州派〈第二回街頭展〉1957年

一九五八年
二月、九州派三人（オチ、桜井、山内）展（東京・トキワ画廊）
三月、西日本洋画新人秀作展（久留米）
三月、第十回読売アンデパンダン展
菊畑、長、桜井、石橋、山内、オチらが参加。画面いっぱいにコールタールをぶちまけたり、石膏を厚くもりあげたり、籾殻をまきちらしたり、たわしや空缶をぶらさげたりし、はては作品の梱包につかった縄とか筵まで出品しようとして主催者側に拒否されたりした。
八月、九州派グループ展（東京・銀座画廊）
石橋光子―画面のなかに竹筒を石垣のようにくみあげた作品
オチ―黒い提燈がユーモラスにつらなっている作品
菊畑―アスファルトでふちどった作品
八月、第一回全九州アンデパンダン展（八幡）
一九五九年

二月、菊畑・寺田二人展（銀座画廊）
二月、第十一回読売アンデパンダン展
オチ、桜井、長、石橋泰幸、舟木富治（よしはる）、尾張猛、片江政敏らが参加。
八月、桜井個展・長個展（東京・南画廊）

アンデパンダン展はえぬきの作家たちの初期の活動――

一九五七年
二月、第九回読売アンデパンダン展
はやくもアンフォルメルの影響があらわれる。篠原有司男、荒川修作、上村宏幸、田中不二男らが、タブロー作品を出展。「具体」「アルファ芸術陣」「ラヴィ」など、グループの参加がめだつ。
七月、工藤哲巳展（新宿・ブランシェ）
一九五八年
二月、三木富雄・金子謙一二人展（櫟（くぬぎ）画廊）
三月、田名網敬一展（銀座画廊）

三月、第十回読売アンデパンダン展
篠原、荒川、上村、工藤、三木、赤瀬川原平、吉村益信、高松次郎らが出品。顔ぶれはほぼ出揃うが、九州派にくらべると作品はまだおとなしい。そのなかで、篠原は割竹を素材としたオブジェにガラクタを突刺し、原色の絵具をびんごとたたきつけてガラスの破片まで作品の一部になっている《熱狂の造型 これが芸術だ》と《今日的感覚の超具体的表現》の二点を出品。批評やジャーナリズムはまだ反応をしめしていない。篠原によれば「膨大なこの素人作家の異色作品群に対し、どう扱ってよいか解らないといったきわめて曖昧な態度の美術ジャーナリズムに対し、青天のへきれきの一矢を放った批評家が、再度の来日をタイムリーにも読売アンパンの会期中に定めたアンフォルメルの組織者ミシェル・タピエ氏だった(29)」。

六月、篠原有司男展(村松画廊)
原色のゴミため、アクション、ジャズ・バンドと共演

のアクション・ペインティングで、最後はナイフで切
　裂き、蹴破る。

七月、中西夏之展（櫟画廊）
十月、田名網敬一　メタリック・アート展（村松画廊）
一九五九年
二月、第十一回読売アンデパンダン展
　ここで新世代の進出がほぼ決定的となる。
＊これ以降、個々人がそれぞれ発表をつづけてゆくとともに、作家たちのあいだでグループ化の動きもみられるようになる（たとえば工藤、野間伝治、堀内袈裟夫、吉野順夫らのグループ「土」、それに篠原がくわわって改名したグループ「鋭」など）。

読売アンデパンダン展とネオ・ダダイズム・オルガナイザーズ

　つぎに一九六〇年からの後半を概観してみよう。この三年半ほどの時期に「反芸術」的動向がみられるのは、第一に読売アンデパンダン展、第二にネオ・ダダイズム・オルガナイザーズをはじめとするいくつかのグループとその活動においてだといってよい。

あげておくべきグループは、「グループSWEET」「時間派」「ゼロ次元」であろう。ほかにも「グループ音楽」「暗黒舞踏派」「ヴァン映画科学研究所」、さらに一九六二年五月の草月ホールにおける「小野洋子作品発表会」といった、他領域ないし境界領域で注目すべきものがあるが、それらはむしろ「反芸術」以降の一九六〇年代中期の文脈でとらえられるべきものだとおもわれる。

第三に、個々の作家の主として個展による発表があるが、全体としてみれば、この時期はグループの、集団による活動が状況を動かしていったとみられる。しかしそのことは、集団のなかで活動している個々の作家の個性が弱かったことを意味しないし(まったく逆である——荒川、篠原)、また集団の周辺(工藤、三木)や外側(中西)に強烈な個性が存在しうることをさまたげるものでもなかった。

以下のように整理してみると、この時期は、ネオ・ダダイズム・オルガナイザーズおよびその周辺にあった赤瀬川、荒川、工藤、篠原、高松、中西、三木、吉村、風倉らを中心に動いていた構図がみえてくるだろう。

読売アンデパンダン展

——第十二回読売アンデパンダン展(一九六〇年三月)——

べつだんしめしあわせたわけではなかったが、反芸術作家たちのあしなみが揃った恰好になり、実際にネオ・ダダイズム・オルガナイザーズ結成のきっかけともなった。

荒川修作《人間・砂の器B》、工藤哲巳《増殖性連鎖反応》、篠原有司男《地上最大の自画像》〔図1-24〕、石橋泰幸《オール・ジャパン》、糸井貫二《涅槃達陀》、金子鶴三《ある感傷》、菊畑茂久馬《葬送行進曲 No.2》など。

第十三回読売アンデパンダン展（一九六一年三月）

当時、前年に膨張した若い世代のエネルギーが作品として収縮したと評されたものである。

赤瀬川原平《ヴァギナのシーツ（二番目のプレゼント）》〔図1-25〕、荒川《1、2、3、4……どうしてもかな》（棺桶の作品）〔図1-26〕、工藤《H型基本型に於ける増殖性パンチ反応》、篠原《ドドンパで行くぜ》、三木富雄《Light Box》、吉村益信《殺打駄氏の応接室》（家具調度品に無数のウィスキー・ビンが林

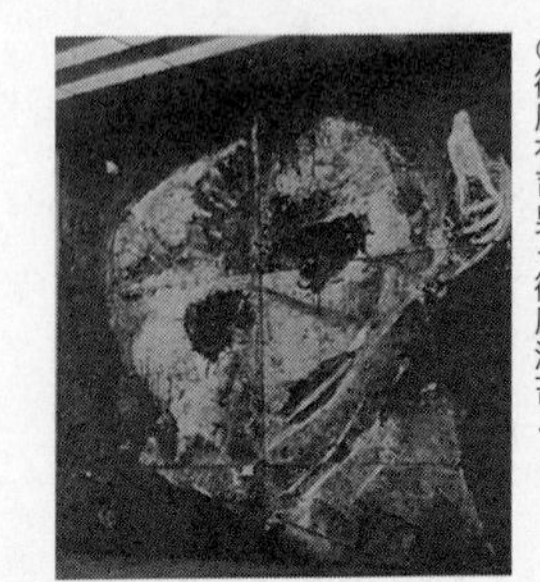

1-24：篠原有司男《地上最大の自画像》1960年
©篠原有司男＋篠原海苔こ

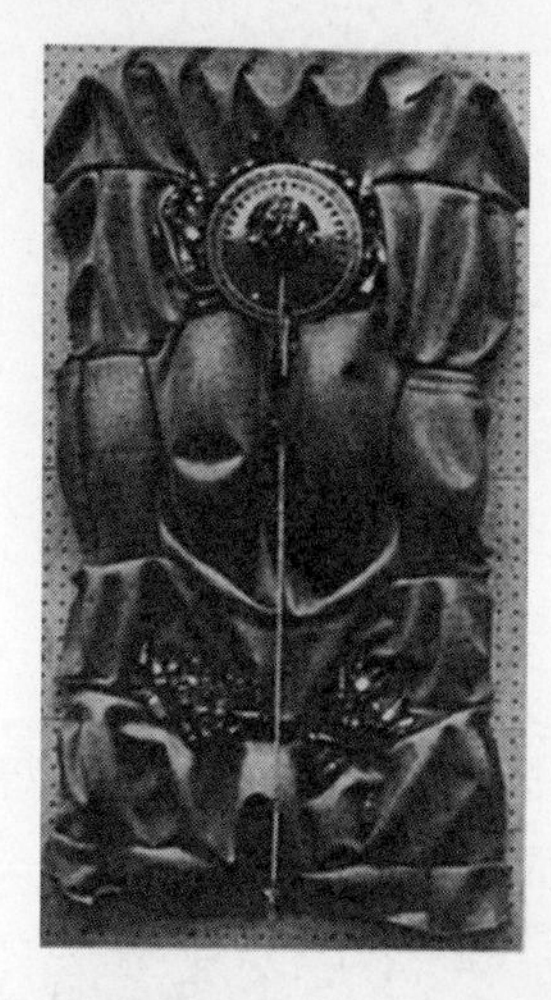

1-25：赤瀬川原平《ヴァギナのシーツ(二番目のプレゼント)》1961年（ゴム、アルミニウム、ガラス、真空管、木、その他。182×91×30 cm。1994年再制作作品が東京国立近代美術館蔵）

1-26：荒川修作《1、2、3、4…… どうしてもかな》1961年

立する）〔図1-27〕、豊島壮六《ソールの晩餐》、田中信太郎《虚妄M》、田辺三太郎《不調和音音階》など。

第十四回読売アンデパンダン展（一九六二年三月）

ふたたびエネルギーが膨張をみせ、部屋全体を使った作品が急増したことが特徴としてあげられ、また広川政文（晴史）の出品した大きな煙突つきの風呂桶のなかにハリボテの人形、ジャンパー・ズボン・頬かむり・ゴム長の姿で軍手をはめた手に出刃包丁をもたせた《そろそろ出かけようか》や浜口富治の作品、および吉岡康弘のヴァギナの超拡大写真や糸井貫二の作品などによって、作品撤去問題が起った。赤瀬川《愚者の予言》、工藤《インポ分布図とその飽和部分に於ける保護ドームの発生》（一室ぜんたいにペニス状のオブジェやコッペパンをぶらさげた）〔図1-28〕、篠原《ボクシング・ペインティング》〔図1-29〕、田中信太郎、矢嶋美枝子《触媒》、風倉匠（天井から吊りさげたフーコー振子と空気の半分入ったバルーン）、平岡

1-27：吉村益信《殺打駄氏の応接室》1961年（応接セット、ベニヤ板、ウイスキーボトルほか）

弘子《昇化計》(うえに乗ると音をだす体重測定器)、長野祥三《時間》(床におかれた多数のゴムボールを観客がけとばす)、刀根康尚《テープレコーダー》(まるめられた白布から音がでている)、小島信明(会期中ドラム缶のなかに立ちつづけるハプニング)など。

第十五回読売アンデパンダン展(一九六三年三月)

さらにインター・メディア的な領域のひろがりをもつ作品やハプニング、観念的ないし概念的なひろがりをしめす作品やハプニングなどが展開された。

中西夏之《洗濯バサミは攪拌行動を主張する》(クリップがいっぱいこびりついた作品)[図1-30]、三木《あなたの保険》(耳の作品)[図1-31]、高松《カーテンに関する実在性について》(会場から上野駅まで延びた紐の作品)、清水晃《Recreation》(ベッドに鳥の剝製が突刺さっている)、山口勝弘《風の柩》、加藤好弘の「ゼロ次元」による《ある入滅式マンダラ》、「グループ音楽」の小杉武久による演奏(大小さまざ

1-28:工藤哲巳《インポ分布図とその飽和部分に於ける保護ドームの発生》1961-62年(第14回読売アンデパンダン展、展示風景。ウォーカー・アート・センター(ミネアポリス)蔵 撮影・吉岡康弘)
© ADAGP, Paris & JASPAR, Tokyo, 2021 G2585

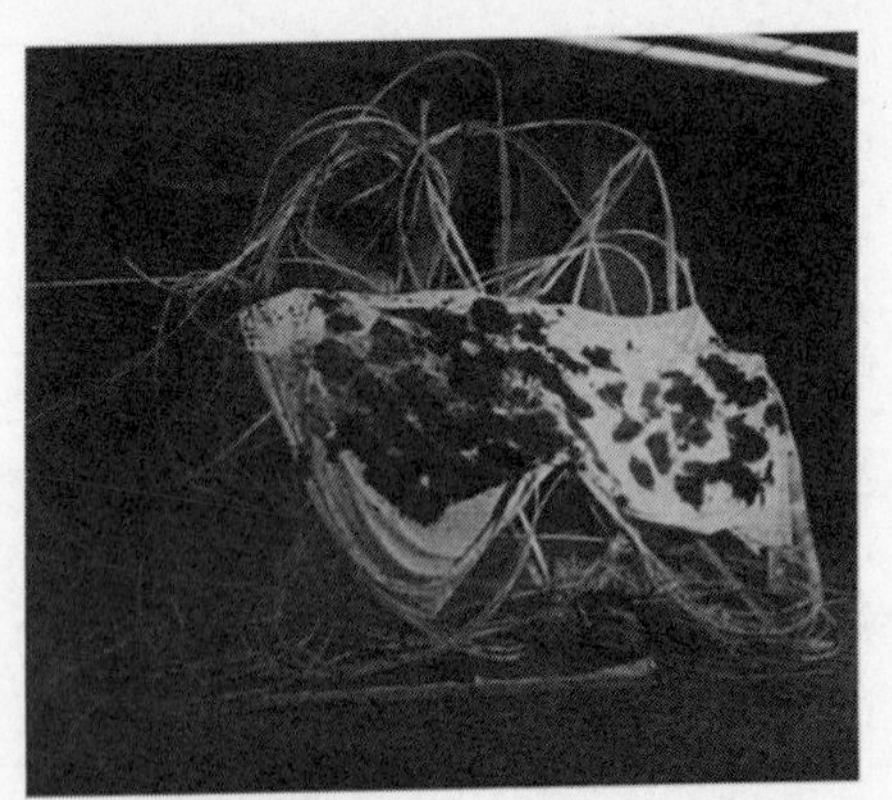

1–29：篠原有司男《ボクシング・ペインティング》1962年
© 篠原有司男＋篠原海苔こ

1–30：中西夏之《洗濯バサミは攪拌行動を主張する》
1963年（東京都現代美術館蔵）

まなファスナーがついている二メートルほどの布袋に自分が入って、脱いだシャツやズボンを、手をニューッと出して捨てたりして、布袋のかたまりが動いていく)、風倉匠の全裸ハプニング、赤瀬川・中西・刀根による《ミニチュア・レストラン》(中西はミニチュアの食器による最後の晩餐で、とぼけた顔でウズラの卵の目玉焼を食べる)

ネオ・ダダイズム・オルガナイザーズの活動

一九五九年
グループ結成の話がもちあがり、何度か会合をかさね、篠原有司男を入れることになって、銀座の村松画廊で結成の会をひらく(赤瀬川原平「読売アンデパンダン展」、『調査情報』一九八二年三月号〜六月号)。

一九六〇年
三月、結成宣言
読売アンデパンダン展の初日のかえり、吉村の家「ホ

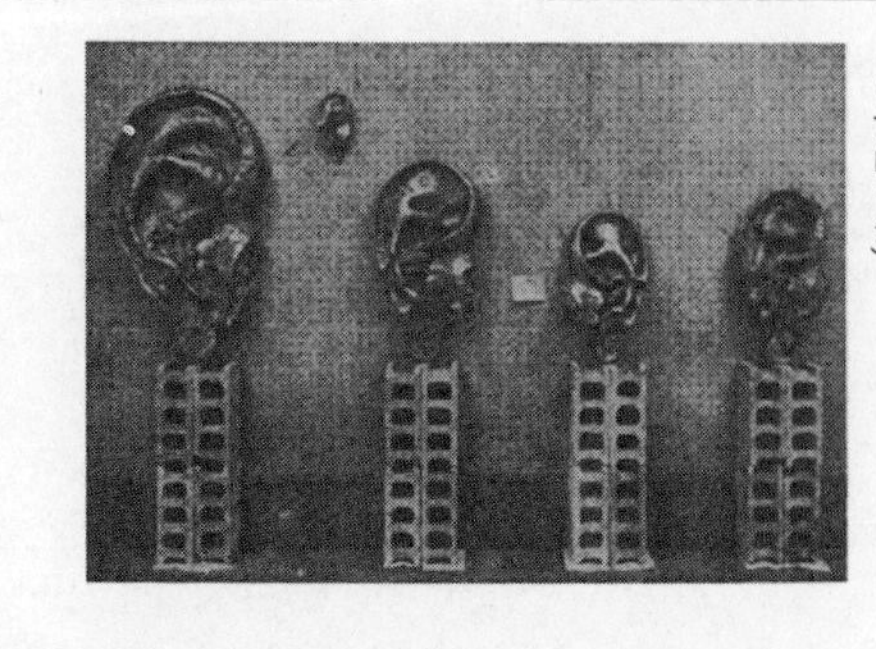

1-31:三木富雄《あなたの保険》1963年(アルミ合金、コンクリートブロック)

ワイト・ハウス」（新宿百人町・磯崎新設計）で瀧口修造を囲んで行う（篠原有司男『前衛の道』による）。
メンバーは武蔵野美術大学から吉村、赤瀬川、荒川、風倉、上野紀三、芸大の篠原、中央美術学園の豊島壮六、さらに石橋清治（石橋別人）、岩崎邦彦、上田純。のちに田中信太郎、田辺三太郎、吉野辰海（たつみ）、岸本清子、木下新らが加わる。ただ、工藤と三木は終始そばにいながらもグループには加わろうとしなかった。

四月、第一回ネオ・ダダイズム・オルガナイザーズ展（銀座画廊）[30]

赤瀬川―石膏を塗りこんだパネルにガラスの割れたコップの底を規則正しく貼りつけた作品
荒川―彫刻《砂の器》に、ビニールの袋をいくつもまつわりつかせてなかに水をみたした作品
篠原―三百個のゴム風船で構成した《ごきげんな四次元》
吉村―キャンヴァスから抜けだして長々とつづくト

イレット・ペーパーに赤と青のマーブル模様が
描かれている作品
上田―鉄パイプのジャングルジムと、豆腐のうえで
もやしを栽培する作品
風倉―コンクリート建築用パネルに昆虫針がプップ
ツ刺してある作品
石橋―朝の甲州街道で八分間車に轢かせたケント紙
（本人は会場では台上で座禅をしていた）
七月、第二回展（吉村の「ホワイト・ハウス」）
赤瀬川―自転車のタイヤのなかの赤いチューブを切
りひらいて何枚も縫いあわせ、縫いめにガラス
の真空管を群がるように取りつけた作品
荒川―箱にセメントのオブジェをつめた棺桶状の作
品
風倉―ロボット状の作品
吉野―壁面に花火を走り回らせるイヴェント
ＴＢＳの取材用に鎌倉材木座海岸でのショウ

九月、第三回展―日比谷公園野外展（日比谷画廊）
升沢金平―《帝国ホテル》フトンからひっぱりだした綿の真ん中に小便をひっかけた作品
＊その後、吉村の突然の結婚によって、グループは事実上、蒸発。

この時期の九州派の活動
一九六〇年
五月、グループ「洞窟派」展（銀座画廊）
九州派を一時退会したオチ、菊畑、山内による
八月、九州派連鎖展（銀座画廊）
一九六二年
六月、菊畑茂久馬個展「奴隷系図」（南画廊）［参考：図1-32］
九月、九州派展（美目画廊）
十一月、「英雄たちの大集会」（博多湾百道海水浴場百道屋、これが一応のしめくくりとなる）

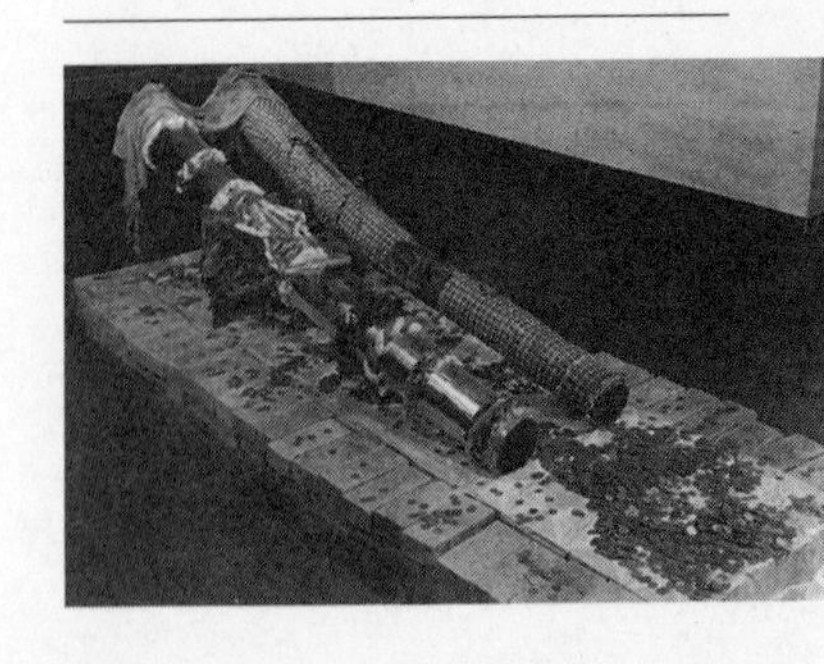

1-32：菊畑茂久馬《奴隷系図（貨幣による）》1961年（布、5円硬貨、蠟燭、木ほか。120×198×630cm。1983年再制作作品が東京都現代美術館蔵）

大山右一―金銀のラッカーを塗りたくったオブジェの塔に石油をかけて火を放ちそこへ酒瓶を投げこんで砂浜をころげまわる

宮崎準之助―波打際で一晩中穴を掘りつづけた。

「グループSWEET」の活動

一九六三年三月(読売アンデパンダン展開会中)

第一回展覧会(かわすみ画廊)

赤瀬川、風倉、篠原、三木、木下新、小島信明

一九六三年四月

第二回展覧会(新宿第一画廊)

赤瀬川、篠原、三木、中西、豊島壮六、田中信太郎、小島信明、石崎浩一郎

*ネオ・ダダイズム・オルガナイザーズ以後のひとつのゆりもどしとみなすことができるもの。

「時間派」の活動

一九六二年

初頭、「エコール・ド・トウキョウ」所属の中沢湖、田中不二が新グループ結成のために、中原佑介を囲んで研究会をひらく。

三月、読売アンデパンダン展にはじめてグループ参加。

五月、第一回展（サトウ画廊）

ひらくと轟音を発するドア、天井と床のあいだを通りぬける作品、多数のバックミラーを埋めこんだ絵、足元でガラス片が砕けて細分化する作品など。(31)

一九六三年

三月、第二回展（美目画廊）〔図2-8〕

赤外線を使って前に立つと突然可視的になるミラー・ボックス、床のチューブを踏むと光が微妙に動くスクリーン等。

＊メンバーは、中沢湖、田中不二、土屋樹男、長野祥三。時間の考察を通して動きを美術のなかにとりいれ、知覚を行動に結びつけて、観客の参加の問題を提起した。

「ゼロ次元」の活動

一九五八年

グループ結成。以来、月例の「儀式」が、いずれも盛り場などで予告もなしにおこなわれたといわれるが、記録はほとんど残っていない［参考：図2-9］。「数人のメンバーが名古屋の盛り場の地面を芋虫のようにはいずって歩いたが、警察官が交通整理をして協力した」（岩田信市）。「すべてが、街に氾濫している現象を強姦するため」（加藤好弘）だったという（刀根康尚「集団の波・運動の波」、『美術手帖』一九七一年十月号）。

一九六三年

三月、読売アンデパンダン展参加。

「儀式」はオッパイ模様のシーツのうえにメンバーが一日中寝ころがっているだけのもの。

主要な個展――

荒川―一九六〇年九月（村松画廊）、一九六一年一月（夢土画廊）。

篠原―一九六〇年十二月（自宅、野外アクション展）、一九六二年一月（村松画廊）、十月（村松画廊）。

吉村―一九六一年八月（村松画廊）、一九六二年五月（新宿・風月堂）。

風倉―一九六一年十月（村松画廊）。

工藤―一九六〇年九月（南画廊）、一九六一年十一月（文芸春秋画廊）。

三木―一九六〇年八月（文芸春秋画廊）。

中西―一九六〇年六月（櫟画廊）、一九六一年十二月（いとう画廊）。

赤瀬川―一九六三年二月（新宿第一画廊、「あいまいな海について」）。

その他の展覧会――

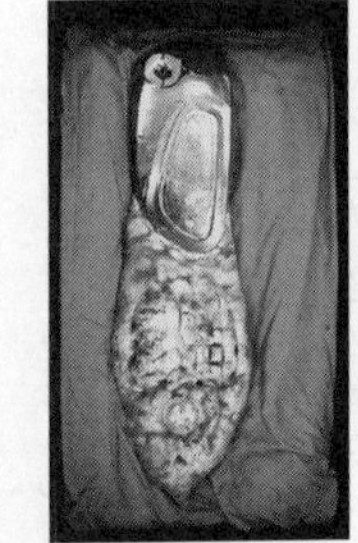

1―33：荒川修作《作品B》1960年（ミクストメディア。100×58×15cm。セゾン現代美術館蔵）

「集団現代彫刻展」(一九六〇年七月、池袋・西武百貨店)
小野忠弘、木村賢太郎、篠田守男、志水晴児、砂沢ビッキ、建畠覚造、田中栄作、原武典、福岡道雄、向井良吉、毛利武士郎、山口勝弘ほか。

「現代美術の実験展」(一九六一年四月、国立近代美術館)
荒川、越智、菊畑、工藤、中西ほか。

「現代のヴィジョン展」(サトウ画廊企画。一九六一年六月、赤瀬川。六月~七月、山口、ほか)

1-34:中西夏之《作品》1961年

「反芸術」の意味

「反芸術」と呼ばれている動向の核になっている作家と作品はみてきたとおりである。概観して、わたしは現場には立会っていないから、細部のわからないところは多いし、判断はおのずから制約を背負っている。しかし、そのかわり四半世紀が経過したことを逆に利点としうるような視点のとりかたをしてみれば、当時の同時代の欧米の動向から類推してネオ・ダダないしポップ・アート(正しくは初期ポップ・アートというべきだろうか)ととらえた見方は、やはり基本的にまちがっていたのではないかとおもう。個々の批評家というよりも、美術批評そのものがヴェールをかけられ、眼かくしされていたのであり、眼かくしされていたことを認識することもできなかった。ちなみに、いま、もっと大きな文化総体の枠組み、あるいは社会的な枠組みからかんがえてみると、「反芸術」前半期は、若い文学者世代らを中心に「政治と文学」論が「転向論」をへたあとで展開をみせ、また六〇年安保闘争がくりひろげられた時期にあたる。そして後半期は、高度成長・所得倍増政策がスタートするとともに、純文学論争、ついで一九六二年から戦後文学論争がはじまる時期にあたっている。安保闘争という政治・社会・思想的出来事をはさんだ緊張と弛緩のなかで、戦後そのものの相対化と問いなおしがはじまった時期にほかならない。たとえば、文芸批評におけるその意味でのメルクマールをこの時期からいくつかひろうとすれば、一九五五年の服部達のメタフィジック批評の登場、一九五九年一月の江藤淳の『作家は行動する』の刊行、吉本隆明の「戦後文学は何処へ行ったか」(『群像』一九五七年八月号)や「戦後文学の転換」(『文藝』一九六二年四月号)などがある。

では、こうした批評の水準を、美術批評はどのようにとらえ、かんがえ、とりこもうとしていたのだろうか。すくなくとも遠望くらいはしていたであろうか。しかし、答はかえってこない。単純な遅速でいうと、美術の実作じたいは早すぎるくらい進んでいたのかもしれないのに、美術批評は致命的なまでに遅れていた。その意味では、「具体」の頃に登場してきた新世代批評家が地ならしをしただけで低迷しているところに登場した宮川淳の批評は、批評言語としてはじめて自立した美術批評を生みだしたものといってよい。宮川の批評の登場は、日本美術批評史上はじめて正統への道をひらいた出来事だった、といっても過言ではないだろう。批評言語の水準に関しても、同時代の文芸批評とくらべて、けっして遜色なかった。ただ一点、日本の美術の固有の文脈という視座を意識的にせよ欠落させていた点を除いて、である。

しかし、実作者は、日本の政治・社会・思想的状況についていくら無知であってもかまわないし、状況を社会主義リアリズムのようなやりかたで表現する必要などないが、状況が生みだしている現実にたいして鈍感であるはずはなかった、とわたしはかんがえる。そうでなければ表現者たりうるはずがなかった。たとえば篠原有司男は、当時のことを（一九六六年に）つぎのように書いている――「反芸術という言葉をひっさげて帰国した美術批評家・東野芳明氏は、第十二回読売アンデパンダンの会場に荒れ狂うビート作品に対し、〝反絵画・反彫刻〟なる名詞を投げつけた。ぼくらは不満だった。あくまでも前衛芸術を既成芸術に対するアンチテーゼとしてしか取りあげようがないのだろうか？　ぼくらは旧権威、旧思想に対しなんら反発を感じてはいない。怒りをこめて振り返るなら、その怒りは同世代の他人に、競争相手に、恋人に向けるだろう。芸術存在そのものに対する不信、ぼくらが努力しても相容れぬもの、会場芸術ではおさまり切れない何ものかに対する解答なり、代名詞が欲しかったのだ」(『前衛の道』、傍点篠原)。また、工藤哲巳は当時アンフォルメルの文脈で理解されるほかはなかった彼の初期の絵画がじつはむしろ郷里の津軽塗からきているとかんがえたほうがよいと語ったことがある(一九八一年十二月五日、東京・原美術館におけるレクチャー)。篠原のことばに「アンチ」の無化ということだけしかみないのでは不十分だし、工藤の言明からただちにナショナリズムやローカリズムを抽出すればすむというものでもない。こうしたことば、そして彼らの作品にみなければならないのは、彼らが現実にぶちあたっていたものであり、以前の手段や方法によっては実現しえなかった彼らの個性であり、そういう個性を現出させた文脈なのである。その点におもいいたるとき、わたしたちは自身の美術の根と現実を問わないわけにはいかない。

「反芸術」という混沌、つまり初期「具体」から「反芸術」にいたる一連の動向を通してみとめられる混沌とした状況、あえて劫初(ごうしょ)の混沌とすら呼びたい状況をどのようにとらえたらよいかとかんがえるとき、ひとつの仮説的な視点を導入することが必要だとわたしはおもう。すなわち、わたしたちの美術の歴史においては美術の不在こそ常態だったのではないか、という仮説である。日本にも明治以前から美術は存在していたが、美術という語そのものが翻訳語だったように、それは西欧の美術とは概念じたいを異にするものだったとかんがえたほうが事実にちかい。そして、西欧の美術の概念と作品と材料が入ってくるようになった明治以降になると、旧来の美術と西欧の美術との軋轢と葛藤が、日本の美術にとっての現実となる。個々の美術家の内部においてもそうだし、たとえば日本画にたいする前衛美術といったように、美術全体としてもそうである。そうなると、旧来のものは外来のものを無視して自分の殻にとじこもってしまうことは（そうしたら、それは美術ではなくて工芸と化す）できなくなる。外来のもののほうも、旧来のものをなかったものとして除外し、すべてをおおいきれる（そうしたら、それは国際化、世界化などといった美名をまとおうとも文化的植民地主義への屈服か迎合であるにすぎない）わけではなくなる。この軋轢と葛藤は、そのなかで真正の表現を獲得できないかぎり、二極のどちらかへの分解か、模倣と亜流か、よくて敗北しか生まない。じじつ、近代日本美術史とは、ほとんど、この二極分解、模倣・亜流、敗北の歴史以外のものではなかった。そのかぎり、それは創造の歴史、美術の形成の歴史というよりは、解体の歴史と呼ぶほうがふさわしいものだったと言わざるをえないのではないか。すくなくとも「具体」以前までは、である。美術の不在こそ常態だったとはそういう意味においてである。

日本にはもともと、西欧的な意味での美術（絵画・彫刻）はなかった。そして、明治以降は、旧来の美術（主として絵画）の崩壊過程と外来の美術（絵画・彫刻）の導入過程とが錯綜して進んできたのである。[32] たとえば「反芸術」をめぐってア・プリオリに「美術」を、「絵画・彫刻」を語りはじめるとき、わたしたちはこの事実を抜きにして、無意識に、西欧の美術概念を前提としてしまっている。

だが「反芸術」は、むしろひとつのはじまりだった。タブラ・ラーサではなく、「反芸術」の作家たちにとっては、すべては自分たち自身からはじまるのだった。彼らはほとんどなにもないにひとしいところからはじめなければならなかった。どんな誤解、錯誤、無知のなかにまだとらわれていたにせよ、彼らが予感し、になっていたのは、相剋の状況以外なにもないなかで、自分たちの、日本に固有の美術を創出していくという要請だった。「反芸術」は終りではなく、不在の美術のはじまりでもなく、むしろ固有の文脈の出発点としてとらえなおされたほうがよい。したがって、宮川淳の「反芸術＝日常性への下降＝芸術と非芸術との最終的な無化」という論理も、逆倒されるべきではないか。芸術と非芸術との無化は結果として起ったのではなく、「反芸術」以前の常態であり、「反芸術」にとっての与件として存在していたからだ。つまり、起ったのは無化ではなく、美術未生の状況のなかで、表現を、固有の美術を創出しようとするたたかいだったからである。このたたかいこそが「反芸術」にほかならなかった。くりかえすが、美術未生の状況、美術の不在という常態とは、無を意味するわけではない。西欧的な意味での美術はもっていなかったということ、もっていたのは旧来と外来の美術との矛盾の状況そのものだったということである。この矛盾的状況のなかで、伝統への回帰と欧化主義への安住とをともに拒否するとすれば、負荷しか、負の可能性しかありえなかった。無ではなくてこの負的性格が、「反芸術」以前の日本の美術の現実だった。

だが、この負性を逆転してみることはできないか。これをプラスに反転しうる視点がかんがえられないだろうか。その意味で「類としての美術」という視点、仮説を言ってみたい。西欧の論理によれば、絵画と彫刻という種概念にたいしてそれを包摂する類概念として美術という概念がある。そして日本人とかアメリカ人という語がじっさいの日本人やアメリカ人を指すのにたいして人類という語が抽象的概念であるように、絵画と彫刻が実体を指す語であるとすれば、美術ということばは抽象的概念であって実体をもつことばではないということができる。つまり西欧では、じっさいに存在しているのは絵画であり彫刻なのだ。ならば、この美術ということばから、それに従属している種概念（絵画・彫刻）をとりさって、いいかえれば種概念との対応関係をたちきって、さらに西欧的な文脈の枠の外へつれだしてみたらどうか。わたしのいう「類としての美術」がみえてくるのはそのときである。そうすれば、ジャンル区分（絵画・彫刻）をこえたところで美術を洗いなおしてみることができる。また、さまざまなかたちの作品を、包括的に意味させることができる。同じ美術ということば（シニフィアン）であっても、シニフィエのレベルがひとつあがって、しかも変質しているのである。もともと絵画も彫刻ももっていなかった日本の美術とは、すなわち「類としての美術」ではなかったか。旧来と外来の美術との矛盾的状況の地平とは、すなわち「類としての美術」の地平ではないか。

より正確にいうと、初期「具体」をふくめて、広い意味での「反芸術」こそ、負性のなかにおかれていた日本の美術を、「類としての美術」に転化させる道の端緒をひらいたとかんがえるべきであろう。負性という矛盾的状況しかもたないなかで展開された「反芸術」のさまざまな表現、絵画でもなく彫刻でもないそれらの表現のなかに、わたしたちは美術（「アート」という語でなく）が、美術ということばが、美術という概念そのものが、固有の文脈のなかでひとつけたあげされる位相を、すなわち「類としての美術」の位相をみてとるべきではないだろうか。そして、この「類としての美術」の位相が日本の美術の固有の文脈たりうることをかんがえてみるべきだ。これが、「反芸術」がはらんでいた最大の意味にほかならない。

第二章　一九六〇年代

はじめに

一九六〇年代というように切りとった十年間に美術がうまい具合におさまってくれるというようなことはありえない。ここで六〇年代というのは、「ハイレッド・センター」結成などにみられる「反芸術」の終息ないし変貌が起ってくる一九六三年あたりから「もの派」がはじまるまでの六〇年代後半にかけての時期、つまり一九六〇年代の中期から後期をさしている。この時期についても、いままで誰も包括的に整理して語ってきてくれてはいない。「環境芸術」とか「複製芸術」とか「発注芸術」とか「アングラ芸術」とか、個別のものについてならいくらかはあるのだが、時のながれを統一的視点からおさえて切ってみせてくれているものがない。ここでいえば「反芸術」がどのように終息ないし変貌し、「反芸術」であらわになった諸問題がそのあとどうなったかを、六〇年代を語ることのなかであとづけてくれているものがないのである。

たしかにこの時期は、豊穣か不毛かはべつにして、複雑な時期であり、たとえば環境芸術に象徴される時代だなどといってすませられるものではない。さまざまな動向が関連しあいながら、起っては消えていった時期である。それらの動向のすべてをもらさずあとづけていくことがいまのわたしの手におえるかどうかわからないが、六〇年代の全体的状況と主たる方向性のなかから、まえの時代とあとの時代とに一貫している一筋の重要ななかれを読みとって提示することはできるのではないかとおもう。そして、それがいちばん大切なことではなかろうか。

これまでわたしたちが漠然とかんがえてきた一九六〇年代とは、まず「反芸術」があり、「反芸術」以後の現象（たとえば日本ポップ・アート）がいくつかそれに続き、半ば以降は環境芸術へとむかっていく、といった程度に理解されていたようにおもわれる。ここであつかうのは「反芸術」以後の諸現象と環境芸術の時期だが、たとえば針生一郎は、前者に関しては大衆社会化状況のなかでの日本ポップ・アートと複製芸術の問題、後者に関しては一九七〇年の大阪万国博にいたるテクノロジー主導型の環境芸術とそれに抗する反万国博の動向や学生の造反に力点をおいて、この時期をとらえている。しかし、わたしのかんがえでは、「反芸術」以後の諸現象についてはもっとこまかく検討して、「反芸術」からなにをうけつぎ六〇年代後半期へどのようにつながっていくかをみるべきである。また環境芸術については、テクノロジー主導型のそれを主流とみる通念を再検討して、ちがう角度から「反芸術」、および「反芸術」と七〇年代との関係を考察しなければならない。

おそらく、六〇年代中期とは「反芸術」の変貌過程、「反芸術」であらわになった諸問題が変質をこうむりつつさまざまな動向のなかに再生産されていく時期、六〇年代後期とは美術が極限化していく時期とみることができる。変貌していく「反芸術」、日本概念派、そして欧米におけるコンセプチュアル・アートというもうひとつの極限化状況からの影響、主としてこの三つの要因から、美術が極限化していく過程としてとらえることができるだろう。

I ハイレッド・センターから「環境芸術」へ

高松次郎・赤瀬川原平・中西夏之――結成

「ハイレッド・センター」とは高松次郎、赤瀬川原平、中西夏之の三人の名前の最初の漢字「高、赤、中」を英訳してつなげた名称である。その成立の経緯と活動については、いわゆる「模型千円札裁判」［参考：図2-1］第一審のさい、弁護側証人として出廷した中西夏之が一九六六年九月十四日と九月二十一日におこなった証言にくわしい（「《千円札裁判》における中西夏之証言録」、『美術手帖』一九七一年十月号〜十一月号）。ここではほとんど

2-1：赤瀬川原平《千円札拡大図》（復習の形態学）1968年（水彩絵具、紙、パネル。90×180 cm。名古屋市美術館蔵）

それをかいつまんで紹介するにすぎないのだが、まず人の関係でいうと、この三人に刀根康尚が顧問として加わり、さらに和泉達が加わっている。それ以外にも、個々の活動にあたってそのつど参加し協力することで多くの人々がかかわりをもつことになった。

ハイレッド・センターの活動は一九六三年五月の《第五次ミキサー計画》にはじまるが、中西夏之の証言によれば、そのまえに「プレ・ハイレッド・センター」の段階があり、これをあわせた全体をハイレッド・センターとみなしたほうがよいだろう。プレ・ハイレッド・センターにはいくつかのメルクマールがある。

第一は、一九六二年八月十五日に国立公民館でひらかれた《芸術マイナス芸術（敗戦を記念して）》という「晩餐会」のハプニングで、赤瀬川原平、風倉匠、刀根康尚、土方巽、吉野辰海、吉村益信らによるものだった。観客は一枚百円で晩餐会整理券を買うが、舞台で鳥の丸焼を食べているのは主催者たちで、彼らは食べるほかに舞踏、音楽をやり、また長時間にわたって歯をみがいたり（吉村）、焼きごてを身体におしあてたり（風倉）といったハプニングをおこなった。[1] これには中西、高松は参加していない。

第二は、同年十月十八日の《山手線のフェスティバル》で、参加者は高松、中西、K・ウロボン、札二拝、村田記一、それにサンドイッチマン。高松のひも状のオブジェがあったり、懐中電燈で顔を照らしながら化粧をするといったハプニングだった［図2-2］。

第三は、同年十一月二十二日、早稲田大学大学祭にさいして早大大隈講堂における演劇に参加した活動で、高松、中西、小杉武久、建築の井山武司らによる。赤瀬川は参加していない。

第四に、一九六三年二月に新宿第一画廊でひらかれた赤瀬川の個展「あいまいな海について」の案内状が発送されて、高松や中西のもとにもとどいたということがあげられる。これは赤瀬川の個展であってグループ活動でもなんでもないが、中西はとくにあげている。

そして第五が、こうして進行していたプレ・ハイレッド・センターの動きがとりわけ赤瀬川、高松、中西の三人のなかで顕著になり、たかまりをみせ、そして出会った、一九六三年三月の読売アンデパンダン展における《ミニチュア食堂》である。これがハイレッド・センター結成のきっかけになる。このアンデパンダン展に赤瀬川は畳二畳大の梱包の作品二点のあいだに二百倍大の千円札をはさんだ《殺す前に相手をよく見よ》、高松はカ

2-2：《山手線のフェスティバル》（撮影・村井督侍）© Eri Murai
1962 年ドーランを塗った中西夏之登場。

卵のコンパクト・オブジェを舐める。

ーテンからひもが出ている《カーテンにおける不在性について》、中西はキャンヴァスに洗濯バサミのくっついた《洗濯バサミは攪拌行動を主張する》［図1-30］を出品し、「それらの物品の持ってるひとつの機能というか、そういう機能で、うまくそのものたちのごろが合って結びついた」（中西「証言録」）ことで、三人の出会いが起った。この出会いの記念として会場に《ミニチュア食堂》を開店し、おもちゃの食器にカレーライス、おにぎり、みそしる、魚のフライ（四センチぐらいのわかさぎ）、目玉焼（うずらのたまご）を盛って、町の普通の大きさのものと同じ値段で売った。調理中の音声を拡大したものがバック・グラウンド・ミュージックで、これは刀根によるものだった。

こうしてハイレッド・センターが結成される。最初の活動は、一九六三年五月（七日～十二日）に新宿第一画廊でひらいた展覧会《第五次ミキサー計画》である。「第五次」となってはいるが、そのまえがあるわけではない。めいめいが、同年の読売アンデパンダン展出品作とほぼ同様の作品を出品したが、オープニング・パーティーは「テーブルは全部壁のほうに向けて置いてあって、ジョッキが壁に備えつけてあります。それで、壁から大体三十センチぐらいのくさりがつながっていて、そこにビールをついで飲むわけですから、普通は乾盃するときは正面を向いて乾盃するわけですが、壁に向って乾盃する。絶えずグラスを離さないようにするには、壁にへばりついていなければならない、というふうなオープニング」（中西「証言録」）になった。このときに刀根康尚がグループの顧問になっている。ついで同年五月二十八日〜二十九日に、「第六次ミキサー計画——物品贈呈式」が、新橋の宮田内科診療所（七月に内科画廊となる）および新橋駅前広場でおこなわれた。三人の作品に登場する物品（梱包材料、ひも、洗濯バサミなど）の贈呈儀式である。このあと、七月に和泉達が内科画廊で個展をおこない、ハイレッド・センターに加わったかたちになるとともに、内科画廊が、ハイレッド・センターばかりでなく前衛芸術家のひとつの根拠地となる。その内科画廊で七月にひらかれた、中原佑介企画による「不在の部屋」展は、ハイレッド・センターの活動ではないが、メンバーが三人とも出品している。[2] 赤瀬川は椅子や扇風機（首はまわる）の梱包の作品、高松は机と椅子にひもがからみついているような作品、中西はポリエステルや石膏の《コンパクト・オブジェ》だった。また十月には和泉が、観客の指紋を採取する「指紋検出展」をおこなっている。次が、同年八月十五日に市が谷の美術出版社屋上でおこなわれた《ロプロジー》である。高松次郎のひもにたいするオブセッションから生れたハプニングといってよく、三人が裸になって五感をぜんぶふさいで足にロープをつなぎ、相手のロープを足でたどってたぐりよせる、といった行為だった。

一九六四年に入ると、まず一月二十六日と二十七日に、帝国ホテル旧館三四〇号室を借りて《シェルター計画（第一次シェルター・プラン）》がおこなわれ［図2-3］、赤瀬川、高松、中西、和泉らが参加した。シェルター（防空壕、個人用防災設備といったもの）の

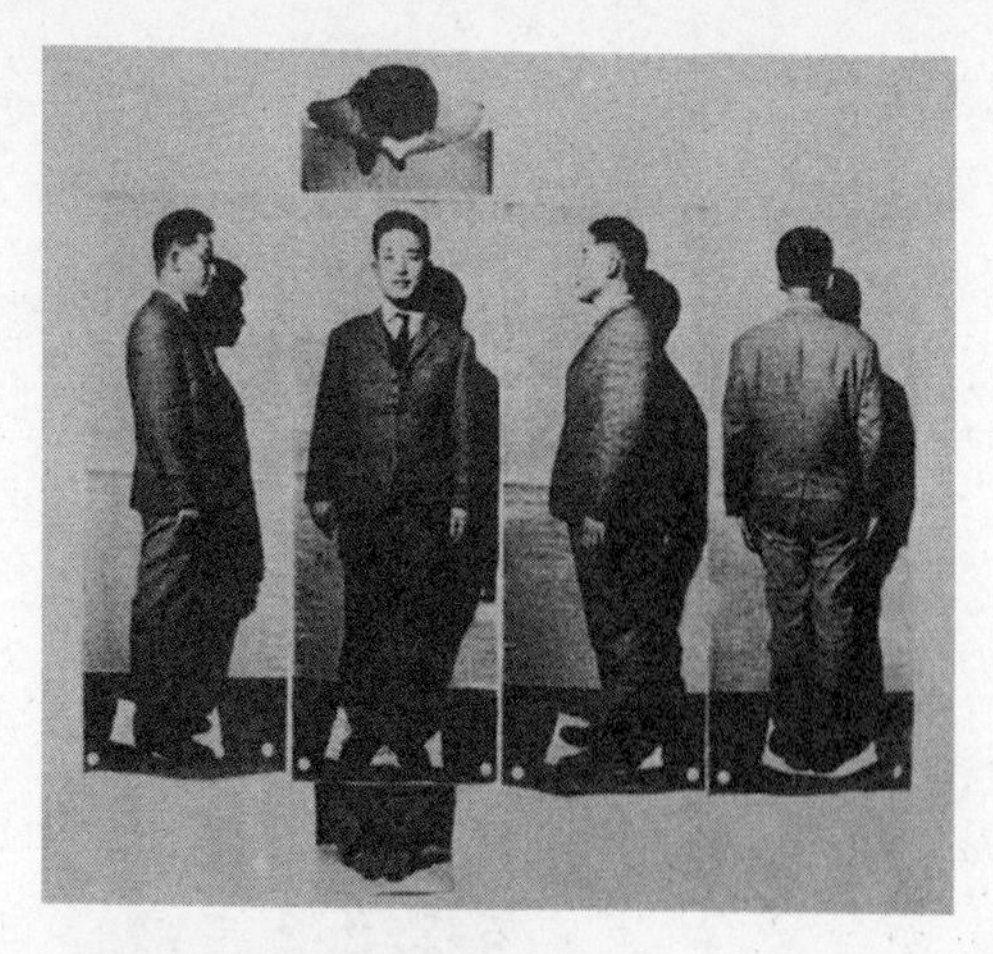

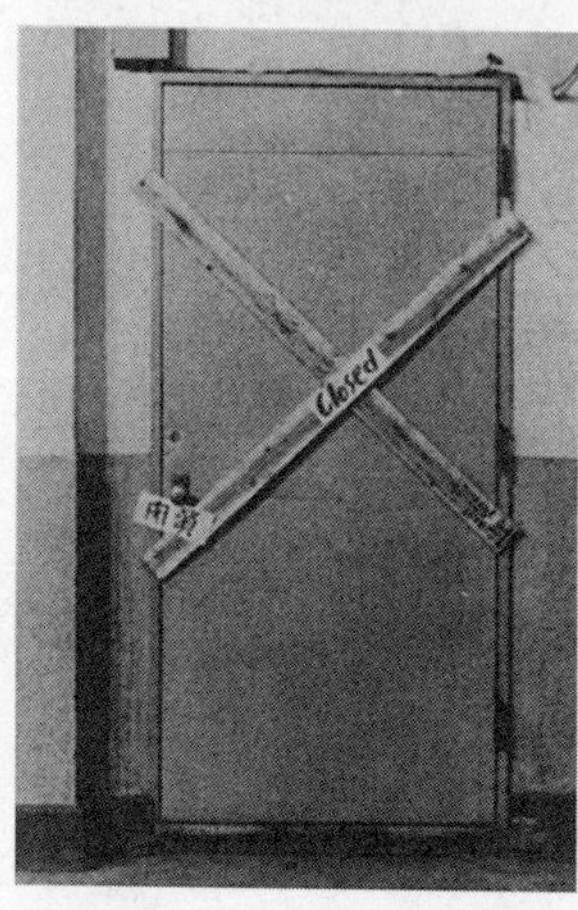

（上）2-3：《シェルター計画》1964年 ナム・ジュン・パイク（白南準）氏の展開図（組み立てると人の箱が完成）
（下）2-4：《大パノラマ展》クロージング・イヴェント　1964年（撮影：羽永光利）
Courtesy 羽永光利プロジェクト（羽永太朗、ぎゃらり壺中天、青山目黒）

予約を受付けるために来客の身体の寸法をこまかく計ったり写真をとったりするハプニングで、シェルターの予約をしない人には、缶切りとか、いろいろ奇異なものが入っている缶詰を買ってもらう、というものだった。一月八日には赤瀬川原平が模型千円札事件で警視庁刑事第三課に出頭要請をうけ、またハプニング当日の朝日新聞にはそれについて赤瀬川にたいする悪意にみちた記事が出たりしているなかでおこなわれた。ついで四月に、ハイレッド通信のビラ、「特報！ 通信衛星は何者に使われているか！」を出す。これは、「ひとつの事象の含みを読みとって最初の対応する関係を何通りか引きだし、その形式から帰納したレールの上に、もう一つの形式を上積みしてゆく」（中西「証言録」）という、音楽でいう「インストラクション」に類するこころみだった。

次に、六月に内科画廊で、クロージング・イヴェント《大パノラマ》展をおこなう［図2-4］。案内状によれば「只今、ハイ、レッドセンターの手により画廊閉鎖を行っております。／お暇の節は、どうぞおいでにならぬ様御案内申し上げます」というもので、普通のオープニングのときをクロージングとした。目撃者として画廊にいた油虫を一匹つかまえてびんのなかに閉じこめ、電気をつけたまま画廊を閉鎖し、扉に英語で“closed”、日本語で「閉鎖」と書いて封をする。毎日、なかに誰もいないことをたしかめるために電話をかける。そしてクロージングの日に、おりから来日中のラウシェンバーグらを招いて、彼の手でオープニングがおこなわれた。

2-5：《ドロッピング・ショー》1964 年（撮影・平田実）
© HM Archive. Courtesy of Taka Ishii Gallery Photography / Film

2-6：《首都圏清掃整理促進運動》1964 年（撮影・平田実）
© HM Archive. Courtesy of Taka Ishii Gallery Photography / Film

ついで十月十日に、赤瀬川、高松、中西、風倉らによる《ドロッピング・イヴェント》［図2-5］。お茶ノ水の池坊東京会館屋上から洋服、シャツ、ズボン、トランク、バッグ、本などを落し、落したものをぜんぶトランクにいれてお茶ノ水駅の荷物預かり所にあずけ、預かり証をある人のところへ送る、というものだった。

それから、やはり十月の十六日に、銀座の並木通りで《首都圏清掃整理促進運動》というこころみをおこなう［図2-6］。文字どおり通りを清掃するイヴェントであり、ハイレッド・センターとして最後の活動となったものである。

以上を整理すれば、ハイレッド・センターの活動はプレ・ハイレッド・センター、一九六三年、一九六四年の三期に分けることができる。一九六三年と一九六四年とを分ける根拠は、前者が《第五次ミキサー計画》のように、通常のグループ展や《ロプロジー》のようにメンバーのうちの一人の主導型の活動にまだとどまっており、また和泉達個展や不在の部屋展などが混入していて、グループとしては形成過程にあること、それにたいして後期は、ほぼすべての活動がグループ協同の、共同の活動に進展していることにもとめられる。

「作品」はどこにあるか

このようなハイレッド・センターの活動は、「反芸術」の変貌過程のなかでも最も重要な動きであり、「反芸術」のたんなる後産、衰退、拡散としてとらえるわけにはいかない。

そういう点がないわけではないとしても、「反芸術」から一歩出ている点をみてとることのほうが大切である。ハイレッド・センターのメンバーは、もちろん「反芸術」の作家たちである。だが、ネオ・ダダイズム・オルガナイザーズからは赤瀬川だけで、周辺のほうにいたとみなされる高松と中西がメンバーとなっていることにも、「反芸術」とのちがいの一端はうかがえるのではないか。また、「反芸術」の作家のなかのかなり多くの人々が、このころ前後して日本をはなれていったことに留意しておいてよいかもしれない。荒川修作が一九六一年十二月にニューヨークに発ち、翌年工藤哲巳がパリに行ったのをはじめ、かなりの流出が起る。見方によっては、それが一九六九年の篠原有司男のアメリカ行まで断続的につづいたといえなくはない。ともかく、それが、ハイレッド・センターを中核とする作家分布図に影響をあたえたことはたしかだろう。

顔ぶれからみても「反芸術」とはいささか様相を異にし、全体を概観したときにも「反芸術」とはたしかに異質と感じられるこのハイレッド・センターの活動は、どうとらえられるべきなのだろうか。三つの点からかんがえられるとおもう。

第一は、ハイレッド・センターの活動にあって「作品」はどこにあるのか、という点である。初期「具体」の作品や篠原有司男の作品が、制作行為の自己目的化や物質の直接的な提示によって「思考―制作―作品―環境」から成る「作品」過程の解体そして自立をつよく感じさせるとすれば、ハイレッド・センターの活動は、この解体と自立は一応ふまえたうえで、さらにその先へむかおうとしていたといえる。一九六四年の活動をみてすぐに気付くのは、概して「思考」と「制作」が勝ち、とくに前者の重みが増していて、「作品」の側面があまりつよくはないことだろう。しかしそれは、「作品」過程を分解してみればのことで、ハイレッド・センターのばあい、実際上こういう分解は不可能であり、どこをさしてではなく全体を「作品」と呼ぶほかはない。たとえばクロージング・イヴェント《大パノラマ展》のばあい、行為そのものにはさほどの重要性はなく、構想と、結果としての閉鎖の状態とが、見るものには印象的だが、閉鎖された状態の画廊だけが「作品」なのではない。また《首都圏清掃整理促進運動》にしても、清掃行為じたいに意味があるわけでもなければ、それには意味がないというわけでもなく、構想から行為、そしてその結果(それは環境のなかに生みだされ環境そのものの一部となる)にいたるまでの全体、そのうちのどれかをきりはなして「作品」とみなすことはできないのである。そして、部分ではなくて全体が「作品」であるとするなら、そのことは「思考—制作—作品—環境」から成る「作品」過程の解体・自立から再統合への道をしめすものであるのではかならずしもなく、むしろ、「作品」の概念そのものがちがってきていることをしめしてはいまいか。つまり、解体・自立・再統合とはまったくことなった地平で、しかもこの「思考—制作—作品—環境」の全体を包括しうる「美術」——ここではそれを読みとるべきではないだろうか。この全体が美術の領域となっていること、絵画や彫刻ではなくて美術そのものの地平があらわれてきていることが、重要なのである。注意しておかなければならないが、これは、六〇年代末期に論議されることになる美術の環境化ないし環境の美術化を意味するわけではない。芸術といい環境といい、それらのことばの意味および彼我の文脈の差異をふまえないかぎり、論議は抽象的になってしまう。ハイレッド・センターの活動にみられる「作品」のありかたは、環境化の方向をさししめしているわけではなく、その成立の地平、文脈そのものが、日本の美術に固有の「類としての美術」にほかならないことをものがたっている。つまり、作品の全体が分解できないとは、このばあい、美術の対象なり作品の領域が環境(あいまいな語だ)にまでひろがったというよりも、「類としての美術」が、「世界」全体にはたらきかけることじたいを美術たらしめる道をひらいたがゆえに、このはたらきかけの総体が「作品」を形成していることを意味しているだろう。美術の領域が変化したというより、彼我の美術概念の差異とその差異の自覚(ないし直観的理解)が、それまでならかんがえられなかった対象や領域をおのずからよびよせたのだといったほうがよい。むろん、美術の対象領域や作品領域のこうした転換がハイレッド・センターによって完遂されたとは言えないだろうが、大局的にみれば、「具体」と「反芸術」が先鞭をつけたこの変貌過程を、すくなくともさらに一歩すすめたことだけはたしかなのだ。

しかし、ハイレッド・センターにあっては、この前進がひとつの共同性を通してもたらされたことをつけくわえておくべきである。これが第二の問題にほかならない。たとえばネオ・ダダイズム・オルガナイザーズが、根本的には個々人のよりあつまりであり、したがってその展覧会も個々の作家が作品をもちよって発表するグループ展だったのにたいして、ハイレッド・センターは三人の作家の出会いによって成立したまとまった集団であり、その発表活動はあくまでも共同で展開されたものだった。この共同行為を三人の作家自身がどうかんがえていたかは、かならずしもさだかではない。という意味は、これは明確な目的意識のもとに成立した集団であり活動であるというよりも、中西夏之が、「アンデパンダンのときに、はからずも三人の作品が、その場合、三つの作品の出あいによって、三人が結びつけられたということなんです」といみじくも言っているように、結びつく必然性はあったとはいえ、いわば自然発生的に生れた集団であり活動だったということである。だから、彼らが目的意識と共同性の意味についてどこまで自覚的だったか、自覚的でありえたかはべつにして、結果的には個の美術活動そのものの問いなおしという問題を提起したことになった。つまり、近代芸術における個人主義、個人至上主義、見方によっては当時すでに崩壊しつつあった近代の個人主義を問いなおそうという契機をはらんでいた。しかしこのばあい、問いなおすとは、たんに個人主義を否定するというのではなく、近代的個人主義を至上の高みからひきずりおろし、それが背景としての共同性に規定されている事実に眼を向けさせるきっかけをつくった、ということではないだろうか。近代の文脈そのものを、その総体を変革しえないかぎり、芸術における近代的個人主義から逃れることはできない。ただ、個はけっして至上のものではなく、共同性に規定されていることを自覚すべきである。そして、これは、「近代」にせよ「個人主義」にせよ、欧米とはことなったかたちで展開されている日本においても、ほぼあてはまるとみてよいだろう。ただ、たとえばフルクサスの協同活動があるプランや構想のもとに個々人があくまでも個々人として参加することで成立するものだったのに対して、ハイレッド・センターのそれは、そこでは個々人が無意味になるというのではなくて、いったん共同性のなかに個を解消することで三人の個が相乗されたかたちの表現を生みだすといった、いわば逆説的なものだったということはできるかもしれない。しかし重要なのは、こういう現象的なちがいはどこからやってくるのか、あるいはなにを意味するのかという点だろう。わたしのかんがえでは、それは美術の解体過程が生む一現象ではなくて、美術未生の状況下で美術を形成していく実践のひとつとしてとらえられるべきものである。ふたたび彦坂尚嘉の用語をかりていうなら、ポイエーシスの解体ではなくてプラークシスの形成、いいかえれば日本の固有の文脈における美術の実践こそが、個から共同性へというようなながれをたちきったところで、ある共同性の場を可能にする。しかも、共同性に規定されていることをないがしろにしない個の表現へのみちすじを、さししめしていくのではないだろうか。共同性をめぐってこういう状況がもっとはっきりとあらわれてくるのは、グループ「位」以降のことになるが、ハイレッド・センターの活動のなかにはその萌芽があったようにおもわれる。

ハイレッド・センターの特徴の第三点は、さきほどの「思考―制作―作品―環境」をもちだしていえば、そのなかの「思考（構想）」がいくぶん勝っているということ、そういういいかたが誤解をまねくとすれば、この作品過程をひとつの構想、観念、概念がおおっていて全体を統べているということである。どれが作品かといえば全体が作品であり、思考（構想）部分だけが独立しているというのではない。ただ、構想が全体を統括するかたちで、ある種の優位性をもっていることはみとめられる。《シェルター・プラン》では構想のほうがつよく、《首都圏清掃》や《ドロッピング・イヴェント》では構想を具体化する行為のほうがつよく表面にあらわれている。《大パノラマ展》では行為がさほどおもてだっていないために、構想と行為とがちょうど均衡をたもっておさまっている。という具合に、あらわれかたにちがいはあるが、いずれのばあいにも、ある構想ないし観念が軸になっている。そして、この構想の優位性が、六〇年代後半の日本の観念芸術ないし概念芸術や、欧米のコンセプチュアル・アートをとりいれた作品や、もっと無残なかたちではたんなるアイディアの提示にすぎない「アイディア芸術」にまでつながっていくのである。しかしハイレッド・センターにおいては、構想の優位性は、あくまでも全体としての作品を成立させる方向にはたらいていたようにおもう。

日本ポップ・アートと境界領域の美術

ハイレッド・センター以外で、この時期に注目すべき動きがあるだろうか。ここでは網羅的な通史をこころみているわけではないから、当時の動向のすべてに眼をくばるというわけにはいかない。だから、アンフォルメルを模倣・咀嚼した画家たちがこの時期にそれをどのように展開させていったかとか、見方によってはこの日本アンフォルメル旋風の対をなしたともいえる抽象絵画の動向、つまりオノサト・トシノブ、桑山忠明、山田正亮らの絵画や、「新表現派」の稲葉治夫や、のちの「ニュー・ジェオメトリック」につながる傾向の絵画などがどのようであったかとかは、ここでは議論の対象からはずすほかはない。

また、日本版ポップ・アートも、重要ではないというのではけっしてないが、割愛せざるをえない。日本ポップ・アートは、一方で篠原有司男、吉村益信、小島信明といったもとの「反芸術」の作家たちによって、他方で鶴岡政男から岡本信次郎や靉嘔（あいおう）や中村宏、そしてもう一方で立石紘一、横尾忠則［図2-7］たちによって（デザインの領域への広がりをみせながら）展開された。[3] したがって、その一角は「反芸術」の作家たちによってになわ

2-7：横尾忠則《腰巻お仙》1966年（シルクスクリーン、紙。103×72.8 cm。ニューヨーク近代美術館蔵）

れていた。そのあたりをさして宮川淳が、「卑俗な日常性への下降」を指摘したことも、すでにみたとおりである。しかし、日本ポップ・アートの生みだした作品をみていくと、欧米のポップ・アートと異質なことはもちろん、「卑俗な日常性への下降」を（宮川がいう意味においても、また卑俗な文字どおりの意味においても）意味するものでもないといわなければなるまい。それればかりでなく、「反芸術」の変貌過程のひとつととらえるのもすこし無理ではないかとおもうのだ。一翼をになった作家がもとの「反芸術」の作家だったことは、なんの保証にもならない。それに、もと「反芸術」の作家をのぞくと、あとの日本ポップ・アーティストは、「反芸術」とはすこし文脈のことなるところから出てきている人々である。このちがいは、しかし、二つの面から考察されるべきであろう。「反芸術」とはことなる文脈から出てきたために、「反芸術」のもたらした美術の地平と重要な問題を内在化する位置をとりえなかったかもしれないというマイナスの側面と、そのため逆になにかを獲得したのではなかったか、というプラスの側面とにおいてである。だが、結論だけいうと、日本ポップ・アートにおいては、大勢としては前者の側面が支配的になっていったようにおもわれる。

そういうなかで、この時期で注目すべき動向としては、むしろ、これまではどちらかというとハイレッド・センターや日本ポップ・アートの周辺的な動向とみなされてきたものが、美術と他ジャンルとの境界領域（映画・音楽・舞踏など）における動向をふくめて、あげられるのではないだろうか。そのうち、一九六一年から六四年にかけての主なものをまとめてみる。

一九六一年
九月、DANCE EXPERIENCEの会（第一生命ホール）
石井満隆、大野一雄、大野慶人、川名かほる、土方巽、若松美黄（みき）ら。美術＝加納光於（みつお）、田中不二、吉村益信。
九月、「グループ・音楽」による第一回発表会「即興演奏と音響オブジェのコンサート」（草月会館ホール）[4]
十一月、一柳慧（とし）作品発表会（草月会館ホール）
小杉武久、塩見千枝子、高橋悠治、武満徹、刀根康尚、黛敏郎ら。
一九六二年
二月、刀根康尚「作曲家の個展」（南画廊）――「グループ・音楽」、一柳、高橋
二月、一柳慧＋「グループ・音楽」演奏の夕（新宿・風月堂）

五月、小野洋子作品発表会（草月会館ホール）
協力＝赤瀬川原平、一柳、加納、小島信明、小杉、高橋、刀根、中原佑介、土方、黛、湯浅譲二、吉岡康弘、吉村ら。
五月～六月、時間派第一回展（サトウ画廊）
五月、「鎖陰」は映画である（京都、祇園会館）
足立正生の映画《鎖陰》の上映。赤瀬川、風倉匠、小杉、城之内元晴、刀根らによるハプニング。
七月～八月、動きと映像のゼミナール（邦千谷舞踊研究所）
主催・二十世紀舞踏の会
十月、ジョン・ケージ、デヴィッド・チュードアを歓迎する会（アスベスト・ホール）——暗黒舞踏派、[5]「グループ・音楽」
十一月、「ゼロ次元」による「集団混合儀式」
一九六三年
三月、時間派第二回展、美目画廊［図2-8］

2-8：時間派〈第二回展〉1963年

五月、犯罪者同盟「赤い風船ショー」(早大・大隈講堂)
——宮原安春、平岡正明[6]
五月、ダンス・アクション2(都市センターホール)
——邦千谷舞踊研究所、「グループ・音楽」
八月、ゼロ次元「女体試食会」(名古屋市栄町街路)
八月、暗黒舞踏派「あんま——愛欲を支える劇場の話」
(草月会館ホール)——赤瀬川、飯村隆彦、風倉、中西ら
十月〜十一月、ゼロ次元野外展
十月、「犠儀」(朝日講堂)——時間派、どもん、大野一雄、笠井叡、渡辺丈ら
十二月、SWEET 16(草月会館ホール)——美術、音楽、舞踊、映画などのジャンルから四十人あまりが参加。
一九六四年
三月、白南準作品発表会(草月コンテンポラリー・シリーズ、草月会館ホール)

2-9：ゼロ次元《儀式》1971年9月9日(於・法政大学。写真は愛知県美術館蔵 撮影・北出幸男)
©ゼロ次元・加藤好弘アーカイヴ

赤瀬川、和泉達、一柳、小野洋子、小杉、塩見、刀根、中西、アンソニー・コックスら

六月、「コレガゼロ次元だ!!」展シリーズ開始(内科画廊)

九月、「フィルム・アンデパンダン」結成

足立正生、飯村隆彦、石崎浩一郎、大林宣彦、佐藤重臣、高林陽一、富田勝弘、森田一朗、ドナルド・リチィ[7]

十月、東京NO-OLYMPIC大会(アスベスト・ホール)

十月、刀根康尚「インヴェスティゲイション・イヴェント」(内科画廊)

十一月、マース・カニンガム舞踏団来日公演(サンケイ・ホール/草月会館ホール)音楽ジョン・ケージ、美術ロバート・ラウシェンバーグ

これらの動きのすべてが直接的に美術とむすびつくと考えるわけにはいかない。それにもかかわらずここにとりあげたのは、第一に、「反芸術」からハイレッド・センターにか

けての動きが美術の解体過程というよりはむしろ形成過程のはじまりをしめしていたのにたいして、これらは「反芸術」から境界領域への拡散過程として、美術の裾野をひろげていった点がみとめられるからだ。しかしそれは、これらの動向がそのまま美術になりうるものであり美術をめざしているものであるということではないだろう。どのようなものも美術たりうるとはしても、なおすべてが美術であるわけではないからである。そうではなく、あくまでも美術の立場からみて、これらの動向のなかには、美術未生の状況の美術がどのような形態のものとなりえ、どのような場を領域としうるかという点に関して、読みとるべき幾多の示唆があるということである。だから、いま列挙した動きのなかに美術家たちの名前が登場していたことには、さほどの意味があるわけではない。むしろ、そこではあまり大きな比重を占めえたともおもわれない美術家たちが、そこからなにを読みとりえたか、ということのほうが重要だったというべきではなかろうか。

第二に、第一の理由と関連してくるが、六〇年代後半期の「環境芸術」と呼びならわされている動向にとって、これが前段階をなしているとかんがえられるからである。しかし、わたしは「環境芸術」をうのみにして、その前段階とかんがえているわけではない。「環境芸術」といわれている動向は、これまでとはべつの角度からとらえなおされるべきであるとおもう。つまり、テクノロジーへと一元化、テクノロジー芸術へと一元化していく動向をさしてではなく、六〇年代前半のこうした動きから一貫しているものを、べつの視点から読みかえていくべきだとかんがえる。環境芸術と呼びならわされてきたものは、主として六〇年代後半の動向なのだが、それを次にとりあげるのはそのためである。

「環境芸術」とは何か

「環境芸術」ということばは、よくかんがえてみると、あいまいなものである。一九六〇年代後半は環境芸術的動向が支配的だったといった通念が流布された。そうした通念は基本的にまちがっているが、「環境芸術」が具体的にどのような特定の動向をさすのかという点も、かならずしもさだかではない。「環境芸術」のにない手の一人となった山口勝弘は、「環境芸術」を、六〇年代なかばすぎからはじまり一九七〇年の大阪万国博で頂点をむかえるものととらえる立場から、一九六六年九月の「色彩と空間」展（南画廊、企画＝東野芳明。磯崎新、五東衛、田中信太郎、三木富雄、山口勝弘、湯原和夫、サム・フランシス、アン・トルーイットら）を最初とし、同年十一月の「空間から環境へ」展（銀座・松屋、主催＝エンバイラメントの会）、一九六八年六月の「現代の空間68〈光と環境〉」展（神戸・そごう。今井祝雄（のりお）、河口龍夫、篠原有司男、清水晃、東松照明、野中ユリ、山口勝弘ら）、一九六九年二月の「クロストーク・インターメディア・フェスティバル」（代々木第二体育館）、四月の「エレクトロ・マジカ69」展（ソニー・ビル）、さらにはコンピューター・アートの「CTG」などをあげている（「テクノロジーと環境芸術」、『美術手帖増刊』一九七八年七月)。だが、こういう事象のおさえかたは、要するに「環境芸術」をテクノロジーへと一元化させるものにほかならないだろう。(8)

六〇年代後半期にテクノロジーが芸術にとって無視できないものになってきたこと、そしてテクノロジーを芸術にとりいれてそれなりの成果をもたらしたことはたしかである。しかし、アメリカにおいてはともかく、日本においてテクノロジーを芸術、とりわけ美術にとりいれる必要や必然性が本当にあったのかという点は、いちどきちんと反省されてよい。六〇年代において高度経済成長政策から大日本列島改造政策へといたる施策がすすめられていくにともなってテクノロジーが急速な発達をとげ、それにつれて街のすがたや人々の生活の様式をはじめとして、社会の様子が大きくかわっていく。だが、この大きな変貌をテクノロジーの発達とだけ結びつけることなどできないとすれば、状況の底でこの変貌と通じている(あるいは通じていなければならない)美術活動も、テクノロジーのうわずみだけをもらってくればすむわけではあるまい。テクノロジーと美術というのなら、問われるべきはむしろ、テクノロジーの眼にみえる成果の利用如何というようなことではなくて、テクノロジーを生む思想と、テクノロジーの思想が美術にとってなんらかの意味をもちうるのかどうか、という問題であるだろう。(9) そうでなければ、テクノロジーとは要するにうわずみなのだと了解してすませればよいことになる。だがもうひとつ、高度経済成長政策から大阪万国博のお祭さわぎへといたる体制主導によるエコノミック・アニマル型楽天主義（それは普通の人の感覚でいいなおすなら強いられた楽天主義であった）のうらがわで、じっさいには社会的・経済的な無数のひずみや矛盾が進行していたのが六〇年代後半期だったという事実を、テクノロジー礼讃者は見ようとしないという問題もある。状況の実相に眼を向けないということだが、かりに、それはそれでよいとしよう。美術はどのみち余計なもの、剰余、幇間者的存在以上のものではありえないかもしれないからだ。だとしても、それでは、テクノロジー美術は六〇年代後半期にはたしてどれだけのものを生みだしたといえるだろうか。つまり、実際に生みだしえた作品、成果が、わたしたちを納得させない以上、如何ともしがたいのである。誤解のないようにいえば、これは、山口勝弘が指摘しているようなテクノロジー・アレルギーの問題ではないとおもう。テクノロジー時代の申し子であるわたしたちにはテクノロジー・アレルギーなど問題にならない。そうではなく、単純に、美術の制作はテクニックへ還元されてしまうとき退廃におちいるように、テクノロジーにだけ一元化されてしまうこともそれとまったくおなじ退廃を生むだけだということである。テクノロジーそのものは美術ではなく、テクノロジーに頼るだけで美術たりうるわけではない。アメリカのヴィデオ・アーティストであるビル・ヴィオラの言をかりるなら、ヴィデオ・テープだけではヴィデオ・アート作品たりえない、のである。

したがって、わたしたちは「環境芸術」といわれているものを、通念とは別様の視点からとらえなおしてみなければならない。とりあえず原義に、たとえばアラン・カプロウのかんがえかた[10]にたちもどってみると、それは色彩だけでなく光も音も動きもふくみ、あらゆる素材から成る、空間全体を総合化する形式であって、当然、そこでは観客をも中にまきこもうとするものである。カプロウのばあい、このエンヴァイラメンツという形式は、ハプニングとかイヴェントなどともきりはなしがたく結びついたものとして、かんがえられていた。それゆえ、「環境芸術」はもともとはひとつの運動とか動向とかいうよりも、六〇年代でいえばネオ・ダダからポップ・アート、オップ・アート、キネティック・アート、ライト・アート、ランド・アート（アース・ワーク）、さらにはプライマリー・ストラクチャーズやコンセプチュアル・アートにいたるながれのなかに多かれ少なかれつねにみとめられるひとつの思想、ひとつの常数的なものとして理解したほうがよい。すくなくとも、テクノロジー・アートに一元化できるようなものでなかったことだけはたしかである。

そうだとするなら、初期「具体」から「反芸術」、そしてハイレッド・センターやその周辺の動向などのなかにみとめられる、アクションやハプニングや観客参加をふくんだ傾向のほうをこそ「環境芸術」と呼んだほうがはるかに適切ではないだろうか。もしも欧米における「環境芸術」の意味に忠実であろうとするなら、その初発的な意味、つまりハプニング等をふくむ反芸術的ないしネオ・ダダ的諸動向をさしていたという事実を正確におさえ、それが日本の「反芸術――ネオ・ダダ」とさほどことなったものをさしているわけではないという点をこそ強調すべきではなかろうか。文脈はもちろんちがっていたが、アンフォルメルないし抽象表現主義を否定し超えていこうとする大きな潮流の一端に、「環境芸術」も位置していたという意味からすると、それは、日本における「アンフォルメル・ショック→反芸術→六〇年代中期」というながれの底にあるものとまったく無縁ではなかった。だから、欧米における「環境芸術」に対応する日本の動向をかりに特定するとすれば、それは、「反芸術」と六〇年代中期の諸動向のなかにもとめられるだろう。「環境芸術」を欧米の原義に忠実に理解するなら、それらこそ「環境芸術」と名付けるべきで、欧米の「環境芸術」の一部分だけを拡大し、しかもテクノロジーへ一元化させたものを「環境芸術」であるとする通念は、ただされなければならない。むろんそんな対応関係などどうでもよいともいえる。アメリカの「環境芸術」はその固有の文脈のなかで生れ展開されたものだし、日本の「反芸術」や六〇年代中期の動向は「環境芸術」ではないからである。カエサルのものはカエサルにかえすに如くはない。

ただ、この対応関係のなかにはひとつの重要な示唆がみとめられる。それは、アメリカの「環境芸術」からポップ・アートへといたる過程で出てきた、芸術そのものを問いなおすという問題意識にかかわっている。一九六〇年代後半期に、一方でポップ・アートからミニマル・アートやコンセプチュアル・アートへという、いわば概念的な極限化をもたらし、他方でオップ・アートからミニマル・アート（プライマリー・ストラクチャーズ）、カラー・フィールド・ペインティング（色面絵画）、絵画以後の抽象（ポスト＝ペインタリー・アブストラクション）、ハード・エッジという、フォーマル（formal）な（すなわち造形の形体上の）極限化をもたらした、ということにかかわることである。つまりアメリカでは、「環境芸術」においてあらわになった思想が、六〇年代後半期の美術の極限化状況をもたらすことになったということである。

その意味では、六〇年代のアメリカ美術のながれは、日本のそれと類似した対応関係をしめしているといってまちがいではない。日本でも、「反芸術」を端緒として六〇年代後半期にかけて美術の極限化状況が起っている。ただし、文脈が決定的にことなっている。欧米の動向をそのまま下敷にしてしまうことも、一部分を針小棒大に歪曲してあてはめることも、いずれもまちがっている。欧米の美術動向にはらまれている思想を参照するとすれば、欧米の美術状況総体の意味を、歴史性と文脈の差異とをふまえて的確におさえることが必要だろう。その知解をそのまま日本の状況にあてはめるのではなく、距離を自覚して見ることが必要だ。

II　日本概念派

美術状況の極限化

一九六〇年代中期から後期にかけての日本の美術においてもっとも重要なことは、極限化状況ということである。それは、かたや日本概念派へ、かたや日本「もの派」へという二極分解のようなかたちで起ったが、その検討のまえに、同時期の欧米における美術の極限化とのちがいについて少し触れておく。おなじく極限化状況といっても経緯はことなっているが、その差異をもたらす文脈のちがいをみておきたい。

すでに言ったように、欧米、とくにアメリカにおいて六〇年代後半に起った極限化は、一方でコンセプチュアル・アートへといたる概念的な極限化と、他方でミニマル・アートへといたるフォーマルな極限化とからなるものだった。前者は「芸術とは芸術の定義である」とするジョゼフ・コススに、後者は絵画のエルズワース・ケリー、フランク・ステラ、ケネス・ノーランド、彫刻のドナルド・ジャッド、モーリス・ルイスらに、その典型的な例がみとめられる。[11] そして、その極限化は、ほぼ二十年をへたいま［一九八六年当事］からみても、極限化という意味ではそれをのりこえているものがまだないとみるしかない以上、西欧近代美術におけるひとつの極点だったとかんがえてよいだろう。そして、この極限化以降の歴史は、基本的には、この極限化への「還相」として理解される。あるいは、この極限化までの歴史の全体が相対化され対象化されてきている状況として理解されるものである。とするなら、この極限化は、それこそ宮川淳がいう、「芸術が存在しないことの不可能性」[12]の露呈をもたらした、ひとつの終り、ないしは終りのはじまりだったと、言えるのではないか。

それにたいして、もともと欧米的な意味での「美術」も「絵画・彫刻」ももたなかった日本の美術は、「具体」以降、固有の文脈を形成していく緒についたばかりであり、まだまだ「往相」のなかにあった。「類としての美術」の地平があらわになりはじめたばかりのころだったのだ。その意味では、日本の美術の極限化はこの「類としての美術」の文脈のなかで起ってくるのだが、事情はもっと複雑である。ここでも、欧米における美術の極限化状況を無視することはできないからというのではなく、美術表現と美術思想の水準は同時代の表現の水位としてとりこまれなければならないからである。しかし、このばあい、表現とはひとつの極限的な表現であって、終局を意味していたとすれば、日本の美術はこの終焉の状況をもかかえこまざるをえなかったようにおもわれる。とすれば、それは、美術未生の状況から「類としての美術」を獲得し、自覚していくべき日本の美術が、同時に自身の存在理由をつきくずしていかなければならなかったことをも、意味しているのではなかろうか。明治以来の日本の美術の矛盾的状況が、ここでは、このようなかたちであらわれた。固有の文脈を確立していかなければならないという根源性（ラディカリズム）と、それが同時に自己自身を解体して、芸術の消滅の不可能性や、芸術という意味の芸術からの分離へといたってしまうかもしれない極限化のラディカリズムとが、そこではないまぜになっていた。そして、前者の位相から後者の状況を問いなおしていくにしたがって、欧米における極限化という軛（くびき）は相対化ないし対象化され、そこから自由になっていく。図式的にいうと、おおすじにおいて、日本概念派は後者、そのあとの日本もの派は前者の位置にたつ役割をになうことになった。欧米との比較でみれば、である。

松澤宥・高松次郎・柏原えつとむ

しかし日本概念派と日本「もの派」は、内在的にみれば、べつの極限化の相貌をあらわにする。日本概念派はグループではない。それをあえて日本概念派と呼ぶのは、ひとつには、欧米のコンセプチュアル・アートの影響をうけながらも、日本の固有の文脈のなかで展開された概念芸術的ないし観念芸術的動向が大きなものとして現実にあったからであり、もうひとつは日本もの派との対比上である。日本概念派は、すでに初期「具体」や「反芸術」にその傾向がみとめられ、そして六〇年代後半期にかなり大きなながれを、水面下においてであれかたちづくっていった。先頭走者で、かつひとつの極北へまで概念芸術を展開させたのは松澤宥（ゆたか）であり、そして、松澤とならんで六〇年代後半期を代表するのは高松次郎である。さらに、高松のすこしあとから一九七〇年代初頭まで、日本概念派の一端に位置していたとみることのできる作家に、柏原えつとむがいる。高松の概念芸術的作品も、七〇年代初頭まで続いている。その意味では、六〇年代の日本概念派といっても、実質的には七〇年代初頭までをふくめてかんがえたほうがよい。

松澤宥は、絵を描くかたわら、五〇年代前半にはことばではなく記号による記号詩をこころみ、一九六一年あたりから箱状のオブジェ《プサイ函》をつくっていた[13]。そして、彼自身のことばによるなら、一九六四年六月一日深夜の夢のなかで「オブジェを消せ」という啓示をうける。それ以降、「美術はとにかく物質を媒介にしている。その量を極度に少なくするためにも、言葉が一番いいということに[14]」なり、ことばだけで作品をつくっていくことになった。一九六五年五月の横浜市民ギャラリーにおける「一九六五年全日本アンデパンダン展」では、《反文明展[15]》という、展覧会そのものを括弧のなかにいれてしまうことばだけの「作品」を出品し、一九六六年一月にモダンアートセンター・オブ・ジャパンで「松澤宥物質消滅儀式」をおこなう。そのあと、六〇年代の範囲でいうと、一九六七年から一年間《ハガキ絵画》（毎月一回、二百枚ほど刷って、うち五十枚ほどを知人に郵送する）［図2-10］のこころみをおこなったり、一九六九年八月の信濃美術館における「美術という幻想の終焉」展や一九七〇年八月の京都市美術館における「ニルヴァーナ――最終美術のために」展に参加したりしている。

反郵便はがき

はがきに挿さまった絵

今日わ　ごきげん如何ですか　あなたは毎日
なにをしていますか　忙がしいですか　それ
があなたの人生にどんな意味をもつています
か　満足ですか　こんな無しつけな質問を許
して下さい　あなたの未来はどうなるでしよ
うか　宇宙の未来はどうなるでしようか　絶
対確実なことはあなたも宇宙もやがて消滅す
ることです　その前にとくと人類の到達した
一番高雅な営みを行ないましよう　さあ　あ
なたにおとどけしたこのはがきに挿さまつた
白色円形の不可視の根本絵画を眺めましよう

6868信州虚空間状況探知センター松沢宥

郵便はがき

はがきに挿さまった絵

今日わ　ごきげん如何ですか　あなたは毎日
なにをしていますか　忙がしいですか　それ
があなたの人生にどんな意味をもつています
か　満足ですか　こんな無しつけな質問を許
して下さい　あなたの未来はどうなるでしよ
うか　宇宙の未来はどうなるでしようか　絶
対確実なことはあなたも宇宙もやがて消滅す
ることです　その前にとくと人類の到達した
一番高雅な営みを行ないましよう　さあ　あ
なたにおとどけしたこのはがきに挿さまつた
白色円形の不可視の根本絵画を眺めましよう

6868信州虚空間状況探知センター松沢宥

2-10：松澤宥《ハガキ絵画：はがきに挿さまった絵》1968年（葉書、活版印刷。14.7×10 cm）

こうした松澤の活動にみとめられる思想は、要するに、一九六四年六月一日の夢の啓示によって決定づけられた、美術ということばと美術という観念にすべてをしぼりこんでいく極限化の思想にほかならない。コンセプチュアル・アートとの類似性はあきらかだが、重要なのはむしろ差異であろう。コンセプチュアル・アートがあくまでも西欧近代美術の文脈のなかで展開されたのにたいして、松澤はもっと汎世界的・宇宙的な志向性をしめしている。前者がコスのように芸術を芸術の定義へと極限化ないし一元化したのにたいして、後者は美術を世界と宇宙のなかへ、そして全体へと遍在させる方向で極限化をもたらした。前者は消滅への極限化、しかも存在しないことの不可能性への極限化であり、後者は消滅による遍在の方向への極限化である。前者の極限化がきわめて論理的なものであり、その意味で正統的ではあるが、いささか先細りといった感じをいだかせるのにたいして、後者は広大で、無辺で、浮世ばなれしたものであるかわりに、ある種のひろがりを感じさせるのも、そのあたりに由来しているだろう。おなじく美術の物質的側面を排してことばだけになっているとはいっても、コススのばあいには、「概念」との相関関係にある「ことば」そのものへの極限化である。だが松澤にあっては、「ことば」はどちらかといえば手段であり、あらわになっているのはむしろ「観念」であるといったほうがよい。「概念」と「観念」との差異——微妙だが、じつは大きな差異が、ここにはある。コススの、たとえば《art》という語の辞書の一項目を拡大してパネルに焼付けた作品と、松澤の、たとえば「この一枚の白き和紙の中に白き円を観じそをあわれ死に臨める白鳥としてここに白鳥の歌を聞けよ」といった一枚の紙の作品とをくらべてみれば、差異は歴然としているだろう。

当時、日本における概念芸術的な動向は、むしろ「観念芸術」と呼ばれることのほうが多かったが、それにも一理はあった。日本では、美術なり芸術なりということば（概念）を美術の本体としてしまうというういわば求心的な方向においてではなく、観念としての美術、あるいは美術という観念が遠心的に遍在化するかたちでの極限化が起った、と言ったらよいだろうか。すくなくとも松澤宥においてはそうなのだ。この差異は、二人の個性のちがいにもまして、めいめいのよってたつ文脈に由来している。片方が美術の終焉へむかっての解体過程の極限化だったとすれば、他方は美術未生の状況のなかから固有の美術を確立していく過程での極限化だった。ということは、欧米においてコンセプチュアル・アートをもたらした状況をも無視できないとすれば、後者は解体過程をもはらんだ形成過程だったことを意味している。

しかし、このばあい、解体過程をもはらんだとは、欧米のコンセプチュアル・アートという美術の終焉をそのままひきうけたことを意味するわけではなく、むしろ、形成過程を促進すらする契機としてそれを読みかえてとりこみうることを意味していたのではないか。欧米のコンセプチュアル・アートという美術の終焉を、解体過程とは逆の方向に読みかえることができるということ、それが日本の概念芸術の特異な位相をものがたっているのである。もういちどいえば、コンセプチュアル・アート＝日本概念派といった同時性など存在しないというのではなく、日本の美術の固有の文脈のなかでは、この同時性以前に差異性の位相があきらかにされなければならないのだ。同時性が単一の歴史的時間軸しかもちあわせていないとするなら、差異性の視点とは地域性の基軸に時間軸をくりこみうる視点にほかならない。

松澤宥が、一九六〇年代なかばに、ことばと観念への極限化をはたしたとするなら、六〇年代前半には「反芸術」の作家であり、中期には《影》のシリーズや《遠近法》のシリ

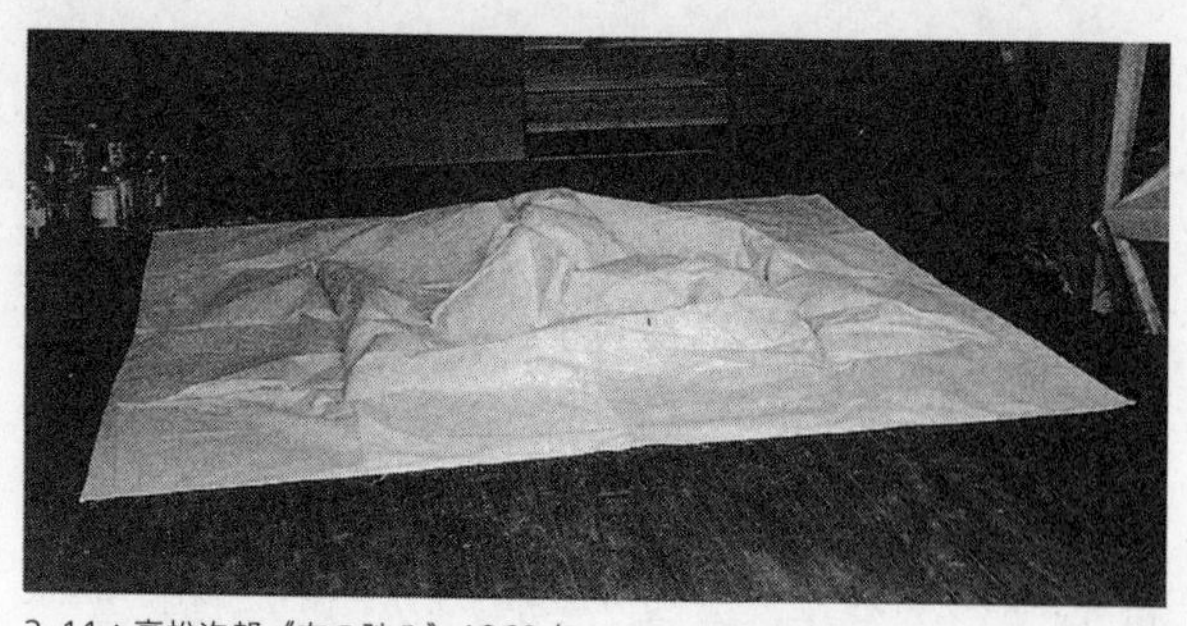

2-11：高松次郎《布の弛み》1969年

ーズを展開していた高松次郎が、松澤のあとをうけるかのように、六〇年代の末期から七〇年代前半にかけて概念芸術とよぶことのできる作品群を生みだしていく。《ネットの弛み》や《布の弛み》といった「弛み」のシリーズ〔図2-11〕、一九六九年の多摩川の河原の石に数字を書きいれたもの、一九七〇年の《日本語の文字》や《英語の単語》、一九七二年の《The Story》（アルファベットの文字を一定の法則でくみあわせ、ゼロックスで複写したものを本に仕立てた作品）などがそれに当る。

これらの作品は、欧米のコンセプチュアル・アートの影響を多かれ少なかれ直接的にうけてつくられた他の多くの作家の作品とともに、欧米のコンセプチュアル・アートにちかいもので、その日本版とでも呼べるかもしれない。この傾向の作品は、七〇年代に入ってコンセプチュアル・アートが日本でもひろく知られるようになるにしたがって、数を増していく。このようにして、日本の概念芸術の中間地帯と下限地帯を、かたちづくっていくといってよいだろう。ただ、中間といい下限といい、それはあくまでも極北に松澤宥がいるということであり、日本に固有の「類としての美術」の地平、「類としての美術」の形成過程においてであるということにほかならない。日本における概念芸術的動向は「類としての美術」の形成過程の一側面として理解されなければならない。そうすれば、松澤宥を極北とする日本概念派のすがたがみえてくる、ということである。

それなら、柏原えつとむのばあいはどうか。柏原は、むしろ、七〇年代の作家といったほうがよいのかもしれないが、《サイレンサー》と題された絵によって遠近法で方形を描くこころみをくりかえしたあと、一九六九年に、一年余にわたる実験「Mr. Xとは何か?」(四月に村松画廊、六月に京都のギャラリー16で発表)、一九七〇年三月に『This is a Book』の刊行、一九七一年に一連の「展」、そして一九七三年に一連の「方法のモンロー展」をおこなっている[図2-12]。「Mr. Xとは何か?」は、「それぞれに個人的な仕事をやっている三人が集まることで、個人の思想を超えた別次元の、つまり第四の人格を形成。その人格の指令によって生じた客体物を提出し、認識の構造をたしかめようと」(『京都新聞』インタヴュー、一九六九年四月四日)するものである(柏原えつとむ、小泉博夫、前川欣三)。また「展」は、六人の友人に依頼して日常生活のなかのプライヴェイトな品物を会場のダンボール箱のなかにならべてもらうというこころみである。いずれも、

2-12：柏原えつとむ《方法のモンロー》1973年（展示風景）

制作や作品や展覧会という形式をできるだけ美術家自身から遊離させたところで展開しようとするものだった。また《方法のモンロー》は、六〇年代の枠をはみだしてしまっている作品だが、柏原の方法が徹底化されているのでとりあげるなら、「シルクスクリーンによるモンローの顔写真を見ながら、顔のアウトラインを別紙に描き、それを切り取って原図上に貼り合わせる。ただし、あくまで視覚による転写を原則として、20回以上繰り返す」（「方法のモンロー・そのプロジェクト」より）というのを切出しにして、このインストラクション中の「視覚による転写」のところを写真、フロッタージュ、ラフ・スケッチ、ゼロックス・コピーというように次々に変えてくりかえしていく。しかも、あいだに誤差をもトレースで記録していく——という作業を原理的には無限にくりかえしていくこころみである。これになると、関心の対象は「像」で、視像・転写像・カメラによる写像・描像・映像などといったさまざまなかたちの「像」を交錯させ重層化させることをとおして、見ることと表現することと表現されたものとのあいだのズレを、読みとっていこうとするものだった。

こうした柏原の仕事は、作家自身が概念芸術と呼ばれることをうべなってはいないように、概念芸術で括ることはできないかもしれない。プロセスが方法的でシステマティックだから概念芸術的であるということにはならない。むしろ、ここにみられるのは制作過程を個からひきはなそうとする意図、それも集団の共同性へと非人称化することによってというよりは中性的に脱人称化させようとする意図であり、「方法のモンロー」では、「像」の検証が表現そのもののある脱人称化をもたらしている。こうした脱人称化は、欧米文脈でならコンセプチュアル・アートの解体過程のものとみられなくはないだろうが、柏原のばあいには、美術表現じたいを「像」の検証の方向へしぼりあげていくという極限化と密着して進行する。「像」の検証は絵画ではなく、絵画の解体過程でもなく、それじたいが美術表現になろうとしているものである。そういう美術の地平が、ここでも志向されている。そして、それはそのまま「類としての美術」の地平にほかならないだろう。柏原における極限化は、そういうものである。それは、かならずしも日本概念派の系列にふくめなくてもよいものかもしれないが、ただ、「像」の検証の作業過程が、すぐれて方法的だからというのではなくて、インストラクションによって統括されている点に、観念とことばのある種の優位性をみてとることはできる。その意味で、広義の日本概念派の一端に位置づけることが可能だが、いずれにしても、肝要なのは、柏原のこころみもまた、六〇年代後半期の日本の美術における極限化状況を示しているということである。

グループ「位」

この「類としての美術」の位相は六〇年代末期に起るもうひとつの動向、すなわち日本「もの派」によって、ものへの極限化というもうひとつの極限化をとおしてあらわになっていくのだが、そのまえに、グループ「位」のことにふれておきたい。グループ「位」は九人のメンバー（井上治幸、奥田善巳、河口龍夫、武内博州、豊原康雄、中田誠、向井孟、村上雅美、良田務）からなり、一九六五年六月に神戸の国際会館ギャラリーで第一回展を開いたが、この第一回展はまだ通常のグループ展とことなるところはなく、各人が作品をもちよって出品した。しかし、同年八月の岐阜における「アンデパンダン・アート・フェスティバル」においては、徹底した討論のすえに一致した意見、《穴を掘る》というインストラクションをみちびきだし、長良川の河原で灼熱の太陽のもとただ黙々と穴を掘りつづけ、一定の大きさになったところで予定どおりもとのように埋めなおす、という行為をおこなった［図2-13］。また、同年十一月の神戸のダイワ画廊における第二回展「非人称

2-13：グループ「位」《穴を掘る》1965年

展」では、九人のメンバーがまったくおなじ絵を二枚ずつ描いて展示し、作品の下に各人の氏名を明示するという展覧会を開いた。一九六六年一月、大阪のヌーヌ画廊における「E・ジャリ展」では、トラック二台分の砂利十二トンを画廊内に山積みにし、同年四月、大阪の信濃橋画廊における第四回展「寄生虫展」では、オートバイ、看板、ベッドといった大物からさまざまな小物にいたるまでのおびただしい数の日常品を画廊にもちこみ（そのためにメンバーの人々は日常生活に不自由するほどだったという）、そのひとつひとつに紙粘土でつくってきれいに着色した寄生虫をとりつけた。

　こうしたグループ「位」の活動は、共同性の追求という点からみると、一九六四年のハイレッド・センターと一九六九年の柏原えつとむらの「Mr. Xとは何か？」との中間に位置している。つまり、前者のような、複数の偶然に波長が合った個性のあいだの融合と、後者のような、脱人称化へ向う共同性のこころみとのあいだの、橋渡しの位置に置かれた。しかし、グループ「位」の意味は、共同性の問題をたんに個か共同性かといった次元で提起した点にあるのではない。彦坂尚嘉がするどく指摘したように（前出「閉じられた円環の彼方は」）、ポイエーシスからプラークシスへの転換をもたらした点、すくなくともこの転換を示唆した点にこそある。この点では、グループ「位」以前には、初期「具体」以来の白髪一雄のアクションなどに典型的にみられる制作行為の自己目的化、それに起因するポイエーシスの崩壊ということが起っていた。

では、ポイエーシスの崩壊の結果、すべてが美術たりうるようになったのだろうか——錯誤はまさにそういう設問の仕方そのもの、そして、あれも美術でありこれも美術であるという発想の向きじたいにある。発想はむしろ逆転されるべきで、「美術家が美術の位相からのプラクティスとして道路を清掃することも有りうる」（彦坂）とかんがえたほうがよい。穴を掘るのも美術であるのではなく、美術の喪失ないし美術未生の状況下で、美術をもとめてゆく行為として穴を掘るのである。ポイエーシスとしての美術においては、美術という概念がまだ自明のものとして先行し、制作行為は、それがどのようなものであれ、そこに帰属しうるものとしてかんがえられている。したがって、制作行為の動機づけも美術という概念にささえられていた。しかし、プラークシスとしての美術においては、行為はそのままでは制作たりえず、美術たりえない。だが、美術そのものがさだかでなくなってきているのが事実である以上、美術をプラークシスとして持続させていく以外にはないのではないか。そこからしか、はじまりようがないのではないか。すでに自明ではない美術概念ないし美術ということばの方向にむかってすべてが美術であるとするのではなく、もはや美術ではありえないかもしれないところで、制作の持続すなわちプラークシスが美術を形成していく可能性に賭けることだ。それが、グループ「位」によってはじめてあきらかなものとなった、ポイエーシスとしての美術からプラークシスとしての美術への転換の意味である。

もちろん、それは日本の固有の文脈の側から理解され、読みかえがなされなければならない。そうすれば、ポイエーシスの崩壊が、日本の美術の矛盾的状況を露呈したときに、そこがじつは「類としての美術」への出発点たりうることが暗に示されたのだとすれば、プラークシスとしての美術への転換とは、美術の崩壊ないし未生の状況をプラスに転化させて、「類としての美術」の地平で美術を成立させていく方向をしめしていたことがわかるだろう。グループ「位」以降、美術のほうから制作活動へと近寄ってくることはなく、制作活動のほうが美術へと近寄っていかなければならない。「類としての美術」とは、そのようにして実体化されていくものをさして呼ぶ。グループ「位」のいちばん大きな意味はおそらくここにあるので、日本における概念芸術的動向のひとつのあらわれとして整理したたけではなにもはじまらないだろう。

第三章　「もの派」

I　「もの」の位相の展開

「もの派」の背景

こうして、時代は一九六〇年代最末期をむかえ、「もの派」[1]が登場する。美術上のひとつの運動や動向、また一人の大きな才能をもった作家が登場してくるのにべつだん理由はいらないかもしれない。理由はいらないかもしれないが、「もの派」もとつぜん出てきたわけではなく、登場を準備した背景、出現を可能にした歴史的文脈がある。しかしこの点に関しても、二人の当事者を除けば、これまで語られていない。二人の当事者とは、李禹煥と、批判的当事者だった彦坂尚嘉である。[2]

李禹煥の思想の全体についてはあとで触れるとして、ここでは、「もの派」登場の歴史的文脈について彼がどのような見解をしめしているかという点にだけふれておく。じつは、

「もの派」の実作者兼イデオローグとしての李禹煥の文章は、「もの派」登場の歴史的背景については、実証ぬきで、近代の崩壊という一般論ですべてを割切っていこうとしているだけといわざるをえない。そのかぎりでは、「もの派の脱政治性と歴史的規定性の自覚の欠如」という彦坂尚嘉の批判に包摂されてしまうかもしれない。彦坂は、出自を問わないという「もの派」の足元の欠落を突いた。[3] わたしのことばでいいなおせば、近代の崩壊という状況だけでは「もの派」登場の背景を説明できないのである。ただ、李禹煥の批評で意味があるのは、当時の日本流概念芸術ないし観念芸術(それは、現象的には、「反芸術」に派生する概念的ないし観念的な傾向、欧米のコンセプチュアル・アートの亜流、およびその一変形としてのトリッキイな傾向、などから成っていた)流行のさなか、のちに「もの派」と呼ばれることになる傾向をおしだしていこうとした、よい意味でのアジテーションのつよさだろう。いいかえると、当時の美術のながれを「もの派」へと読みかえていった視点のたしかさではなかろうか。当時、批評家をふくめて誰も、このような読みかえ、パラダイムの転換をしたものはいなかった。そして、李が日本概念芸術に敵対して「もの派」を打出したことは、六〇年代最末期の美術が日本概念派と「もの派」の二極に収斂する状況をしめしていたというわたしの見方を、やはり実証しているようにおもう。[4]

そして、彦坂尚嘉はさらに、「もの派」と日本概念派の双方に敵対する位相から「もの派」批判を、一九七〇年から展開した。わたし自身、彦坂の「もの派」批判から多くのことを学んだし、「日本概念派と日本もの派」という用語、対立項の設定も彦坂から借りている。ここで「もの派」の歴史的背景にかぎっていうなら、彦坂は、「もの派」の作品群の直接の祖先は環境の芸術化による芸術の無化を志向したフルクサスを中心とする一九六〇年代初頭の反芸術運動およびその挫折のなかにあるとする歴史的パースペクティヴをしめした。彦坂はここから批判を展開するのだが、彼の「もの派」批判をもふまえたうえで、同時に、日本概念派と「もの派」をふたつとも肯定的にすくいとる見方がありうるのではないか、というのがわたしの視点である。肝要なのは、「もの派」を社会的そして思想的状況一般に短絡させてしまうことではなく、いわんや、たんに様式史的に位置づけることなどでもない。「具体」から「反芸術」にかけての動向を直接の祖先としながらも、そこから一種の飛躍をへることで、いいかえればものへの極限化(日本概念派によることばへの極限化がこれに対応する)をへることで、美術を現代日本の固有の地平に展開させた点をみてとることなのである。「具体」以降、じつは、美術はつねに日本に固有の文脈への志向性のなかで展開されてきた。つまり、「類としての美術」の実現の方向に展開されてきたのであり、六〇年代後半期における美術の極限化は、つまり「類としての美術」にむかっての極限化だった。この状況こそが、「もの派」を登場させる背景をなしていた。

この点とくらべれば二次的なことだが、大状況において、当時、全国学園闘争に象徴される全般的な変革の気運があったことや、小状況においては、峯村敏明も指摘したように、多摩美術大学の斎藤義重教室にたまたま（?）才能ある作家が何人も集ったこと、などをあげておいてよいだろう。現実的には、「もの派」は李禹煥と斎藤教室の美術学生たちによってはじまるのである。

李禹煥の役割

直接のきっかけは、一九六八年十月、神戸の須磨離宮公園における第一回現代彫刻展に関根伸夫が出品した、《位相―大地》という、円筒形の穴をうがってそれと同じ大きさの円筒形をそのかたわらに配した作品だった［図3-1］。当時は、たとえば、おなじ年の四月から五月にかけて村松画廊と東京画廊でひらかれた「Tricks and Vision展／盗まれた眼」に象徴されるように、イリュージョニズムないしトリック（眼だまし）による傾向の作品がかなり多かった。そして、「反芸術」の作家から関根伸夫までをこの傾向によって括ろうとこころみたのが、中原佑介・石子順造共同選考による「トリックス・アンド・ヴィジョン展」であり、それは、当時最新のコンセプチュアル・アートまでをもある程度包含しうる視野をもっていた。関根伸夫は、もともとトリック的なところを身上とする作家で、《位相―大地》や《空相―油土》（一九六九年）［図3-2］、下って一九七〇年の《空相―布と石》といった作品をべつにすれば、どうみても「もの派」とは呼びえない作家だった。極端にいうと、《空相―油土》以外はそのまえもあともつねにトリック的な作家なの

3-1：関根伸夫《位相―大地》1968 年（於・須磨離宮公園。大地、セメント。円柱：220×270〔直径〕cm、穴：220×270〔直径〕cm）

3-2：関根伸夫《空相―油土》1969 年（於・東京画廊。油土。サイズ可変）

であり、関根自身の作品史にひきつけていえば《位相―大地》ですらむしろそのようなたぐいの作品としてみたほうがよいものである。じじつ、当時はほとんどの人が、これをそのような作品として以外には解釈しえなかった。にもかかわらず、ただひとり李禹煥のみは、まったく別様の理解をしてみせたのである。この李の理解が文章のかたちで公にされるのは、翌一九六九年のなかば以降（『三彩』六月号の「存在と無を超えて――関根伸夫論」や『デザイン批評』第九号の「世界と構造――対象の瓦解」以降）だが、すでに彼は須磨の野外彫刻展の時点から、美術家や批評家に自分のかんがえを語っていたという。この《位相―大地》をトリック的なものとはみずに、「そのままの世界のあざやかさ、とでもいうべき感動的な表情を見せ伝える一つの物体と化している」（「存在と無を超えて」）というようにみて、「もの派」をみちびきだす道をきりひらいたのである。

あとで検討するように、李禹煥のかんがえには論理的な難点もふくめてさまざまな問題があるが、しかし関根の《位相―大地》や《空相―油土》を「もの派」へと読みかえていったことは声を大にして評価しなければならない。当時、それは誰にもおもいおよばず、またできないことだった。さらに、李禹煥には日本の美術の固有の文脈にたいする自覚があり、「もの派」こそ日本固有の美術のありかたをしめしているというかんがえをいだいていた点も、美術をめぐるそれまでの言説にはみられないことだったといってよい。[5] かくして李禹煥による画期的な読みかえが実作者たち、高松次郎や関根伸夫というよりはむしろ後続世代の作家たちを突きうごかすことになった。その意味では、「もの派」は李禹煥が生んだといってもまちがいではない。しかし、この段階ではまだ、「もの派」についての李のイメージもかんがえもイデオロギーもかたまってはいなかった。そのあいだに、李もふくめて、作家たちが次々に作品を発表していった。それが一九六九年のことだった。

「もの派」の成立

まず、一九六九年から一九七〇年前半にかけての作品の実例をあげてみよう。この時期は、「もの派」全体としては模索期から成立期にあたり、関根伸夫の作品の衝撃が徐々に浸透していくと同時に、李禹煥がたてつづけに文章を発表して「もの派」への読みかえと、「もの派」の組織化の途をさぐっていく時期である。また、「広義のもの派」ではなく「真正もの派」についてみれば（その群ないしグループとしての盛上りという点では）、一九六九年八月の京都国立近代美術館における「現代美術の動向展」の前後の時期から一九七〇年のはじめにかけて頂点の時期をむかえ、一九七〇年なかばにはすでに個々の美術家が独自の道をあゆみはじめるきざしをみせて解体期をむかえる、という時期であった。そして、いうまでもなく、「真正もの派」の形成は同時に「類もの派」ないし「亜流もの派」の発生をも意味していた。当時は、「真正もの派」と「類もの派」の峻別がなされていたわけではなかったが、いまふりかえってみると、明確に区別されうるし、また区別される必要がある。それだけでなく、「真正もの派」と「類もの派」の弁別をふまえたうえで、さらに、この両者を包括しうる「広義のもの派」の位相がかんがえられてしかるべきだろう。いいかえれば、広い意味での「もの派」という現象のなかに「真正もの派」と亜流としての「類もの派」とをかぎわけるだけでは不十分なので、(6) もとめられているのは、「真正もの派」のなかに「もの派」全体の真髄をさぐるとともに、「真正もの派」と「類もの派」とを通底するところに「もの派」全体の基盤をみてとるという、複合的な視点なのである。なぜなら、「類もの派」をどういう意味で用いるかにもよるが、「類もの派」とは「真正もの派」の模倣・亜流を指すとともに、しかし、事実として存在していた、「真正もの派」の亜流とは断じえない一群の作家や作品をも指すとかんがえるべきだからだ。このような、「真正もの派」とはすこしちがった思想によってものをあつかっていた作家たちを、すべて「真正もの派」の亜流としてかたづけてしまうわけにはいかない。一九七〇年代初頭からなかばにかけて、「もの派」が拡散し、しかし大きなひろがりをも獲得していくさいに、こうした、「真正もの派」とは別種の「ものによる美術」が果した役割も、けっして小さくはなかったようにおもう。七〇年代なかば前後の「もの派」の拡大を、より包括的にとらえるためにも、「類もの派」にこのような二重の意味があることを失念してはならない。わたしが「広義のもの派」というとき、「類もの派」と「真正もの派」とを包摂しうる位相を意味している。

したがって、「もの派」全体の経緯を検討していくについても、「真正もの派・類もの派・広義もの派」という三段がまえの視点に立とうとするのだ。まず、一九六九年から一九七〇年前半にかけて、「もの派」の主要作家の発表を中心に、時間の順序を追って事象を列挙してみる。

一九六九年

四月、関根伸夫個展（東京画廊）

《空相―油土》（2.5トン分の油土を画廊内のあちこちに不定形に配置）

事実上この発表から「もの派」がはじまるといってよい。

五月、第九回現代日本美術展（東京都美術館）

関根伸夫《空相》（鉄製の浅い立方体および円筒に水をはった作品）

成田克彦（仕切り壁面の四周の裾を鉄板で囲った作品）

小清水漸（すすむ）《作品》（紙で大きな袋をつくり、なかに

石を入れた作品）
李禹煥《物と言葉》（床に紙を三枚敷いてそれぞれ糊で床に貼り、両端を貼りのこした作品）
また類似的な作品として——前田守一《Rheology》、小池一誠《石》、三沢憲治《無題》、庄司達《赤い布による空間'69—1》、山本圭吾《Repetition》
旧世代ないし本来傾向のことなる作家でありながら、もの派の動きの影響を読みとってもよい例として——吉野辰海《18㎡アスファルト》、寺尾恍示《BLUE—L》、三木富雄《Seven Floors》
*この展覧会に応募しながら落選したもののなかに菅木志雄の《斜位相》があった。三本の角材を向いあわせ、ななめに立てかけた作品である。菅は、前年の後半に、アクリル製の四角い箱のなかに木屑、ポリスチロール、プラスターなどを詰めた《積相》と題する作品を二点制作しており、また、この一九六九年五月の箱根の野外彫刻展にも《到立消点》

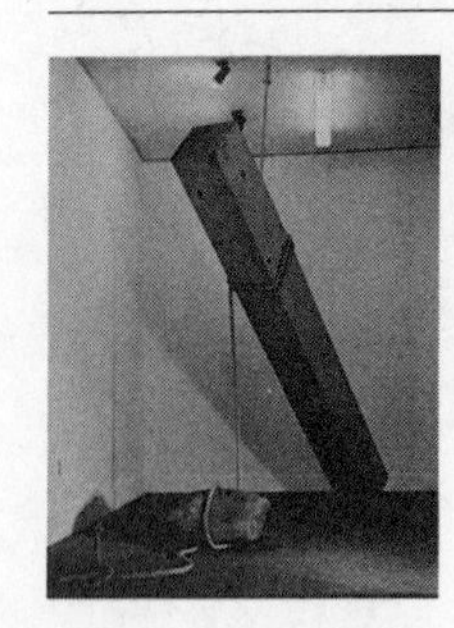

3-3：吉田克朗《Cut-off（hang）》1969年（角材、ロープ、石。角材：30×30×300 cm、ロープ：10 m、石：80 kg）
© The Estate of Katsuro Yoshida, Courtesy of Yumiko Chiba Associates

（《立相》）という作品を搬入したが落選した。
この現代展において、いまだ無自覚的ながら、「もの派」の作品がある程度まとまってあらわれはじめたとみてよい。[7]しかも、「真正もの派」と「類もの派」の対比もすでにみとめられる。

七月、吉田克朗個展（田村画廊）
《Cut-off（hang）》（厚み30㎝、3メートルの角材をロープで半吊りにし、床には自然石を置き、それにもロープをかけた作品）［図3-3］

七月、本田眞吾個展（田村画廊）
《No. 16》（テント地の布を張って、中央に石を置いた作品）［図3-4］

八月、第一回現代国際彫刻展（箱根・彫刻の森美術館）
関根伸夫《空相》（ステンレス柱の上に巨大な自然石を据えつけた作品）

八月、現代美術の動向展（京都国立近代美術館）
小清水漸《かみ　1》（大きな紙の袋の中に石を置

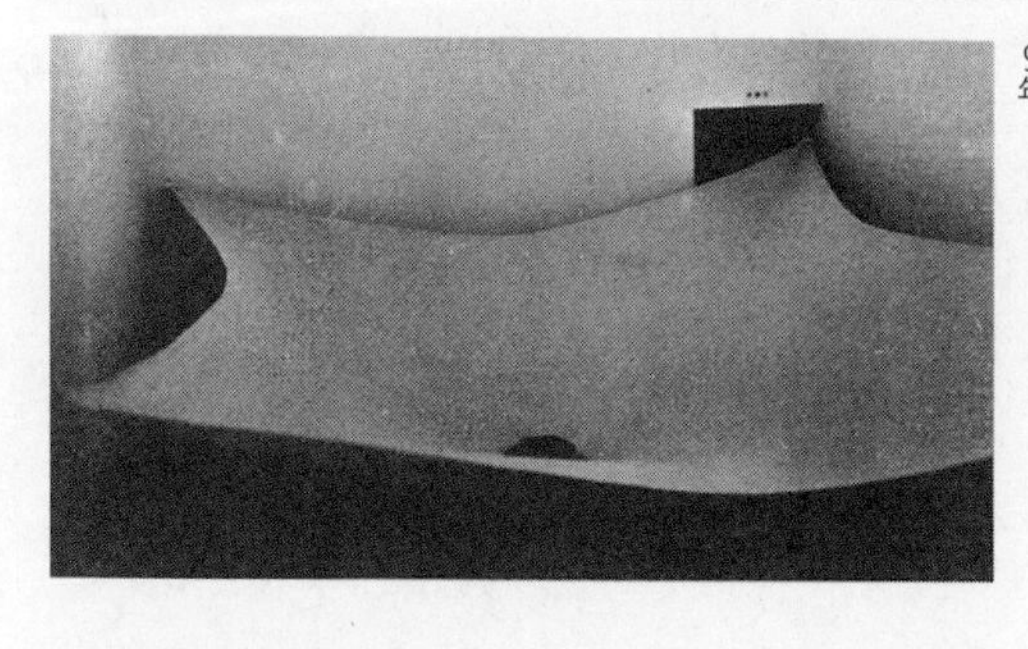

3-4：本田眞吾《No.16》1969年

いて、横に口をつけた作品）［図3-5］

同《かみ　2》（壁に鉄板をたてかけ、それ全体をおおうように紙を磁石で取付けた作品）

成田克彦（壁に直角に、もうひとつの壁をつくって突出させた作品）

吉田克朗《Cut-off》（角材の上に鉄板四枚を並べて置き、鉄板が撓んだ状態になっている作品）

同《Cut-off (No. 2)》（《Cut-off Chain》、コンクリート板に角材を立てたもの五個を、鎖でつないだ作品）

同《Paper Weight》（《Cut-off Paper Weight》、紙をひろげて、四隅に自然石を置いた作品）

李禹煥《現象と知覚　A》（のちに《Relatum》、目盛りを付けたゴムの帯の三カ所に自然石を置いた作品）

同《現象と知覚　B》（のちに《Relatum》、ガラス板に石を置いて割った作品）

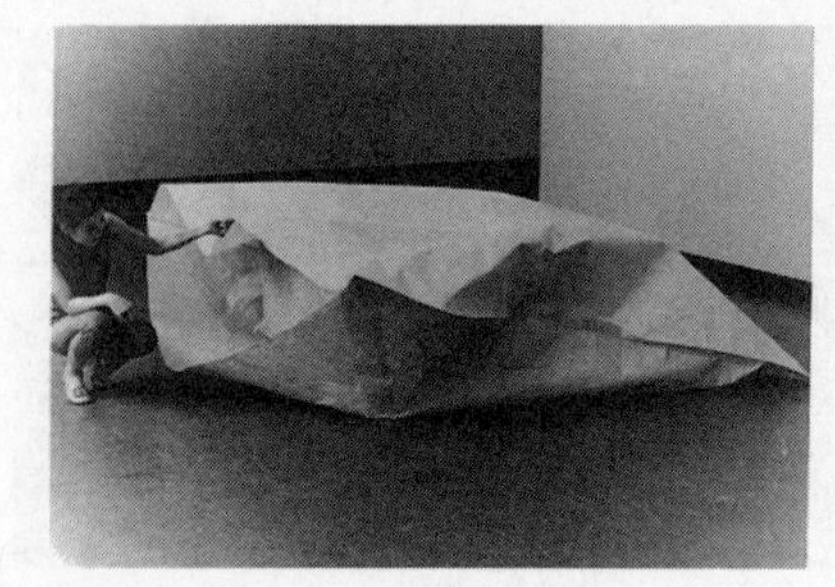

3-5：小清水漸《かみ　1》1969年（Dallas Museum of Art蔵）

十月、菅木志雄個展（田村画廊）
《並列層》（パラフィンでつくった四角い囲いのなかにパラフィンを積上げた作品）
十月、寺田武弘個展（秋山画廊）
《変位》
十一月、原口典之個展（田村画廊）
《メカニック・エロス》
十一月、長岡現代美術館賞展（東京・西武百貨店）
関根伸夫《位相―スポンジ》（大きなスポンジの上に鉄板をのせて、スポンジが歪んだ作品）
十二月、第四回ジャパン・アート・フェスティバル国内展示（会場・東京国立近代美術館）
小清水漸《かみ》（上が開いた四角い大きな紙の袋のなかに石を置いた作品）
一九七〇年
一月、楢葉雍（たかし）個展（シロタ画廊）
《メタモルフォーズ》（角材とナフタリン）

一月、榎倉康二個展（村松画廊）
《不定地帯》（グリス、油）

一月、李禹煥個展（田村画廊）
《構造　A》（のちに《Relatum》、綿を四角にしてその六面に鉄板をくっつけた作品）［参考：図3-6］
《知覚と現象　B》（のちに《Relatum》、やはり綿を四角にして、ところどころから自然石が顔をのぞかせている作品）

一月、本田眞吾個展（田村画廊）
《作品 No. 42》（径が一メートルくらいの太い杉丸太を半分に切ったものに、両側の壁からロープをかけた作品）

二月、寺田武弘個展（大阪・信濃橋画廊）
《変位》

二月、金宗学個展（村松画廊）
《無題》（ベニヤ箱と綿布）

3-6：李禹煥《構造　A》1969年（スチール、綿。1988年再制作作品が広島市現代美術館蔵）

五月、高山登個展（田村画廊）
《作品》（砂と木）
五月、ヒューマン・ドキュメンツ展（第三グループ）
（東京画廊）
小清水漸《かみ》（大きな紙袋に石を入れた作品）
同《かみ》（紙をあまり厚くない袋状にしてなかに
はなにも入れずに壁に取付けた作品）
関根伸夫《位相》（《位相―スポンジ》）
成田克彦《炭No.6》と《炭No.8》（いずれも大き
な角材を炭にした作品）
吉田克朗《650ワットと60ワット》（電球とコード）
同《Cut-off 8》（電球を点灯し、コードを角材にま
きつけた作品）
五月、第十回日本国際美術展（東京ビエンナーレ）（東
京都美術館）
榎倉康二《場》（油をしませた紙を床面にならべひ
ろげた作品）

小池一誠《石》（自然石と切断した石を床にひろげた作品）
小清水漸《鉄板》（床に三枚の鋼鉄板、そのうちの一枚の一端が刃のように研いである作品）
同《鉄板》（壁にたてかけた鋼鉄板、下端が円形でかつ研いである作品）
成田克彦《スミ》（角材を炭にした作品）［図3-7］
高松次郎《16個の単体》と《37個の単体》（杉の木）［図3-8］

＊峯村敏明によれば、ここでは狭義のもの派はほぼ完全にシャットアウトされたということになるのだが（「〈もの派〉について」『美術手帖』一九七八年七月）、それでも、日本側出品者十三名中、以上五名の作品はなんらかの意味でもの派と関連づけうるものであり、また高松の作品は、もの派の動き、とくに菅木志雄の作品、および李禹煥の論理の影響をうかがわせる作品群の最初のもののひとつだった。

3-7：成田克彦《SUMI 8,10,11,12,13,15,16,17,18,20,21,22,23,25,26,27》1970年（木。各約30×30×150cm　撮影・原榮三郎）

六月、菅木志雄個展（田村画廊）
《作品》（《ソフト・コンクリート》、油のまざったセメントの山に四枚の鉄板を四角に埋めこんだ作品）

七月、第五回ジャパン・アート・フェスティバル国内展示（会場・東京国立近代美術館）
菅木志雄《限界状況》（ラワン材を四角にしたものを床に置き、コンクリートの円筒を置き、一角に石を置いた作品）［図3-16］
本田眞吾《No. 45》
寺田武弘《変位1》
山田建烈《蠟・鉄》

七月、現代美術の動向展（京都国立近代美術館）
菅木志雄《無限状況》（美術館の上下窓に角材を交った作品）［図3-17］
同《無為状況》（美術館内の階段に砂を入れて平らな斜面にした作品）

3-8：高松次郎《16個の単体》1970年（杉。各約110×42×42cm）
© The Estate of Jiro Takamatsu, Courtesy of Yumiko Chiba Associates

——榎倉康二《状況》(油、グリス、黒鉛、革)
吉田克朗《プリント5、6、7》(セリグラフィー)——

このようにみてみるとわかるように、この頃までに「真正もの派」および「類もの派」の主要作家は出揃っている。つまり「もの派」は、もともとかなりのひろがりをもちながら展開されたのであり、時代の美術のなかでそれだけのひろがりをもちえた動向だった。しかしそれは、逆にいうと、この段階ではまだ「広義もの派」というよりは、「もの派」以前の未分化の段階のほうに近かったことを意味しているだろう。とはいえ、一九六九年八月の「現代美術の動向展」がひとつの頂点となった「真正もの派」のたかまりは、ひろく感じとられていたようにおもう。そして、まだ定かならぬこの動きの意味を感じとり、しかも、未分化の潮流のなかからそれを「真正もの派」として剔出して、組織化すら試みようとしたのが李禹煥だった。彼は、関根の作品でしめした読みかえを言語化し、論理化すべく、この時期に精力的に文章を発表していく。(8)その活動が、ほとんどひとつのマニフェストといってよいかたちのものに結実したのが、『美術手帖』一九七〇年二月号の特集「発言する新人たち——非芸術の地平から」であり、さらに、その成果をふまえて、作家の組織化とマニフェストを試みたのが、一九七〇年五月頃刊行(9)のパンフレット『場 相時』である。

「発言する新人たち」では、李禹煥の「出会いを求めて」と菅木志雄の「状態を超えて在る」のほかに、李が実質上の司会・進行役をつとめた座談会「〈もの〉がひらく新しい世界」(出席者―小清水漸、関根伸夫、菅木志雄、成田克彦、吉田克朗、李禹煥)がおこなわれた。『場 相 時』は、李およびジョセフ・ラヴの序文をつけて、本田・李・関根・寺田・吉田の小作品集となったものだが、李がわたしに語ってくれたところでは、もっと多くの作家を集める予定だったようである。つまり李禹煥には、「もの派」世代より十歳年長で理論的指導者の立場にもいたわけだから、「もの派」を統合しようという意図がおそらくあったにちがいないが、諸般の事情で、さきのメンバーからなる『場 相 時』になった。

こうして、「もの派」の組織化はかならずしもうまくはおこなわれなかった。その理由は、個性の強すぎる作家が多かったからで、李がかんがえていた理論的組織化にはかならずしもしたがえない、「もの派」といってもそれぞれ李とは別様のかんがえをいだいていたからではないだろうか。『場 相 時』を除けば、「もの派」による宣言も自主企画展もおこなわれなかったことは、その証左であるといってよい。個展をべつにすれば、「もの派」がクローズ・アップされるのは、かえって、京都国立近代美術館の「現代美術の動向展」、「ヒューマン・ドキュメンツ展」、「第十回日本国際美術展」、さらには「一九七〇年八月――現代美術の一断面展」(東京国立近代美術館)といった、「もの派」およびその理論には無縁の批評家のからんだ企画展や、美術館や画廊のグループ展によってであったという事実は興味ぶかい。だからといって、「もの派」の重要さが減少するわけではなく、逆に、それだけのひろがりをもつにいたるほど、「もの派」という動向は大きなものだったということである。李禹煥による組織化の試みは成功を収めなかったが、それは、ひとつには李禹煥も予想できなかったくらい「もの派」がひろがりをもつにいたったからにほかならない。

一九六九年から一九七〇年前半にかけてのこの時期には、一方で、未分化な「もの派」のなかから、きわだった作家たちが「真正もの派」をかたちづくる（李禹煥、関根伸夫、吉田克朗、本田眞吾、成田克彦、小清水漸、菅木志雄）。それとともに、他方で、亜流という意味での「類もの派」が大量に登場しはじめ、かつ、「真正もの派」の形成に随伴してというのではかならずしもなく、「ものによる美術」という意味でのもうひとつの「類もの派」がぽつぽつ姿をあらわしはじめる（たとえば原口典之（有名な「オイル・プール」［図4-13］はこの年に最初のものが制作されるが、同時にこのようなミニマル的ながら物質性の強い作品も作っていた）、榎倉康二、高山登、庄司達（さとる）ら）。さらに、「真正もの派」の形成、「真正もの派」の思想と作品の明確化は、「真正もの派」の名で括ることのできる作家たち相互のあいだの差異を表面化させた。とくに、李禹煥の思想ないしイデオロギーとはことなる作家と作品の存在も、また鮮明にならざるをえなかった。「真正もの派」

のなかのこの異和は、一九七〇年八月の「現代美術の一断面展」あたりをさかいにして顕在化してくる。

「真正もの派」から「もの派」の拡大へ

一九七〇年夏以降についても、「真正もの派」および「類もの派」というふたつの流れが、どのような消長をみせているかという点を、みきわめていくべきだろう。まず一九七〇年夏から一年間の事象をたどってみる。

一九七〇年八月

「一九七〇年八月――現代美術の一断面展」(東京国立近代美術館)ゲスト・キュレーターに東野芳明

小清水漸《70年8月石を割る》[図3-9]《紙の袋》

菅木志雄《無名状況》《無名状況》

田中信太郎《関係I》《関係II》

成田克彦《ベニヤ板の高さから6㎜》

吉田克朗《ガラス、ビニールテープ、電球、コード、蛍光灯など》

3–9：小清水漸《'70年8月石を割る》1970年（白御影石。100×250×120 cm。法政大学工学部蔵　撮影・安齊重男）

3–10：高山登《ドラマ「地下動物園」》1970年（於・スペース戸塚。枕木、コンクリート、機械油、土。300×300×100〔深さ〕cm。現存せず）

李禹煥《関係項（於いてある場所）Ⅰ》《同Ⅱ》《同Ⅲ》
高橋雅之《置くこと》2点
本田眞吾《No. 48フィルム》――これはすでに（？）「もの派」の作品とはいいがたい。
佐藤信重個展（田村画廊）
九月
魚田元生個展《作品》（櫟画廊）
榎倉康二個展（田村画廊）
藤井博個展（田村画廊）
十月
青山光佑個展《ある状況》（櫟画廊）
高松次郎アトリエ開放展《単体》
「今日の作家展」（横浜市民ギャラリー）
小清水漸《鉄板》
菅木志雄《モノ自体》《ソレ自体》
吉田克朗《ガラス、コンクリート、ワイヤーロープ

3-11：李禹煥《言葉》1971年（自然石、座布団。2011年再制作作品がDia Art Foundation蔵）

等》
本田眞吾《No. 47》（テント布とスプリング）
十一月
高山登個展《地下動物園》（ウォーカー画廊）
高松次郎個展《セメントの単体》（ピナール画廊）
原口典之個展《提案1》（田村画廊）
前田宇一個展（ウォーカー画廊）
十二月
「スペース戸塚'70」展（横浜）
榎倉康二《湿質》、高山登《地下動物園》［図3-10］、羽生真《作品》、藤井博《肉・土》
一九七一年一月
李禹煥個展《言葉》（のちに《Relatum》）（ピナール画廊）［図3-11］
今井祝雄個展（ウォーカー画廊）
＊なお、同じ月の吉田克朗個展（シロタ画廊）は壁にペイントする作品、小清水漸個展（田村画廊）は《表面か

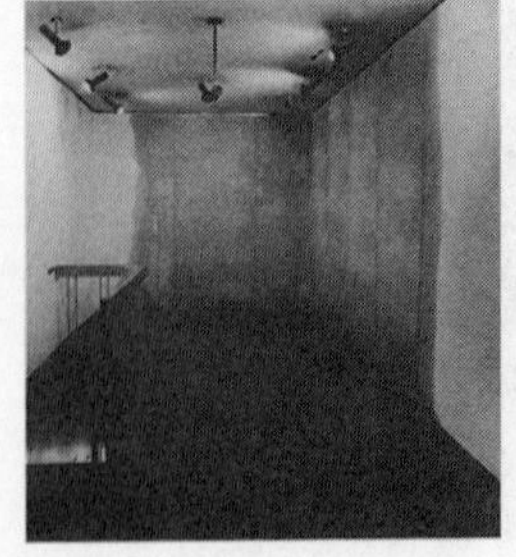
3-12：榎倉康二《湿質》1971年（於・ウォーカー画廊。インスタレーション。布張りの壁、フェルト、エンジン・オイル。現存せず）

ら表面へ》で、ともに「もの派」からの変貌をしめす。

三月

榎倉康二個展《湿質》(ウォーカー画廊)[図3-12]

高山登個展《作品》(ウォーカー画廊)

言葉とイメージ展(李禹煥)(ピナール画廊)

藤井博個展《波動》(田村画廊)

高橋圀夫個展《作品》(シロタ画廊)

四月

山本衛士個展《手で思考する》(田村画廊)

山崎秀人個展《作品》(シロタ画廊)

五月

眞板雅文個展《一九七一年シリーズ》(村松画廊)

第十回現代日本美術展(東京都美術館)

李禹煥《Situation》、高松次郎《題名》、吉田克朗《布・糸・色・壁》、本田眞吾《No. 49》、寺田武弘《樹・人》、小清水漸《表面から表面へ》、菅木志雄《放置状況》《放置》、武里惣《No. 22》、前田宇一

3-13：原口典之《7枚の鉄板》1971年

《栽培》、高山登《地下動物園》、榎倉康二《湿質》、原口典之《提案Ⅱ「物性領域」鉄片》、植松奎二《截》、今井祝雄《Existence》、奥田善巳《1個のレンガと90個のレンガ》、梁島晃一《無題》、小野教治《斜面》、鈴木健司《Base》、大久保利圀《It's cloudy day》

七月～八月

第六回ジャパン・アート・フェスティバル国内展示（会場・東京国立近代美術館）

水本修二《状態71―1（断）》、鵜沢明人《金属領地》、岩野弘之《関係》

このようにみてきてわかることは、まず第一に、「真正もの派」において個々の作家の資質と思想のちがいが、一九七〇年の夏あたりから決定的になっていくことだ。個々の作家がそれぞれ変貌をとげていくのだといってもよい。関根伸夫は、どんなに遅くとも一九六九年八月の箱根の彫刻の森美術館における野外彫刻展出品の《空相》を最後にして、いわば本来の自己にもどった。吉田克朗は一九七〇年七月の京都の「現代美術の動向展」のセリグラフィーの作品や、同年八月の東京の「現代美術の一断面展」で変貌をはじめ、一九七一年一月のシロタ画廊個展でその変貌を明確にする。成田克彦は炭の作品のあと、一九七〇年八月の「一断面展」で「もの派」をはなれるし、本田眞吾も一九七〇年十月の横浜市民ギャラリーにおける「今日の作家」展から変化をしめしはじめている。また小清水漸は、「一断面展」の石を割った作品を極北として、一九七一年一月にはじまる「表面から表面へ」の連作によって「もの派」とはべつの道にあゆみでるのである。こうした個々の作家の変貌は、彼らの思想そのものの変化をしめすとともに、その思想がほんらいことなっていたことをもうかがわせずにはいない。「真正もの派」の関根、李、吉田、本田、成田、小清水、菅のうち、すくなくとも後二者は、もともと李禹煥のかんがえとははっきりちがうものをもっていた。座談会「発言する新人たち」でも、この二人は李とはニュアンスのかなりことなる発言をしているし、『場 相 時』にもこの二人は含まれていない。そして、小清水は「表面から表面へ」以降、独自の「彫刻」へと向い、また「真正もの派」の最後尾に位置していた菅木志雄は（一九六九年十月の公的な登場のまえから、関根や李とは別個に独自に「もの派」をはじめていたとみることもできるのだが[10]）、「真正もの派」の波をかぶるなかでも独自性（むしろ正統性）を堅持し、一九七〇年なかば以降に多産な制作を展開していくとともに、理論面でも李禹煥と双璧をなし、かつ李とはことなる立場を鮮明にしていくことになる。ちなみに、このような意味での菅木志雄を最初に理解して検討を加えたのは、李でも「もの派」でもなく、一九七二年十一月に刊行された雑誌『記録帯』(柏原えつとむ、堀浩哉、彦坂尚嘉らの記録舎の刊行になる)の創刊号であった。とするなら、「真正もの派」は一九七〇年夏を最後に、あるいはどんなに遅くとっても一九七〇年いっぱいで、事実上解体した。そしてこの解体には、「もの派」の拡散、亜流の流行ということも間接的には力をかしたとみてよい。亜流による水増しが解体をはやめた、というように。

したがって、第二に、この解体のあとはいったいどこに「真正もの派」をたどることができるかということが問題になる。この点では、道こそちがえ各人がそれぞれのあゆみへと変貌していったなかにあって、ただひとり菅木志雄のみが、「真正もの派」を持続させていったことがあきらかである。運動としての「もの派」の解体のあと、「真正もの派」は菅にうけつがれ、深化されるわけだが、それをうらがえしていえば、菅木志雄によって達成されたものを「真正もの派」ととらえるところから、逆に運動としての「もの派」も把握することができるということでもあるだろう。菅木志雄自身の活動という点では、したがって、ここにあげた一九七〇年夏までというより、むしろそれ以降に他の追随を許さない表現を展開していくことになる。

次に「類もの派」の動きに眼をうつしてみると、まず、「真正もの派」のアウラとして存在していた亜流としての「類もの派」、つまり「亜流もの派」は、亜流であるためその後も存続はしていくが、実質的には一九七一年五月の「現代日本美術展」あたりを頂点として、しりすぼみに一応終息していくといってよい。「真正もの派」の解体をはからずもうながしたが、けっきょくは本家の解体にともなうようにして、みずからもしりすぼみに終っていくわけである。

そして、「真正もの派」でも「亜流もの派」でもない、「ものによる美術」という意味での「類もの派」の形姿が見えてくるのが、この時期にかさなっている。わたしは、「真正もの派」および「亜流もの派」と、「ものによる美術」とは、はっきり区別してとらえるべきだとかんがえる。「真正もの派」の作家が「ものによる美術」へと移行できなかったように、「ものによる美術」の作家（前項であげた以外に、この項で出てきた名前をあげれば——藤井博、眞板雅文、植松奎二らであり、さらに別の見方からは、例えば河口龍夫、村岡三郎らもあげられる〔図3-14、15〕）はかならずしも、あるいはけっして、「真正もの派」の思想から出てきたとみなすことができない作家たちなのである。こうした「ものによる美術」の作家たちの作品は、一九七〇年代なかばちかくになって、「真正もの派」とはちがう思想を実現していることがますます明瞭になってくる。もちろん、「ものによる美術」は（真正）「もの派」とまったく無関係であり、類似点もないというのではない。ただ、「もの」の使用という皮相な類似だけに共通点をもとめるわけにはいかないとすれば（「真正もの派」がけっしてものではないように、「ものによる美術」も、「真正もの派」

3-14：河口龍夫《石と光》1971年（石、蛍光灯、光。237×46×50〔高さ〕cm。高松市美術館蔵　撮影・米田定蔵）

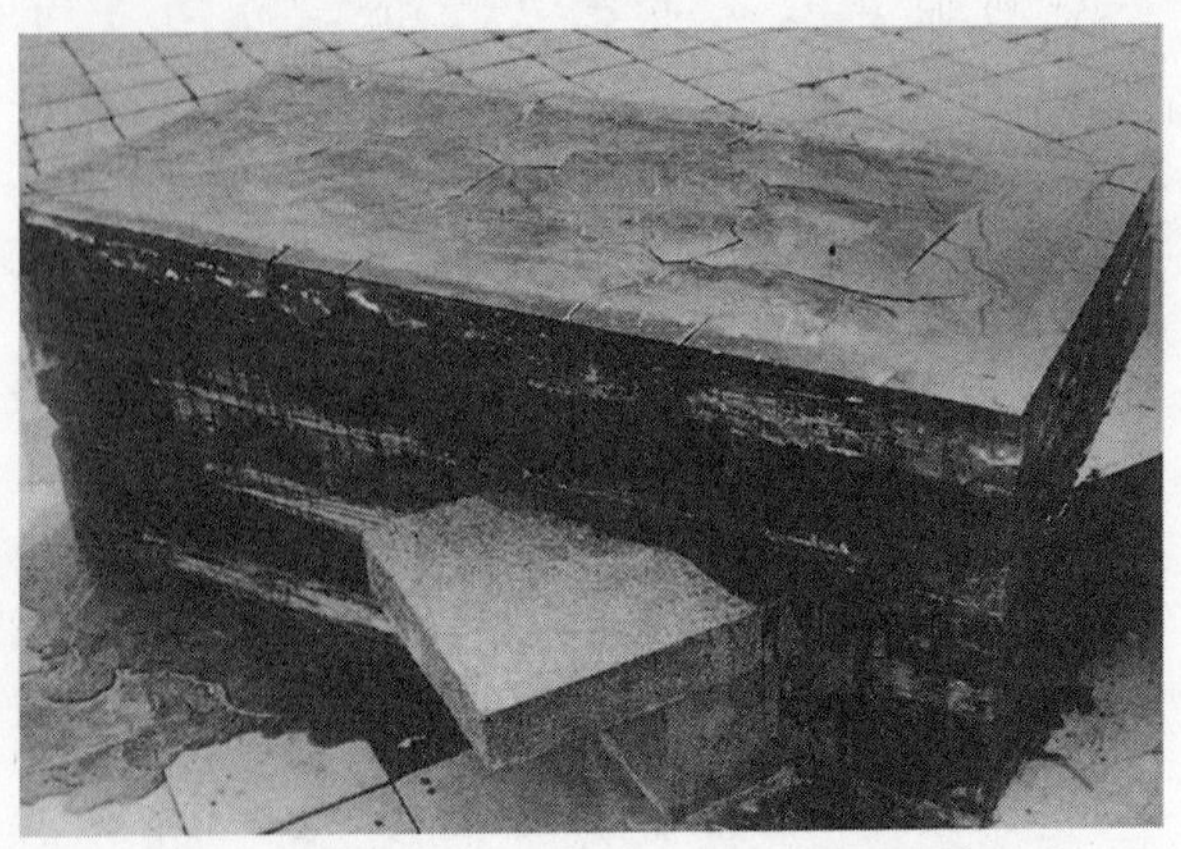

3-15：村岡三郎《ゲル化》1971年（樹脂。80×100×200 cm）

よりはもの、、の側面が強いとはいえ本質的にはもの、、ではないのであり、すくなくとも「もの＋アルファ」なのであり、そのアルファの部分が重要なのだ）、両者の接点は、わたしのいう「広義もの派」の水準にもとめられるべきである。しかし、一九七一年夏までの段階では、「ものによる美術」がどのようなものであり、どういう特質をもっているかはまだあきらかではなかったといえるだろう。事実としてまだ明確に見えてはいなかったし、だからあいまいに「もの派」の一系統のようにみなされていたし、作家たち自身も、「真正もの派」との差異をかならずしも自覚していたとはおもえない。

さらに、「ものによる美術」の登場もある意味で「真正もの派」を追いあげる結果を招いたが、それとはべつのところから、「真正もの派」に追いうちがかけられたことをあげなければならない。すなわち、「もの派」を批判しつつ登場してきた「七〇年代作家群」が、結果として「もの派」に追いうちをかけることになったという事実である。「もの派」のほうからいうと、あとからきた世代のために一歩まえに押しだされてしまったことになる。うしろから押されて浮きあがったというだけではなく、後続世代によって根底の部分を痛烈に批判されたのである。その原因は、「七〇年代作家群」の批判に耐えうる作品と論理を「もの派」が構築しえなかったところにある。その意味で、菅木志雄だけがかろうじてこの批判に耐えたともいえることは偶然ではない。作品は作品だけで存在しているわけではない。作品を最後に支えるのは、作品それじたいであると同時に、作家の論理、鍛えぬかれた感性とわかちがたく一体となった論理である。そのような意味での論理、あるいは画論の形成が、作家には不可欠なものとして本当はもとめられているとすれば、概して「もの派」の作家たちはことばを、論理を、画論をついにもつことがなかった。七〇年代の作家たちが、彦坂尚嘉や堀浩哉に典型的にみられるように明確なことばをもち、自己の美術と美術行為をたえず言語化し論理化していく努力を持続させているのにたいして、「もの派」の作家たちはことばをもたず、「もの派」の思想を言語化し、画論を形成していくという自覚と志向に欠けていたのが、李禹煥と菅木志雄を除けば一般的だった。李禹煥にしても、あれほど精力的に文章を書いていたのに、一九七一年いっぱいでそれが一応とまってしまう。そのために、一九七〇年からはじめられた彦坂尚嘉による「もの派」批判(李禹煥批判)によく答えることができなかったし(いまからみて、当時の彦坂の文章はことばが十分にこなれたものとはいいがたい。しかし突くべきところはちゃんと突いていたのであり、「もの派」はなんらかのかたちで応答すべきだった)、そればかりでなく、なによりも、「もの派」の思想そのものの深化が十分にはなされずに終ってしまったうらみがのこる。そのことは、とりもなおさず、「もの派」が実作品そのものの深化を十分には果しえなかったことを証しているのではないか。

こうして、「真正もの派」は、かたや「ものによる美術」(たとえば一九七〇年十二月の「スペース戸塚'70」展はそのひとつの指標である)、かたや「美術家共闘会議」の活動に孕まれていた表現総体の問いなおし(たとえば「美共闘」のながれをくむ「第一次美共闘REVOLUTION委員会」の一九七〇年の結成はそのひとつの指標となる)にはじまるといってよい「七〇年代作家群」の登場という、二面からの追いうちにあって、実質的にのりこえられていく。したがって、「もの派」を「真正もの派」に限定するかぎり、それは一九七〇年いっぱいで解体したし、話もここで終る。だが、もう一歩ふみこんで「真正もの派」と「ものによる美術」の双方を通底しうる「広義もの派」の視点を導入しなければ、「もの派」の名で呼ばれている潮流全体の基底部をすくいあげることはできない。実質上はべつのものである「真正もの派」と「ものによる美術」は、六〇年代後半期の極限化の一方の流れという視野からみれば、なお同一線上に位置づけることが可能である。「真正もの派」がしめした「もの」とのかかわり、というより「世界とのかかわりとしての美術」という思想は、一方で「具体」にまでさかのぼりうるし、他方では「ものによる美術」とそれ以降にまで生きていく。この全体をとらえなければ、「真正もの派」をとらえたことにはならない。「広義もの派」とは、「もの派」とおぼしきものをあいまいに網羅するための語ではなく、「もの派」の本質を状況と歴史の全体的な視野のなかで把握しようとするものである。「ものによる美術」のほうにひきつけていうと、「真正もの派」の「世界とのかかわりとしての美術」という思想をどのように咀嚼、消化、血肉化、超克していくかによって、七〇年代の美術のなかで「もの派」の末裔に終始するのか、それとも「もの派」をこえて「七〇年代作家群」の地平にまで到達できるか、途は分れていたといってよい。「もの派」をたんに模倣ないし無視するのではなく、正当にふまえることで超克できるか否かが、「ものによる美術」が七〇年代に意味をもちうるかどうかを決定づけていた。この「広義もの派」の視点を導入することは、「もの派」が開示した思想が、七〇年代においてはどこにうけつがれ、またその意味がどう変化していくかを追いつづけていくことにほかならない。

Ⅱ　世界とのかかわりの思想

李禹煥

李禹煥によって書かれた文章は、当時、かなりの衝撃をもたらした。そしてその衝撃は、李禹煥の文章の批評としての質とか文章の内容そのものによってというより、彼を駆って文章を書かせた衝迫のリアリティーの強さによってもたらされたようにおもう。そして、じつはこの衝迫は、おそらく李禹煥自身の自覚をこえて、時代の美術状況のもっとも深いところに根ざしていた。だからこそ「もの派」の世代に大きな衝撃をあたえたのではなかろうか。何が李禹煥を突きうごかしていたのかが重要であり、ここで李禹煥のかんがえを批判的に検討するのも、彼の文章のなかにとらえられた時代の状況の基底部分をあきらか

にするためである。(11)

まず、李禹煥の思想の全体を把握するために、彼の論理の骨格がわりあいはっきり出ている例として、「世界の構造」という初期の文章（『デザイン批評』一九六九年九月号）を要約してみる。

近代の思想構造とは人間という意識する主体こそ最高の存在であるとし、その意識によって対象化された事物を客体に定めて二元論をつくりあげた人間中心主義思想を中核にしている。ところがこの人間中心主義は、「意識によって物を対象化するという表象作用」、つまり意識の表象作用を根本にもっていたために、逆に客体が限りなく増大してしまい、客体によって主体が規定をうけるという主客転倒、疎外状況をうみだし、人間中心主義は事物中心主義にかわった。そして、しかし、テクノロジー（すなわち事物自身の制度）の急激な発達・増大のために事物みずからが物をつくりだしてゆくという状況になってきた最近では、人間・事物ともに破算する運命にある。それとまったく同じことが「擬人化からはじまって、擬物化へ進んだ」近代美術にも起った。タブロー（キャンバス）は擬人化のためのスクリーンであったが、二十世紀になるとデュシャンの《便器》とともに「オブジェ」がおもてにあらわれ、それはポップ・アートで頂点に到った。ところが環境芸術からプライマリー・ストラクチャーズやミニマル・アートに到る一九六〇年代後半の動向においては、オブジェというよりは「立体」、すでに事物の特性である対象性を欠いた、より概念的な非即物形態としての事物にまで還元され、対象性を失った立体空間をしめすようになった。「事物もなければ人間もなく虚々とした、ただそのようにし、そういう空間があるだけのような『第三の空間』」、非物体の世界。

そしてこの事物の中性化のかげには、さらに、事物が観念と物体に分離されていくという恐るべき事態が起っていた。たとえば観念芸術は、その観念のみをふたたび意識の側にひきもどそうとする試み、観念のオブジェ化のもくろみにすぎない。もはや人間は死に、二元論は破算しているのであり、いまや「表象行為としての創造意識を振り捨てなければならなくなって」いるのである。すくなくとも、事物でなくなったそれ自身の世界、ひきさかれてゆく観念と物体のあいだのひろがりをこそ、浮きぼりにし、そうしてみずからを語らしめるべきであろう。「世界を、人間に向き合わせる表象行為によって対象化しないまま、全てあるがまま、そのままの世界を見ることを学ぶことである。全ては太初から実現されており、世界はそのまま開かれているのに、どこへまた何の世界を作り出すことができようか」。

肝要なのは「世界をより根元的によりあざやかに見せる作用体、そしてその仕組みとそれ自身、という意味」での「大いなる媒介者」としての「構造」をそのままに提示し、「事物自身を超えて非対象的な現実性、世界の自然さにまで到達」することなのだ。

これをつづめていえば、意識の表象作用を本質とする近代の思想構造そのものの否定、そういう近代における創造の概念そのものを否定してあるがままの世界を容認すること、である。いずれも、独創的というわけではないが、ひとつのかんがえかたであるといってよい。しかし、李禹煥の論理における最大の難点は、美術の側からみて、表象作用を否定され創造そのものを否定されたのではたまらないということにもまして、意識の表象作用を否定して、近代の思想構造じたいを批判することによって芸術論を展開しようとしている点、創造そのものを否定することによって芸術論を展開しようとしている点に、最も決定的なかたちで露呈している。つまり、美術の状況そのものについての検討と思索から帰納的に論理をつみあげていったのではなく、近代の思想構造についての理解と批判を下敷にして、それを美術にあてはめようとしている。意識の表象作用の否定と創造の否定を通して、あるがままの世界の容認へと到達したにもかかわらず、そこから強引に芸術論をみちびきだそうとしたのである。

しかし、いうまでもないが、近代批判がそのまま近代美術批判になるわけではない。前者を後者に媒介する論証が必要だからだが、ここではそれがなされていない。近代および近代の人間の思惟構造の核と、彼がかんがえた「意識の表象作用」を論ずればそれで済むとおもったらしいが、その「意識の表象作用」論のほうも展開されているわけではない。李禹煥は、そこで西田哲学を援用しようとするのだが、この援用がまた援用になっていない。[12]それとおなじようにして、意識の表象作用の否定を、創造そのものの否定（すなわちあるがままの世界の肯定）と直結させていく。李の文章のくみたてかたは、つねに論証ぬきで命題をぶつけていくというもので、その論法が最後に当って砕けるのは、芸術論へ向けて論の円環を閉じようとするときにほかならない。なぜなら、意識の表象作用を否定し（そして人間存在を否定し）、創造そのものを否定し、そして（あるいは、にもかかわらず）あるがままの世界を肯定するとしたら、そのさきほかにどのような展開が可能だとしても、芸術論だけは不可能だからである。「全ては太初から実現されており、世界はそのまま開かれているのに、どこへまた何の世界を作り出すことができようか」。けっして皮肉ではなく、そのとおりと言ってもよい。そして当然、李自身がそう主張しているように、そこにはもはや人間は存在していない。その言もまた、けっして悪くはない。そこでは、とうに、創造なども否定されているだろう。わからないのは、そのような地平から芸術論へとよこすべりし、強引に移行してしまうことなのだ。メルロー＝ポンティばりが、突如としてオポルチュニスティックな現状肯定へと豹変してしまいかねない。そして、創造以後の創造を揚言するために、あるがままの世界を「構造」といいかえ、美術以後の美術を「構造提示」といいかえ、美術家を「構造提示者」といいかえ、創造の否定という点を強調するために、構造提示を「出会い」、構造提示者を「出会者」と規定する。しかし、「世界―出会い―出会者」というのは、李の論理にしたがえば、創造否定以後のあるがままの世界の肯定の地平での話であり、したがって、「出会い―出会者」は、本来いかなる意味でも「美術―美術家」を示唆するものではありえないはずなのだ。それはすべての美術、すべての創造の概念の彼方であるがままの世界を肯定することであり、「出会い」とはいかなる特権的な体験でもありえないとしなければならないはずであり、そうでないと李禹煥の論理は成立たないはずだと、わたしにはおもわれる。あるがままの世界の肯定は、完全に無差別なところまで徹底されなければ、ひとつの論理たりえず、神秘主義か現状肯定論しか生まない。

だいたい、なぜ「構造」という語を用いるのかも、よくわからない。ジャン・ラドリエールの『意味とシステム』から借りているというのだが、このさい、その語がどこから借りてこられたかはよいことにしよう。ふつうに読めば、あるがままの世界にたいしてつくる（創造する）ことによってかかわること、そのはたらきをするのが構造提示者であり、その全体をさして構造性と呼ぶ――そういっているらしく、そこまでは明快だし、問題はない。だが、そのばあいの構造を、「世界をより根元的によりあざやかに見せる作用体、そしてその仕組みとそれ自身、という意味。全てありのままの、全くそのままの世界、有様としてのしぐさ、状態などをより鮮明に見せ伝える大いなる媒介者」と規定するとき、李禹煥の論理はまったく混乱におちいってしまっているというほかはないだろう。拙劣ないいまわし、意味不明瞭な点はともかくとしても、これでは、あるがままの世界およびその世界がそのままましめされる作用面の双方を、同時に「構造」と規定する自家撞着(どうちゃく)におちいっていることになる。つまり、これでは意味をなしていない。世界があるがままであることと、世界が世界自身に向ってあるがままとなることは、おなじことだからである。こういってよければ、後者に「世界」以外の存在が介在しないかぎりはだ。李禹煥は、「世界＝構造」としながら同時に「世界の構造」を語っていることになる。意識の現象学の用語をつかって言えば、世界というものを人格化せずに、なお世界のノエマとノエシスを想定していることになるとでもいったらよいだろうか。これが無理であることを李が自覚していたかどうか知らないが、この無理をそのままにして、「構造提示者」という奇妙な用語をもちだした。構造提示者、しかしそれは、李の論法からすれば「世界」そのもの以外の何でありうるだろう。これは単純な論理上の誤謬にすぎない。李禹煥の文章は、一種の文明批評だろうが、こうした誤謬のうえにたって、むりやり芸術論にまで延長されるのである。

もうひとついうと、その芸術論においても、美術の状況と歴史にたいする李禹煥の理解は、かなり図式的でたよりないものだった。美術の面で李が批判の直接の対象としたのは、一九六〇年代後半期の日本の美術の動向だったが、批判を展開するのに彼は、かたや「オブジェ」の系列の流れが「立体」から「非物体」にまで到達しており（すなわちプライマリー・ストラクチャーズ、ミニマル・アート）、かたや観念が浮上している（すなわちコンセプチュアル・アート）という当時の欧米の状況（それじたいは間違ったとらえかたというわけではない）を、日本の美術の状況にとっても自明の前提として論をすすめた。いいかえれば、日本の美術の現実を、歴史的文脈も考慮にいれておさえていたわけではない。つまり、李禹煥の美術状況にたいする認識は、現実把握・史的理解・彼我の文脈の差異ないし落差にたいする自覚、どの点をとっても不十分だった。また、彼我の文脈の差異の明瞭な自覚まではもとめないにしても、美術における近代の批判をするのなら、宮川淳の「様式概念としての現代と価値概念としての近代との矛盾」という認識くらいはふまえておくべきだった。昨今ポスト・モダニズムが声高に語られるようになっているが、ポスト・モダニズム論議じたいが近代との対比においてしか成立しないものである以上、このアポリアはますます抜きがたいものになりつつあるし、言説のレヴェルでは依然として近代の枠に強固に規定されているのである。

　それなら、こうした李禹煥の主張が当時にあって意味をもちえたのはなぜか。何が、主として作家たちに衝撃をあたえたのか。いいかえれば、そこからは何を、抽（ひ）きだすことができるのか。

近代批判、意識の表象作用の否定、創造の否定、あるがままの世界の肯定――こういう李禹煥の主張を額面どおりにうけとるというより、李禹煥をしてこういう主張に走らせたものをさぐってみるべきだ。なぜ、李禹煥は創造の否定を語らなければならなかったのか。単純にいうと、李禹煥は、要するに当時の表現の現状にがまんがならなかったのにちがいない。まわりを見渡しても、大阪万国博へとなだれこんでいく環境芸術的傾向、でなければ観念芸術ないしコンセプチュアル・アート的傾向、あいもかわらず欧米の美術動向を神とあがめる下敷批評、でなければオポルチュニスティックないしジャーナリスティックな解説批評しかない。全国の学園闘争などに象徴される、社会総体と思想のレヴェルにおける変革への志向など、美術の世界ではほとんど存在しないにひとしいし、この変革の流れの必然性を美術の問題としてとらえかえすような批評意識もほとんどみとめられない。だが、実作者たちは、借りものはもうたくさんだとおもいはじめている。根源的なものにたいする衝動を感じ、地に足がついた表現にたいする欲望をふくらませている。なによりもこの根源的な衝迫をこそ、李禹煥は理解したのであり、みずからの内部に感じていたのではないか。もしも、六〇年代末期の美術がこのまま環境芸術とコンセプチュアル・アートの亜流だけで終ってしまったら、日本の美術はもはやすくいがたく、先は真暗闇だ――この根源的な衝迫、あるいはほとんど焦躁、その切実さが、李禹煥の言説にリアリティーをあたえていた。閉塞状況はたたきつぶさなければならないし、なんとかしなければならないという問題意識が李禹煥、そして美術家たちを突きうごかしていた。そこから李は、創造そのものの否定という一方向に極限化してみせたのである。そして、この創造の否定論は、すくなくともふたつの点で、重要な意義をもっていたということができる。

ひとつは、閉塞状況を打破するのに、たんなる改良主義や無責任なタブラ・ラーサにとどまっているのではなく、近代の呪縛の根にまで降りたところでものをかんがえようとした点である。これは正当な発想であり、まして、宮川淳以降、近代と現代の矛盾はすでに明瞭であるにもかかわらず、美術批評はつねにそれを皮相的にしか論じてこなかったことにくらべれば、李にははるかにまともな批評精神があった。彼が創造そのものの否定にまで到達したのは、徹底化のあらわれといってよい。創造の否定論をみとめることはできない立場からでも、美術表現の表層ではなく基層にまで降りて問題を問いなおすのでなければ、もはや何事もはじまらないし、批評も成立しないという点は、みとめなければならない。創造の否定という徹底化へまでふみこんだことには、とりあえずは意味があるのだ。六〇年代最末期にあって、美術の実作と批評に大きな一石を投じ、美術という表現を様式やイズムの交代のレヴェルでしか問わない当時の全般的風潮に一石を投じたからである。そして、この創造の否定、すなわち近代西欧美術総体の否定は、李禹煥自身の意図をこえて、日本における百年にわたる美術上の近代化思想および欧化思想（欧米追随主義）にたいして、はじめて冷水をあびせかけ、根底的な批判をたたきつけるものとなったと言えるのではないだろうか。だから、李禹煥の創造の否定の主張は、近代批判と欧米追随批判のふたつの側面をあわせもっていた。彼自身がどこまで自覚していたかわからないし、戦後の欧米の美術の流れを無意識裡にせよ自明にするという通弊からかならずしもまぬがれてはいなかったが、それにもかかわらず、今ふりかえってみると、結果的にそうなったといってよい(13)。すくなくとも、李禹煥の周辺にあって「もの派」を形成していく作家たちが、彼の言説のなかに感じとって共鳴したことのひとつは、その点にかかわっていたことはたしかだろう。とすれば、この創造の否定論は、近代批判および欧米化主義批判の両面から、日本の美術の固有の文脈の問題を浮上させずにはいなかった。一方で、近代といい現代といっても、日本のように、アジアないし東アジアの一国といってよいのか、それとも地理的位置にかかわりなく西欧的な発展をとげた一国といってよいのかわからない、特殊な歴史的体験をへてきた国のばあい、西欧的な時代概念としての近代を、そのままあてはめるのがそもそも間違っていた。日本における近代の意味そのものが再検討されなければならないし、日本における「近代」の意味そのものを西欧的概念とはちがった軸を導入することであらたにとらえなおさなければならないとすれば、固有の文脈において、しかも西欧化百年という現実もその固有の文脈の一面としてくりこみうるような視点からとらえなおす必要がある。他方、そのような近代化＝西欧化過程のなかで通用してきた創造の概念じたいを廃棄することは、欧米追随主義を相対化し否定する地平で美術表現をとらえなおすことである。このことをうらがえせば、日本の現代における美術の固有性ということが、西欧至上主義や西欧コンプレックスからときはなたれたところではじめて自覚的に意識されたということにほかならず、「もの派」の作家たちがじっさいに生みだしつつあった作品群が、その固有の文脈を実体的に確立しはじめたということを意味している。げんに自分たちが生みだしつつある作品を固有の文脈でみるという、ごくあたりまえのことが、ようやく可能になりはじめたのである。では、その実体的に確立されはじめた固有性、固有の文脈とはどのようなことを指しているのか。

ここで、李禹煥による創造の否定の主張のふたつめの意義が問題になってくる。それは、あるがままの世界の肯定ということにかかわっている。李は「あるがままにあることを、あるがままに見せるということ」(「存在と無を超えて――関根伸夫論」)を、否定した創造の概念のかなたに定位しようとした。つまり、そのことをあらたな美術表現とかんがえようとした。ここにいかなる誤謬や錯誤があったにせよ、そして、「もの派」の作家たちすべてがこのかんがえかたにそのまま賛同したわけではなかったとしても、ここにみとめることができ、そして「もの派」の作品群が実体化していくのは、従来の「絵」を描いたり石や木を彫り刻んだりすることではなくて、あるがままの世界に直接的にかかわりはたらきかけることを美術表現とかんがえようとする思想だということができる。あるいは、絵画や彫刻をこえたところで美術表現がありうるのではないかという問いかけであるといってよい。そうでないとしたら、李の「創造の否定＝あるがままの世界の肯定」は、美術の問題としては無意味になる。そうでないとしたら、「もの派」の意味はどこにあるのか。「もの」そのもののたんなる（純粋な、といっても同じことだ）提示ということか。そんなことはないだろう。李禹煥は、美術の素材としての「もの」がどんなものでもよいとかんがえていたわけではない。彼は、ある特殊な、ないし特権的なもの、もののある特権的な構成ということにこだわり、あるがままの世界の肯定といっても、そういう特権的な状況、特権的な出会いによってでなければもたらされないとかんがえていた。「もの派」のなかでは、もののたんなる提示ということを容認できない作家だった。李個人をはなれて「もの派」全体でいうと、たしかに、「もの派」の亜流、周辺もの派、そして「真正もの派」においてすら、「もの」そのものの直接的な、即物的な、ときとして無原則的ですらある提示ということがひんぱんにみとめられたのは事実である。「もの派」という名称も、そこらあたりをさして言われたのが起りだったろう。もののなまな提示ということにも、意味がまったくないわけではない。しかし、それが「もの派」の特徴であり本質であるといったら間違いになる。

以上が、創造の否定論を中核とする李禹煥の思想がもっていた意義である。もちろん、彼が自身の言説の意味をどのように位置づけていたかはわからない。「あるがままの世界の肯定」を、世界とのかかわりそれじたいを美術たらしめることの契機ととらえるわたしの分析と理解は、李自身がうべなうかどうかは別として、読みすぎとおもわれるかもしれない。しかし、広い視野から日本の戦後の美術のなかの「もの派」をとらえるなら、李禹煥の言説が、彼自身の自覚や予測の範囲すらこえて衝撃をあたえひろがりをもちえたのは、それが、「もの派」を戦後の美術の流れのなかへ正当に位置づける、すくなくともそのきっかけをあたえたからではなかったか。すなわち、世界とのかかわりそれじたいを美術とみなす視点を示唆し、さらに、日本の現代の美術の歴史はこの視点によってひとつの連続性をそこにたどることができるということすら、示唆するところまでいきかけた。すくなくとも、いまわたしは李禹煥の言説をそのように読みとるのであり、読みかえすのである。なぜなら美術の実際は、いつだって、日本の固有の文脈以外のものを実現しているわけではないはずだからである。

李禹煥にひきもどしていえば、彼はこの読みかえを徹底したとはいえず、口火を切ったにとどまる。そのことは当時の彼の文章にもはっきりとあらわれている。一九六九年六月の「世界と構造」から一九七一年一月刊の『出会いを求めて』にいたる彼の文章をみてみると、作家論といったかたちで本格的に論じられているのは関根伸夫と高松次郎のみであるという、興味ぶかい事実につきあたる。彼は自分の思想をのべるのに、「真正もの派」の作家をほとんどえらばなかった。つまり、「真正もの派」の中核の作家を論じなかった。論じなくてもべつにかまわないのだが、しかしそのことと、「真正もの派」の最盛期（一九六九年八月の京都国立近代美術館における「現代美術の動向展」あたり〜一九七〇年初頭ないし五月の東京画廊における「ヒューマン・ドキュメンツ展」あたり）頃から李禹煥が文章によってイデオローグになるよりはオルガナイザーとして「もの派」の組織化のほうに動いたことをかんがえあわせるなら、「真正もの派」が開花するにつれて、じつは、李禹煥の思想と「もの派」じたいの思想とは微妙ながら乖離しはじめていたということができるようにおもう。そうなると、潜在していた「もの派」の作家たち個々のかんがえかたと李禹煥との相違が、はっきり表面化するほかはなかった。李のほうも、べつだん批評家でもないからだろう、以降、その相違を埋めようとも語ろうともしなかったようだ。すでに、一九七〇年二月の座談会「発言する新人たち」で李のかんがえかたに不協和音をかなでていた小清水漸と菅木志雄を例にあげれば、前者は李の非歴史主義にたいして歴史主義の立場を鮮明にして、あらたな彫刻への道に向うことになったし、後者は固有の文脈をどうとらえ、どう実現していくかという点で、李とわかれていくのである。[14] 菅木志雄の思想と作品が大きな意味をもってくるのが、まさしくここにおいてなのである。

菅木志雄

まず、菅木志雄の初期の文章の一覧を掲げてみる——

「転移空間〈未来のノートから〉」(『美術手帖』第六回芸術評論コンクール応募作、一九六九年四月号に入選発表、桂川青の名で応募)、未発表(発表は二〇一四年ヴァンジ彫刻庭園美術館個展図録)

「見えない世界の見えない言語」(『SD』一九六九年十月号、桂川青の名で発表)

「消滅の起点」(『SD』一九六九年十二月号、桂川青の名で発表)

「状態を超えて在る」(『美術手帖』一九七〇年二月号)

「放置という状況」(『美術手帖』一九七一年七月号)

「無名性のかなたの無名」(『美術手帖』一九七二年五月号)

興味ぶかいことは、菅木志雄名で発表したあとの三つの文章は、ちょうど李禹煥の言説が「もの派」と乖離しはじめたころに出てきて、あたかも李にとってかわるかのようになった点である。このことは、二人の位置関係をかんがえるうえで象徴的なことといってよいだろう。

二人の文章をくらべてみると、共通点もさることながら、というよりも、共通点は「もの派」全体の基本的な方向という点でみとめられるだけで、差異のほうがずっとめだつ。たとえば「もの」についても、李禹煥は、作品化(身体化)されていない、ただのそこら辺のものは、ものであって身体と化してはいないことを再三にわたって強調している。これにたいして菅木志雄は、ものがただのものとしてただそこに在ることに、積極的な意味を見出そうとしている。前者は見ることの特権化をうちだしているのにたいして、後者はむしろその正反対のかんがえを深めていこうとしている、といったぐあいである。二人の思想のなかでいちばん明瞭な接点は、創造の否定、「つくる」ということの否定というところにもとめられるかもしれないが、これとても、内実をみていくとかなり違っていることがわかる。李禹煥は、創造全般を否定し、世界との出会いのみに意味ありとする。これにたいして、菅木志雄は、「芸術の概念および、芸術品の概念に対峙した位置にものや状況の概念を置く」という意識から、「ものや言葉は沈黙の方向にある、そしてものの本質は無名にして、すなわちものであることであり、相対する何物もないということである」ことを認識して、「物が一般的にある状態から極限としての『在る状態』を認識するには、媒体として人の行為を必要とする」（傍点はいずれも原文どおり）ことを説く。結果的にともに「つくる」ことを否定したことが重要なのではない。前者が基本的には抽象論のレヴェルで語り、最後には否定したはずの「芸術＝創造」を特権化するにいたったのにたいして、菅木志雄は、あくまでも実作者としてものと世界にかかわっているそのレヴェルで思索をすすめた。その結果、「つくる」ことではおさまらない地平へと超え出て、創造のたんなる否定ではなく、よりトータルな状況での創造を超えたある無名性の地平を語りえた。なによりも論のたてかた、論理の面がちがっていた。菅木志雄は、文明批評でも哲学論の延長としてでもなく、もっと直接的にものとものの存在、ありようを思考しようとした。彼の文章はいつも、結局は自己の作品のことを語ったもので、「もの派」論でも情勢論でもなかった。それにもかかわらず、あるいはそれだからこそ、彼の言説は説得力をもち、そして、彼の思考にとらえられた「もの派」のなかにこそ、「もの派」の真の意味と姿がもとめられるというべきである。

次に、菅木志雄の思想の中核的なところを箇条書にして抽出してみる。材料にするのはさきほどあげた一覧表の、あとの三つの文章である。

――まず「もの」がある（有る）――それは「もの」がただあるという一般的な状態の認識である。

――しかし、一歩すすめれば、「もの」は、「人工的な制約を離れたところで、つまり、人の創造作用をまったく無視したところでどうしようもなくある」ということがわかる。これを極限としての「在る状態」ということができる。しかしこのことを認識するには「媒体として人の行為を必要とする」。逆言すれば、「在る」ものをその物の極限的な「在る」状態に置きかえることが、物を造るという意識をのりこえる糸口となる。

――こうして認識された「在る状態」における「もの」の本質は「無名」であること

であり、極限としての在る状態の認識とは、要するにものの無名性の認識である。そしてこのとき、もののなかでもとくに「自然物」が意味をもってくる。自然物とはモデルをもたない、そのままで在り、つまり無名のままで在り、それがゆえにリアリティーをもつものだからである。

——そしてこうしたものたち個々の本質ではなくてよりトータルなリアリティーを指して「状況」(場)と呼ぶのである。別言すれば「名目上もの」という言い方で実体をとらえたとしても、その本質は、私に関する限り『状況』と呼ばれ、さらにその『状況』は『自然』といわれるものと同種異相の根であると考えられる」のだ。ただし、自然物を選んだ人間にしかわからない説明しがたいものを本質に孕んでいるという意味でことはきわめてパーソナル、個人的である。逆にいうと「パーソナルなものが広がりの極限としてある状態が『自然』であると思われる」。

——そこでこの「自然」にたいしては、「視覚によって客体(目的物)を選定した上で、他の単なる物体から区別し、特定性と意味を与える作用」をもつ「見る」というやりかたではなくて、全体を視界に包摂することができ、さらには視野ばかりではなく視野の外までも射程にくりこみうるという、そういう意味でもトータルな、「ながめる」ことが要請される。

——そして実際にこの自然にかかわっていくときには、つくることを超えて、「放置」

によってかかわる（認識の上でも行為の上でも）べきなのである。もののトータルな位置はそこにおいて示される。「日常」の場においてもものは「放置」されてある、がしかし、「同時に、『放置』は『人間』の観念のリミットを超えた、その時点から始まる位相をさして」もいるのである。

要約すれば、ものが無名のまま在るという極限としての在る状態をみとめ、この「状況」すなわち「自然」を「ながめる」ことでとらえ、「放置」によってかかわる——これが菅木志雄の論理のすじみちである。そこではふたつの重要なことが語られている。ひとつは、ここでいう「もの」とは、個々のものというよりはむしろ自然そのもの、トータルな自然全体にほかならないということであり、したがって自然全体が美術の領域としてかんがえられているということである。だがそれは、たんに美術の素材の幅がひろがって、ものから自然全体にまで及ぶようになったことだけを意味しているわけではないし、そういう素材によって構成・配置すればすぐに作品になることを意味しているわけでもない。つまり、素材面での量的な拡大とそれにともなう美術の領域の拡大、というようなことではない。欧米におけるアース・ワークやランド・アートといった動向ならば、結局のところそのようなものといえなくはないかもしれない。また日本の「もの派」においても、そのような、いわば単純なものにたいする意識をはたしてどれだけのりこえていたか疑問で、多くのばあい、ものを個別的なもの（物）としてとらえ、作品のための材料としてあつかっていたにすぎないというきらいが強かった。そうでなければ、単純かつ無節操に「もの」に、その強さに、頼りがちだったといってよい。だが、菅木志雄はもっとラディカルで徹底しており、ものが無名のままただそこに在ることを美術においていかに実現しうるかということを模索していた。彼にあっては、ものがただそこに在ることの容認は、実作がそれを証明しているように、ものをただ提示することでも、ものによりかかることでもありえなかった。とすれば、それはいったい何を意味していたのか。

もの、とくに自然物は、自然全体の一部でありながら、同時にそれじたいが自然そのものでもある、そういうものである。ミクロの世界がじつはマクロの世界と相似ないし同質の構造を宿しているように、一個の石も一本の枝もひとつの岩山も、なかに自然の全体を含んで自然のひとかけらをなしている。自然とは無限であり限定不可能であるがゆえに、たとえば一個の石、一本の枝、ひとつの岩山のなかにその全体をよみとる以外には、とらえられないものである、というように逆からいってもよい。だから、なんらかの自然物を相手にすることは、ほんらい自然全体に向いあうことにほかならない。「自然」のかわりに「世界」ということばをつかうなら、ものとは世界全体を宿しているものなのだ。それゆえ、菅木志雄においてはものが無名のままただそこに在ることの認識は、そのまま、自然そのもの、世界全体にまで直結しており、ものとはそのまま世界全体にほかならない。

そして、ものがそのまま世界全体であることを洞察しえた点で、菅木志雄はすでに欧米のオブジェ概念を超えたのであり、李禹煥が及ばなかったところへ出て、「もの派」の思想を深化する可能性をひらいた。[15]

ここで、菅木志雄が語っているふたつめの重要なことがらが問題になってくる。菅木志雄は、作為的にものをつくるといったようなやりかたではなく、この自然のあるがままの放置状況にかかわっていくことを美術としてかんがえている、ということである。ものが世界全体であると認識されているとすれば、当然、ものにかかわることはすなわち世界そのものにかかわることとしてかんがえられている。そして、そのことを美術とかんがえようとするのである。菅木志雄自身に即していえば、「もの―状況―自然（―世界）」にかかわることを美術とかんがえるといっても、「美術とかんがえる」ほうに力点があったわけではなく、「もの」にかかわることを深く問おうとしていた。だが彼は、そのことが美術と無関係とおもっていたわけではなく、あくまでも自分の「立地点はまさに芸術の国の真っただ中である」（「放置という状況」）ことを疑いはしなかった。しかし、わたしたちは、美術のまっただなかに居ることを誰がどう保証するのか、と問うことができる。菅木志雄は、李禹煥のように創造そのものを否定したわけではなく、従来の造形におけるあまりにも人工的な「つくる」ことを拒否して、たんに「在る」状態のものを「極限的に在る」状態におきかえることが、「つくる」ことをのりこえる糸口になるとかんがえた。

けれども、「在る」から「極限的に在る」へのおきかえが「つくる」ことをのりこえうるとして、そののりこえが美術たりうることを誰がどう保証するのか、と問うことはできる。つまり、「外部」があるのだと言うことができる。菅自身は、このような問いをみずからに発することは、公表された文章でみるかぎり、なかった。自分が美術のまっただなかに居ることを確認することができれば彼には十分だったし、実作者という立場からはそれで当然で、確信は論証ではないといってみたところではじまらない。「在る」から「極限的に在る」へのおきかえを通して「つくる」ことをのりこえていくことが、なお美術たりうるということ、それは、むしろわたしたちが論証すべきだろう。わたしたちならそこに、世界へのかかわりそれじたいを美術たらしめるという志向性を、読みとることができる。しかも、それはけっして恣意的な読みとりではないだろう。もういちどいえば、ものとかかわること、それを菅木志雄は何であるとも言っていない。「つくる」ことをのりこえる糸口たりうる、と言っているにすぎない。もちろん、美術をのりこえ、あるいは美術へとのりこえていくという意味なのだが、彼にとってそれが主張の対象だったわけではなかった。

西欧の論理からは、世界とのかかわりは人間の行為一般でありうるから、なにも美術に限られるわけではない。いや、行為一般をすべて美術とは呼びえないということなら、西欧の場合に限られるわけではない。だが、西欧においては、世界とのかかわりのうちで美術の文脈にひっかかってくるのは、あくまでも、すでに存在している美術概念の延長上でとらえうるもののみである（たとえばエンヴァイラメンツ、アース・ワーク）。そこから逸脱するものは、「芸術といえばそれが芸術なのだ」式の論理によって美術ということばそのもの、概念そのものへと収斂させてしまうか（そのばあいには、すべては、それも芸術だというところに一元化されてしまう。つまり、可能なかぎり無限遠のかなたに想定される芸術の概念に、すべてが一元化されてしまうのだ）、でなければ、もともと美術ではないものとして、別のジャンルに括られてしまう（たとえばパフォーマンス・アート）のである。だから西欧においては、美術という概念そのものが（ひいては西欧の思惟構造それじたいが）廃絶されないかぎり、世界とのかかわりを美術とみなすことは、不可能であると言わなければならないだろう。

だが、日本ではそれは不可能ではない。すくなくとも戦後については、はっきりとそう言うことができる。事実として、「具体」や「反芸術」以降の日本の美術が美術未生の状況下で世界とのかかわりそれじたいを美術たらしめようとしてきたものであることは、いままでのべてきたとおりである。そして、李禹煥の「あるがままの世界の肯定」、それをさらに深化した菅木志雄の「〈在る〉から〈極限的に在る〉へのものの置きかえによって世界とかかわること」というかんがえかたに、「もの派」の本質的な思想がみとめられるとするならば、「もの派」もまた「具体」以来のこのながれのなかに位置づけることができる。いや、「もの派」こそ、世界とのかかわりとしての美術という思想を最もよく体現している。体現したばかりでなく、李と菅の言説を通して一応の論理化すら果されている。こうして、「具体」から一九六〇年代末期まで、美術の中核であったにもかかわらず混沌としてはっきり見えなかったものが、明確に実体化されたのではないだろうか。

たとえば「具体」や「反芸術」にもオブジェ・物体・ものを直接的に提示するような作品がいくらでもみられたが、そのことは、「具体」と「もの派」がものという点でつながっていることだけを意味しているわけではないだろう。重要なのはむしろ、差異、連続のなかの差異である。つまり、「もの派」にあっては、たんなる「もの」の提示というそれまでのかんがえかたをこえて、世界そのものを視野にいれるところまですすんだという点が重要なのだ。その点においてこそ、「もの派」は、「具体」から「もの派」にいたる世界とのかかわりとしての美術という一本の幹を、実体としてあきらかにした。いいかえれば、戦後の日本の美術は、「具体」から「もの派」へといたるこのようなながれをこそ本質としてきたのであり、「もの派」をまってそのことがはじめて明確になったということである。圧倒的な西欧化にもかかわらず、伝統的なもの、ないしはヴァーナキュラーなものが残存しないわけにはいかないという矛盾を背景にして、美術の不在、美術未生という状況にたいして、「もの派」は、美術がどういうものでありうるかというひとつの回答をしめした。[16]

「もの派」をめぐっては、すくなくともここまでは、菅木志雄の実作と言説から読みとることができる。菅木志雄の実作は、いちばん早い作例である《斜位相》(一九六九年一月)から一九七〇年七月のジャパン・アート・フェスティバル大賞受賞作品《限界状況》[図3-16]あたりまでは、つまり「もの派」の最盛期までの作品は、どちらかというと個別的なもの、世界からきりはなされたものといった性格のほうがまさっていた。とはいえ、「もの派」のなかでは、ものそのもの、ものそれだけを提示するというよりは、ものとものとの関係、そしてものがそのなかに置かれている空間や状況とものとの関係のほうに、重点が移っていく可能性を感じさせる作家だった。それは、たとえば吉田克朗の作品と比較してみるとはっきりする。しかし、一九七〇年七月の京都国立近代美術館における「現代美術の動向展」の作品、上下窓に角材をはすかいに立てて半開きの状態にした作品《無限状況》[図3-17]によって、ものそれじたいにとらわれた状態をふっきっていくことになった。以降、多少の曲折はあったものの、ものを単純にものとしてとらえるだけではなく、したがってものによりかかることなく、世界(作品としてはそのつど必然的にある限定された空間のかたちをとることになるが)とのかかわりという位相でものをとらえることになる[図3-18]。

そして、実作面でものから世界そのものへとひろがる作品を生みだしていったことと、ここでとりあげた三つの論考にみられるような言説面での深化とが、ほぼかさなっている

3-16：菅木志雄《限界状況》1970年（木、コンクリート柱、石。1986年再制作作品が広島市現代美術館蔵　撮影・安齊重男）
© Estate of Shigeo Anzaï, courtesy of Zeit-Foto

3-17：菅木志雄《無限状況》1970年（木、窓、外景。現存せず　撮影・安齊重男）
© Estate of Shigeo Anzaï, courtesy of Zeit-Foto

ことは偶然ではないだろう。菅木志雄は実作によって世界とのかかわりとしての美術という、「もの派」の最大の達成をなしとげるとともに、言説によってそれを「〈在る〉から〈極限的に在る〉へのものの置きかえを通して放置状況にかかわっていく」というように定着してみせた。彼は、李禹煥をおぎない、李にあっては端緒をみせただけで明確に把握されなかった点を、ひきついであきらかにする役割を果した。まず、李の「あるがままの世界の肯定」の意味を美術の文脈のなかでより深化させることによってであり、さらに世界とのかかわりとしての美術というかんがえかたこそ日本の美術の固有性をかたちづくるのだという点をより明確に自覚することによってである。とくにこの後者については、きっかけをあたえたのは李禹煥だったが、実作と言説によって実行し、実体化したのは菅木志雄にほかならない。

3-18：菅木志雄《野展》1972年（竹、ロープ、コンクリート・ブロック、ゴム、よしず、石。現存せず　撮影・菅木志雄）

「もの派」の達成と限界

以上の検討をふまえて、「もの派」をどう位置づけるかについてかんがえてみる。それはまた、「類としての美術」の視点から「もの派」（そして日本概念派）をどう位置づけることができるか、ということにほかならない。

すぐにわかることは、「もの派∧類としての美術」、「世界とのかかわりとしての美術∧類としての美術」という関係式がみとめられることである。これは一方では、「類としての美術」の地平とは、六〇年代後半の日本概念派と「もの派」というふたつの極限化を内包する、よりトータルな地平だということだが、「もの派」のほうからいえば、世界とのかかわりとしての美術という思想だけでは「類としての美術」の全域をおおいきれないことを意味している。日本概念派の思想だけでもそれができないようにだ。まだ何かが欠けている。といって、日本概念派と「もの派」の綜合ということも、ことばのうえではともかく、現実的にはふたつの相反する方向への動きだったから不可能なことだった。たしかに、後者の思想は前者の論理の軸と思想上の達成をとりこむ可能性をはらんでいなくはなかったが、じっさいには、「もの派」がそこまで歩をすすめることはなかったし、またできなかった。造形の対象そして美術じたいの領域がものの世界の全域にまでひろがったとしても、ものの世界（現実の世界）をどこまで拡大しても、いうなればその上位概念たる観念としての「世界」とは重ならないし、それを超えられるわけでもないことは自明である。菅木志雄が「『放置』は『人間』の観念のリミットを超えた、その時点から始まる位相をさして」いるというとき、それはきわめて正当な認識であると同時に、ものが放置されてある状況がことばではとらえられないという自明の事実に胡坐（あぐら）をかいているのでないとしたら、観念のリミットの彼方にいささか下駄をあずけすぎてしまったきらいがあるようにおもう。人間が現実にかかわることができるのは、個々の具体的なものであり、ある限定された空間である。しかし、たとえば地球という有限の物体がくみつくしえない有限であるように、個々のものはいわば無限に存在しているのだから、人間は個々のものの総体をくみつくすことはできないし、かりにくみつくしえたとしても、なお観念としての「自然」はそれより大きい。つまり観念のレヴェルでは、ものたちの総体は、なお「世界―内」にとどまっている。「もの派」は、「世界―内」を正当に認識し、かつギリギリのところでその限界の先にまで眼を遣りながら、最後にはその限界の彼方にすべてをゆだねてしまったきらいがある。李禹煥は途中をとばして観念の彼方を絶対化することで創造の否定にまで突走り、菅木志雄は具体的にものをつきつめていったそのはてで武装放棄している、といった印象をぬぐいさることができないのである。

　菅木志雄はものから世界への拡大を果したが、さらに一歩ふみこんで、「放置」を「人間」の彼方のことと断定するにとどまらず、「世界」とは観念でもあること、いやむしろ、「世界」とは観念以外のものではありえないこと、したがって「放置」と「観念としての世界」とがじつは等位でありうることにまでふみこんでいたら、という気がする。いいかえれば、日本概念派がおこなったことばと観念への極限化の地平をどうにかしてとりこむことができていたら、といったないものねだりをついしてみたくなる。そこまでふみこめる可能性が、菅木志雄の思想にはまったくなかったわけではないから、なおさらである。だが、じっさいには「もの派」は、単純なもの主義とでも呼ぶべきところを下限、李禹煥の創造の否定や、菅木志雄のものが無名のまま在るという極限の状況の提示を上限とする範囲に終始した。そして、下限では旧来の彫刻へと退行・撤退し、上限では超歴史主義（神秘主義）ないし非歴史主義への道を用意したのである。それは、他方で日本概念派が、ことばと観念以外の世界とのかかわりを拒絶したのを上限、安直なアイディア主義を下限とする範囲に終始したことに対応している。こちらのほうは、下限では旧来の絵画・彫刻への撤退か、さもなければ作品以前のアイディアの、思いつきのレヴェルに解体するに終ったのであり、上限ではやはり超歴史主義（神秘主義）ないし非歴史主義への道を用意したのだった。

しかし、「具体」と「反芸術」以来、ひたすら「絵画・彫刻」の埒外に逸脱しつづけてきた日本の美術は、日本概念派と「もの派」によって、もの（世界）からことば（観念）にまでわたってこの逸脱を極限にまでおしすすめたということができる。それまでは美術（絵画・彫刻）とかんがえられていなかった地平を美術の地平として可能なかぎりおしひろげ、しかも、量的に拡大するだけではなく、「絵画・彫刻」の埒外の場所こそが美術の正統な地平たりうるという思想を実現しようとしてきた――それが日本の戦後の、そして大正期前衛美術以降の美術だった。日本の文脈において美術の流れをよくみれば、すくなくとも昭和期前衛美術以降ないし戦後の美術は、このような「絵画・彫刻」の埒外の美術が、否応なく正系をかたちづくってきている。そして、日本概念派と「もの派」はこの流れの最終局面にあって、この流れこそ否応なく正系であることを決定づけたのではないだろうか。

わたしたちはここでやっと、「絵画・彫刻」の埒外に美術をもつことになったということなのか。そして、それがすなわち「類としての美術」なのか。そうではない。ことはそんなに単純ではない。戦後の美術の総体をできるかぎりトータルにとらえようとするなら、そしてそれを「類としての美術」でもって包括するとすれば、旧来の、伝統的な、西欧的な「絵画・彫刻」を、つまり西欧的な「絵画・彫刻」概念に準拠して展開されてきた近代日本における「絵画・彫刻」を、どう処遇するかという問題をなおざりにできない。なぜなら、これまでみてきたように、戦後は「絵画・彫刻」の埒外の美術のほうが主流を形成してきていて、「絵画・彫刻」の側は実質上たいした成果をのこしていない[17]とはいえ、埒外とは埒があっての外であって(菅木志雄の、自分はあくまでも美術のまっただなかにいるという確信)、それを無視することはじつは自分が立っている場じたいをないがしろにするにひとしいからにほかならないからである。たしかに、戦後の美術がこの埒外のほうの美術を主流として確立させてきた事実は否応なく認めなければならないが、だからといって、「絵画・彫刻」をないものとみなすわけにはいかないだろう。日本概念派や「もの派」の実作者ならそれでもよかったかもしれないが、言説の問題として、戦後の美術をトータルにとらえるためには、そうはいかない。つまり、ここでわたしたちは、戦後美術が、そして戦後美術をめぐる言説が、本質的には「絵画・彫刻」を遠ざけ、回避し、無視し、否定すらしてきたという問題にも逢着している。むろん、戦後の「絵画・彫刻」が無視され否定されてもしかたがないくらい貧弱で不毛なものでしかなかったこともある意味で事実なのだが、問題は、回避はできないということ、不毛なら不毛で、不毛なものとして、あるいは何故不毛なのかという問いとして、回避しえないというところにある。その根拠はいくつかあげることができる。無からはなにもはじめることができないとすれば、「絵画・彫刻」の埒外の美術の前提は、その「絵画・彫刻」にほかならないということがある。この、前提としての「絵画・彫刻」が、西欧移入のそれに一元化されうるものでも明治以前からの伝統的なそれに一元化されうるものでもなく、両者が複雑に入りくんでないまぜになっている状態のそれ、矛盾的な状態としてのそれであるにもかかわらずだ。そして、矛盾的であるために貧弱で不毛でしかありえなかったにもかかわらずである。また、「具体」や「反芸術」からほぼ四半世紀がたったいま、「絵画・彫刻」の埒外の美術という、正系をつくってきた流れがこれまでに生みだしてきた成果（作品）も、「絵画・彫刻」の不毛のとなりにならべてみると、奇妙なことに、この不毛とあまりかわらないようにみえてくるということがある。誤解のないようにいっておけば、それは埒外の美術という途がまちがっていたということではないだろう。そうではなく、「絵画・彫刻」にみられる矛盾的状況が日本の美術にとって本質であるように、埒外の美術も、埒内の美術と矛盾的関係におかれていることを本質としているのだが、それを自覚することができず、この自覚を作品のなかに内在的なものとしてとりこむこともできなかったために、いわば「絵画・彫刻」をたんに否定したにとどまってしまったからであり、そのことが実作品に反映しているからである。「絵画・彫刻」の単純な否定の段階にとどまってしまうことによって、みずからをもその段階へとひきずりおろしてしまったのだ、といったらよいだろうか。埒外の美術がみずからのうちにはらんでいる矛盾的状況、無からはじめることはできず、埒内の美術そのものが矛盾的な状況のものであるという背理、埒内の美術の矛盾的状況と美術未生の状況とをふたつながらふまえていかねばならないというおのが背理――そこから眼をそむけるとき、それはたんなる前衛主義に堕してしまう危険をつねにはらんでいた。そして、前衛主義の自転車操業は、いかに豊穣にみえようとも、じつは埒内の不毛と大差ないものなのである。

だからといって、前衛主義を去って「絵画・彫刻」に回帰すればすむわけでもない。それは、逆の方向からおなじあやまちを犯すことにすぎない。だいたい、日本の近代の「絵画・彫刻」は、回帰をうけいれうるほどの蓄積、蓄積というよりは成熟度を獲得していないから、そんなところへは帰りたくても帰りようがないのである。「具体」や「反芸術」

以来、「絵画・彫刻」の埒外の美術の作家が、前衛主義を放擲(ほうてき)して（この埒外の美術を前衛主義のレヴェルでしかとらえられずに）埒内に戻ったときの、無惨な例には事欠かない。無惨なのは回帰の例ばかりではない。埒内にとどまって、そこが本質的に貧弱と不毛の場でしかないにもかかわらず正統とみなそうとし、結局は西欧的な美術概念ないし日本の伝統的な美術概念のどちらかに依拠してしまうところで自足していくこと、それもまた無惨なのである。

日本概念派と「もの派」によってひらかれた地平は、まだ「類としての美術」を十分にみたすものではなく、といって、また「絵画・彫刻」をもちだしてみたところで、日本概念派と「もの派」によってひらかれた位相をとりこみえないとすれば、いったいどうかんがえたらよいのだろうか。

たぶんわたしはせきこみすぎている。「類としての美術」とは、日本概念派と「もの派」による極限化があらわになった状況に、さらに「絵画・彫刻」の問題を（回帰的にではなく）くりこむことではじめて十全にあきらかになってくるものを指すわけだが、その点を明瞭に自覚するにいたるだけでも、十年近い年月を要した。時はまだ一九七〇年代初頭で、日本概念派と「もの派」によってひらかれた地平を眼前にしている。それは、「類としての美術」の一歩手前の地平である。日本の美術に固有の文脈への読みかえ、および世界とのかかわりとしての美術についても、「もの派」が決定的なきっかけをなしたにもかかわらず、その十全な実現という点では、まだ一歩手前にある。

そして、「もの派」をめぐってこれまで指摘してきたこと以外に、「もの派」がその一歩手前でとどまって果せなかった理由は、「もの派」の非歴史主義、および（「もの派」がついにつかみえなかった）ポイエーシスからプラークシスへの転換という思想、の二点にあるのではないかとおもう。このとき、「美術家共闘会議」（略して美共闘）のながれをくむ美術家たちがおこなった問題提起が、大きな意味をもって浮びあがってくる。なぜなら、「もの派」（および日本概念派）のひらいた地平をとらえるにあたって、その非歴史主義性の批判、そしてプラークシスの思想の導入という観点が不可欠であるという認識は、彼らの問題提起によってはじめてもたらされることになったからである。

第四章　一九七〇年代

I　美術学生の反乱

「美共闘 REVOLUTION 委員会」

一九七〇年代のなかばごろからずっと不思議におもってきたのだが、「美術家共闘会議」[1]（美共闘）がなげかけた問題は美術の問題としてきちんととりあげられて論じられたためしがない。そして、そのまま八〇年代もなかばをすぎている。六〇年代末期から七〇年代初頭にかけて全国の学園闘争に最も象徴的にあらわれた全思想的なレヴェルでの問いなおしを、過ぎ去った出来事として忘れ去っていこうという風潮がいまや一般化してしまって久しいなかで、「もの派」もいまだにまともには検討されずにきているが、「美共闘」の問うたものはそれよりもずっと無視されつづけてきていると言わなければならない。

なぜなのか。後続の世代なら知らないからやむをえないということもあろう。だが、当事者だったわたしたちの世代より以前の者は、なぜ「美共闘」という現象が提起した問題を看過できたのか。それについて語られることもなければ、それをくぐり、検証し、内在化したことを感じさせるような批評に出会うことも、まったくといってよいほどないまま、今にいたっている。当時、美術大学の造反をめぐって論じられたことがなかったわけではない。だがその多くは、傍観者的、でなければ同伴者的なルポルタージュないし現状報告に終始したのであり、たとえば針生一郎のいくつかの文章[2]にしても、ルポルタージュとしてはかなり的確にポイントをおさえて書かれてはいたが、それ以上の突込みに欠けるうらみののこるものだった。流動する渦中からの報告に、それ以上のことを望むのは無理だろう。しかし、事やみてのち、批評はそれをどうとりこみえたか。なるほど、事やみてのちに変貌した表現については、語られたかもしれない。だが、そこで語られていたことも、結局は、一九六〇年代なかばに宮川淳が剔抉（てっけつ）してみせた表現の変貌以上にまでは射程が及ばなかった。なぜなら、「もの派」の意味と「美共闘」という現象が提起した問題こそ、宮川淳の論理が及ばなかったところだからであり、この両方を、とくに後者をとらええきることができないかぎり、七〇年代以降にあっては、批評じたいが成立しうるかどうか疑わしいからである。

　それにしても、なぜ「美共闘」という現象が提起した問題について語られることがなかったのか。いちばん低い次元でかんがえられることは、要するにどのような問題提起がなされているのかがほとんど理解されなかったのではないか。だから、美術とは関係のない政治的な一騒動としてかたづけられてしまったのではないかということである。そしてどうやら、事やみてのちの批評をひとわたりみてみると、残念ながらそのあたりが真相らしいと言わざるをえない。

たしかに、「美共闘」それじたいは美術運動ではなく、ひとつの闘争形態、闘争組織であり、それは一九六九年いっぱいでなくなっている。しかし「美共闘 REVOLUTION 委員会」は、「美共闘」の流れをくみながらも、政治組織ではなくて表現集団だった。「美共闘」と「美共闘 REVOLUTION 委員会」とは別のものであり、そしてここで「美共闘」というとき、まぎらわしいといわれるかもしれないが、その後者の意味で使っている。

非政治主義的な「もの派」すらまともには把握できなかった批評が、「美共闘」は政治主義―非政治主義という二元論を超えんがためにこそ反政治主義的たらんとしたのだということなど、わかるわけがなかった。「もの派」すらいまだに位置づけがなされていない(なされえない)のは、「もの派」の位置づけは、じつは、それじたいの検討だけでは不十分であり、「美共闘」による「もの派」批判の視点を導入するときに、はじめて十全になるからだというところにある。「美共闘」とは、日本概念派と「もの派」の双方を同時に超克しうる位相をきりひらかなければ、もはや美術表現は成立しないという事態に直面したところからはじまった、まさしく本質的に表現の問題にかかわる闘争だったからである。

そのまえに、わたしがここで「美共闘」というとき、そこには広狭二様の意味をこめている。すなわち、狭義ではじっさいに「美共闘REVOLUTION委員会」にかかわった人々とその活動を指し（堀浩哉、彦坂尚嘉、山中信夫〔故人〕ら）、広義では同世代（同時代）の作家たちとその活動（北辻良央、野村仁、辰野登恵子、森田秀、中村功、中上清、田窪恭二、榎倉康二、小清水漸、遠藤利克、眞板雅文、高山登、原口典之、剣持和夫、井川惺亮、柏原えつとむら）をも含めている。広義の「美共闘世代」とは、概念派と「もの派」につづいて出てきて、立場のちがいはあれ、そのふたつを超克しなければならないところから出発した世代を意味する。その意味では、広義の「美共闘」世代とは「七〇年代作家群」にほかならない。「七〇年代作家群」とは、狭義の「美共闘」を切込み部隊として出発した世代の作家たちの全体を指すということである。

そして、「もの派」以降の七〇年代前半は、一方で「もの派」および概念派が波及・拡散・展開・衰退していき、他方で、「もの派」とほぼ時期を同じくする狭義の「美共闘」の活動にはじまって、狭義および広義の「美共闘」世代、「七〇年代作家群」による問題提起が状況の深部に浸透していく時期である。つづく七〇年代中期は、「七〇年代作家群」による実践の開始、作品の実現に向って沈潜する時期といえるだろう。

美術の根源的な制度性

狭義の「美共闘」が問いかけたものとはなにか。それは、一言にしてつくすなら、美術の根源的な制度性の告発と、制作概念そのものの喪失の認識、ということである。

広い意味で、あるいは漠然とした意味でということなら、芸術の上部構造性・政治性・制度性については、社会主義的な立場からする芸術論の登場以降、ひんぱんに論じられてきていることはいうまでもない。それ以前でも、芸術のもつ制度性の側面が芸術のディスクールにおいて無視されていたり、まったく自覚されていなかったわけではない。しかし、芸術一般や文学ではなく、美術という特定の一ジャンルをめぐる制度性については、これまでは芸術一般の上部構造性論の系として語られるのがつねであり、それ以上に出ることはほとんどなかったといわなければならない。美術という特定の領域については事情は根本的にことなってくるのに、この差異をふまえた上部構造性論なり制度論がこれまではほとんどなかった。つまり、美術の制度的側面をめぐる論議の拠ってたつところそのものが誤解されていた。はっきりさせられていなかった。語ろうにも語られる基盤じたいがなかった、といったほうがいいかもしれない。そしてこの対極に、美術の制度的側面の考察など念頭にすらない、美術における非政治主義派の人々の無知が存在していた。こうして、美術が不可避的にもっている制度的側面のまともな検討が、これまでほとんどなされずにきてしまった。

ここでは、すでにぬぐいさりようもなく手垢がこびりついてしまっている「上部構造性」という用語は捨ててしまわなければならない。それとともに、たとえば、文学をめぐる上部構造性論をもってしては言葉にならぬ芸術たる美術をきることはできないといった、非政治主義派の側の偏見や嫌悪感も捨てさるべきだろう。そのうえで、美術がもっている根源的な政治性ないし制度性の問題としてこれをとらえなおすべきだとかんがえる。いうまでもないかもしれないが、ここで美術の政治性ないし制度性をとりあげるのは、政治主義へと一元化させるためでは、もはやありえない。いわゆる社会主義リアリズム論に最もはっきりみることができる政治主義的美術論や、政治のための美術論や、文化革命的美術論に決定的に欠けているのは、吉本隆明流にいえば、表現という「個人幻想」は「共同幻想」のなかでは逆立しうるものだということ、さかだちした像を結んでしまうのだという視点、すなわち表現の自律性が成立しうる、成立しているようにみえるものだという認識である。そして、それが、個人幻想だけを絶対視して表現そのものの歴史的・社会的規定性をかえりみようとしない非政治主義と正確に表裏の関係をなしていることも明白である。語られなければならないのは、この政治主義と非政治主義の双方を否定しそして包摂したうえでの、根源的な制度性の自覚ということにほかならない。「美共闘」の論客の一人だった彦坂尚嘉はそれを「反政治主義」と名づけた。

反政治主義のもつ正当性とは、政治主義—非政治主義という二元論を否定する視点のうちにあるのだ。非政治主義は、仮面をかぶった政治主義である。
（『反覆——新興芸術の位相』一九七四年、田畑書店）

このとき制度性とは、いわば一段階あがったところで問題となっているものを指すのであり、つまり、制度性の意味がいちばん根源的な地平であらたに問われているのだといえばよいだろうか。それは、美術はその諸制度（美術館、画廊、美術学校、美術市場、美術ジャーナリズム等）に規定されており、大きくは社会的状況・政治的状況によって規定されているというレヴェルのことではない。美術表現そのものが（いま現に存在しているようなかたちで存在してしまっているがために）否応なくひとつの制度をかたちづくってしまっている、というレヴェルのことにほかならない。美術の制度ではなく、美術という制度、制度としての美術のレヴェルじたいがここでえぐりだされている。「美共闘」によってあらわにされた制度性とは、このような意味での「根源的な制度性」である。

この認識は何をもたらしたか。むろん、美術の根源的な制度性といってみたところで、字面だけでわかるわからないを云々してみてもしかたがない。だが、「美共闘」によるこの認識は、つぎのようにきわめてドラスティックなかたちであらわれたのだ。彦坂尚嘉および「美共闘」の議長であった堀浩哉の文章から引用してみよう。

僕らが「美術家」という体制の側から与えられた言葉に自らを据える時、おそらく、どんな根元的な問いかけも発せられることはないであろう。「美術家」という位置に封じ込められている限り僕らの問いかけは、「いかに」というテクニックの部分か、あるいは身の回りの個別改良という域を決して脱する事はできないであろうというのが僕らの最初の出発点でなければならないと思います。（中略）それではなぜ「美術家」であるのか？ それは僕らの戦場の問題だと思います。僕らは美術家に留る必要はないし、僕らはいかなる場に身を置く事もできるだろう。そして今、僕らのあらゆる問いかけは、名付けられる以前の僕、僕らからしか発せられないのだ。が、しかし、僕達は「名前」からのがれることはできるだろうか。この世界に生きている僕らは、与えられた名前を逆手にとってしか、具体的に闘うことはできないであろうと思います。今、美術家と呼ばれているなら、そこが戦場だ。

（堀浩哉、美共闘一九六九年七月二十日発行のアジビラから──『反覆』に収録）

僕は、歴史的には、芸術至上主義と日本近代美術を継承するゆえに、背理するものであろうとしている。社会的には、美術家、あるいは画家と名のり、そしてそのように呼ばれるところからしか、自らを展開していない。このような名称は当然僕自身と背理する関係にある。

芸術という称号についても同じようにいえる。僕はその称号からしか自らを展開しないが、僕の表現なり、表現された表現とその称号とは、背理する関係にあると。

（彦坂尚嘉「戦略的後退期の終焉」、『美術手帖』一九七一年三月号――『反覆』に再録）

〈制度〉としての美術をまず断念したのだ。ここでいう〈制度〉とは名付けによってしか成立しない世界総体のことである。断念によって美術は美術と呼ばれる名を失い、名称と名称の関係としての世界に具体的に存在する場を失った。場を失うことによって作る行為は、作ること自体の自己解体におちいり「作ること」そのものと対峙してしまうことになる。作る行為が「作ること」そのものと向きあってしまうという事態。（中略）たとえば、私の全存在と現実世界との関係の支点をある一点に仮設し、しかる後にその一点がくるりと存在の側に向き直ってしまったとしたらどうだろう。（中略）そうした一点として美術と呼ばれる場を仮設していたことによって、この二年間作ることをしなかった私は、逆説的に美術家であるのだ。

逆説的な美術家である私は、このような事態から、一つの創造原理を引き出さなければならないのだが、私の前提が「〈制度〉としての美術の断念」としてあった以上、それは〈制度〉的なるものを丸ごと否定する革命の運動の組織原理と同位のものとして措定されなければならないだろう。

（堀浩哉「表現と芸術のあいだ　I」、『美術史評』第一号、一九七一年一月）

ここで語られているのは、要するに、ひとつは制度としての美術の総体を断念し否定することは、単純なダダ的な芸術否定やタブラ・ラーサではありえず、そこにとどまるものではありえず、その先までいかざるをえない、いかなければ否定がトータルたりえないということである。単純に否定するだけ、ただ否定を叫びたてるだけなら、たやすい。だが、否定だって無原則的・無前提的にはなされえまい。無菌の真空状態のなかでなされうるわけではない。否定の対象は、かならずある特定の時代の特定の場所の美術であるわけだし、否定する側もある特定の場所に依拠してしか、否定の矢を射かけることはできない。否定がトータルたりうるためには、そうした歴史的規定性をふまえるべきで、かつ、根源的な制度性の基底にまでメスが及ばなければならない。「今、美術家と呼ばれているなら、そこが戦場だ」、「芸術至上主義と日本近代美術を継承する」、「逆説的な美術家」、こういったことばには、「美共闘」が歴史的規定性から眼をそらさずに、正当な歴史主義的立場を自覚的にえらびとっていることが、はっきりあらわれている。

ここで語られているもうひとつのことは、根源的な制度性にまでメスが及ぶこの否定は、いうまでもなく自己自身にも同時にかえってこないわけにはいかず、自分が作品を制作するということそれじたいにまで及ばないわけにはいかないということである。そこから、作ることそれじたい、これまでわたしたちがかんがえ呼びならわしてきた意味での「制作」の喪失をおそれていたのではこの否定の貫徹はかなわないという、彼らの自覚がやってくる。否定を口にすることはたやすい。それは、否定を口にしたその舌がまだ乾かぬうちに、もうひとつべつの、新しい表現と称するものを、手のひらをかえすように提示するのがたやすいのとおなじなのだ。しかし、「美共闘」がつきつけてみせた否定の位相は、そんな安全な否定ではなく、美術そのもの、制作それじたいを喪失してしまうところにまで降りたった否定の位相にほかならない。「逆説的な美術家」であるほかないところで美術家たることをひきうけていく状況下で、作ることじたいの根底を問いなおしていったときに否応なくつきあたった、制作そのものの喪失なのである。

そして、これは「美共闘」によってあきらかにされたことであると同時に、時代の必然でもあった。「美共闘」はたしかに時代に強いられて登場したのだ。時代はおのれに必要なものをかならず投げてよこす。投げられたものをまともに受けとめるか、受けながすか、不意に背後から打たれるか、バッサリやられてしまうか、反応はさまざまでありうるだろう。だが、ほんとうはどのばあいも、時代に強いられているのではないのか。

美術の喪失

彦坂は、「美共闘」がみずからの歴史的位置をふまえて、根源的な制度性の認識からどのように制作概念の喪失に直面し、そしてそこからどうやってプラークシス(実践)へと歩みだそうとしているかについて語っている。

六〇年代末期から七〇年代初頭にかけての日本概念芸術の非物質主義と日本もの派の物質主義の対立状況は、前者は松沢宥によって後者は李禹煥によって、表現それ自体を観念論的に神秘化するところにまで至っていた。両者の対立する観念論的な神秘主義の外に、表現それ自体をつれだすところから、わたしたちはみずからを始めなければならなかった。そのためには表現それ自体を、ただ客体の、または観照の形式のもとでのみとらえるのではなく、表現を感性的人間的な活動・実践として、主体的にとらえる必要があった。しかしアクション・ペインティングやアンフォルメルがそうであったように作品を行為に還元することからすべてを始めなおすことはもはや不可能であった。なぜなら松沢や李はこのような行為に還元された表現それ自体を、ただ客体化し、観照の形式のうちでのみとらえることによって神秘的自然主義へと超脱するための道具と化してしまっていたからである。したがってわたしたちは、表現を神秘主義の内からつれだすためには行為そのものをまず感性的人間的社会的な活動・実践として主体的にとらえなおす必要があった。わたしたちは、今日、〈文化—内—存在〉としての美術家が、行為されるべきなにものかを垣間見ていたとしても、いまやそれは逆に、美術の位相からの社会的実践そのものによってしか、そして実践が出会(でく)わす出来事においてしか、生まれ得ないと考えた。しかしこのように考えることは、わたしたちが制作という概念を失うことでもあった。わたしたちは表現を組織化してゆく実践(プラクティス)によってしか、そしてこの実践が出会わす出来事においてしか作品を成立させ得なくなったのである。

制作概念の喪失は美術家にとっては大きな痛手である。しかしこの一時的な喪失によって、日本概念芸術の非物質主義と、日本もの派の物質主義の対立の外に、わたしたちは出たはずである。なぜならわたしたちの実践(プラクティス)が出会わす出来事は、出来事が実体でも偶有でもなく性質でも過程でもなく物体の秩序には属していないにもかかわらず、それは決して非物質的なものではなく、それはいつでも物質性のレヴェルで結果を生み、結果となるのである。非物質的物質主義とも言うべきわたしたちの表現は、わたしたちが言い切る言葉の非洞察性から出発し、具体的な表現の組織化の実践(プラクティス)と、この実践の実践化による物質的な諸要素の連関、共存、分散、再切断、積み重ね、選択などのうちに、わたしたち一人一人の表現する主体の独自の場所が指示(インストラクト)され、物質的拡散の、拡散のうちで結果として作品が、一人一人の作者の名前を受け入れるような領域として生みだされるからである。

(『反覆』)

プラークシスの問題についてはは後にとりあげるとして、当時の美術状況の最深部で起っていたのは、じつは、この制作概念の喪失という事態にほかならなかったのではないか。たとえ一時的なものにせよこの制作そのもの、制作概念そのものの喪失こそ、日本概念派および「もの派」による極限化の結果として露呈していた事態であり、そして「美共闘」によって明確に論理的にあきらかにされた事態だった。つまり、戦後の日本の美術の流れが、一九七〇年の初頭にいたってはじめて触れることになった、みずからの最基底部にほかならなかった。当然、ことは「美共闘」および「七〇年代作家群」にとってのみの問題ではなく、日本概念派および「もの派」の作家たちを含めた当時のすべての美術家にとっての問題だったし、「七〇年代作家群」以降の美術家にとっての問題でもあるだろう。日本概念派および「もの派」にしても、このような意味での制作の喪失からそう遠いところに居たわけではなかった。ただ、それを、このような意味に理解することはしなかった、できなかったということだろう。松澤宥の「芸術の消滅」にせよ、李禹煥の「世界との出会い」にせよ、菅木志雄の「無名のものたちの放置状況をながめる」ことにせよ、いずれも制作の喪失や否定を、前提ないし結果としてはらむものだったということはできる。すくなくとも、旧来の表現における制作概念にたいする疑義を発したという点では共通するところがあった。

そして、実作者にとって制作概念の喪失とはそのまま美術じたいの喪失を意味するなら、そこで直面していたのは、とりもなおさず「美術」そのものの喪失にほかならない。西欧的な意味での近代美術、その基盤のうえにたって展開されてきた近代日本美術における美術そのものの、崩壊であり喪失だったのではなかろうか。永遠の芸術というのも幻想だが、芸術の終焉という幻想もすでに相対化されてしまっている（芸術が存在しないことは不可能であるがゆえに）。にもかかわらず、というよりもそれだからこそ、七〇年代初頭に美術の最深部で起ったこの喪失は、終焉幻想にとらわれずに理解される必要がある。つまりそれは、近代美術の終焉などということではなく、近代日本が否応なくかかえこんでしまってきていた美術概念、錯誤にみち矛盾にみち基盤すらはっきりはしていなかった美術概念そのものの幻想性の洞察と、そこからの脱却を意味していた。日本の近代の美術の固有の文脈を自覚したために、固有性に無自覚なまま幻想性に終始していた美術を喪失する地平にまであえて出てしまう実践を、意味していたのである。しかし、まったく不思議なことに、「美共闘」を除くと、当時このことはほとんどまったく洞察されていた形跡がない。だが無意識のレヴェルでは、多くの実作者たちによって、程度の差はあれ、感受されていたにちがいない。そして、誰がなんといおうと、わたしは評論家や凡百の美術家よりも、少数ではあってもすぐれた美術家の、鋭い直観力と洞察力のほうを信じている。信はそこにしか置いていないとすら言ってもいい。あのとき、制作概念の喪失の体験と認識をとおして美術そのものの崩壊と喪失を自覚し、ことばによって表明しえたのは、「美共闘」の作家たちだけだった。しかし、潜在的には、もう少し多くの美術家たちが、ほぼ同様の認識にいたっていた。

日本概念派と「もの派」がたちいたった美術の極限化の状況――直接的にはそれが美術そのものの喪失をもたらした。だが、この極限化状況は、西欧的な美術概念しか念頭にないようでは、理解できないだろうし、誤解してしまうだけだろう。また、まぎらわしいことに、ちょうどほぼ同じころ、欧米ではミニマル・アートやコンセプチュアル・アートというべつの極限化が起っていた。そのため、日本概念派や「もの派」のなかにある種の極限化を感じとりえたばあいでも、それは欧米における極限化に即応ないし対応するものとみなしたほうが、てっとりばやいし容易だった。じじつ、ほとんどそのようにしか理解されなかった。そして、そのばあいには、この極限化も結局は「芸術が存在しないことの不可能性」のなかに包摂してとらえる以外にはなくなり、そのとき、極限化は喪失の自覚への道をきりひらくものとしてではなく、芸術への回帰をうながすものとしてとらえられてしまったようにおもわれる。しかし、そうではなくて、この極限化状況は日本の戦後の現実のなかで、その固有の文脈において理解されなければならなかった。美術そのものの喪失を露呈するものとして把握されなければならなかったのである。そして、日本概念派および「もの派」の当事者たちの意識は、そのすぐ前まで接近しながら、ついにそこまでは及ばなかったといわざるをえないにしても、その結果あらわになった地平は、当事者たちの意識を超えて、ほとんど美術そのものの喪失の地平にほかならなかった。日本概念派の多くはどちらかというと西欧的な美術概念にとらわれていたが、それにたいして「もの派」は、自分たちの固有の文脈のなかからしか美術の制作はできないという、かなり明瞭な意識をもっていた。だが、「もの派」はそこから喪失の契機(ないし自覚的な喪失の契機)をつかみとるにいたらなかった。なぜか。

簡単にいえば、喪失だとおもっていなかったからだろう。この極限化が喪失をもたらさずにはいないとはかんがえられなかったからだ。李禹煥のように芸術ではなくて世界との出会いを揚言するにしても、菅木志雄のように芸術および芸術品の概念の対極にものや状況の概念を置くとかんがえるにしても、いずれにせよ、芸術の否定の思想をはっきりとはらみながらも、否定の対象たる芸術の概念になお強く拘束されていた。つまり、否定の対象たる芸術の概念の内実を、きちんと分析できてはいなかった。そのために、否定の対象たる美術概念それじたいがあいまいなままだった。「もの派」がつくること、創造そのものを否定したことを、ここでおもいおこしていただきたい。問題は、否定の対象となった創造の内実が、ここでも明確に歴史的規定性の視点をふくめてとらえられてはいなかったところにある。そして、創造以後の創造があまりにもナイーヴに信じられていたために、否定した創造にたいしてもうひとつの反措定としての創造をうたったにとどまりかねなかったがゆえに、創造の否定という、実作者にとっては死を意味するにひとしい事態の重大な意味が、つまりその喪失の痛みが、根源的なものとして自覚されなかったところにある。創造の否定——言うだけならたやすいことだ。しかし、創造そのものを否定することは、それにとってかわる新種をぶちあげるためにすぎないのではないとしたら、爾後、永遠に創造を喪失してしまうこと、創造の永続的喪失をひきうけることにほかならないのではなかろうか。どんなばあいでもそうだというのではない。だが、七〇年代初頭において、美術創造の概念そのものの否定はそのまま、矛盾の総体としての近代日本美術そのものを、すくなくともいったんは、喪失せざるをえないことを意味していた。そうでなければ、否定しても否定にはなりえなかった。なによりも不可解だったのは、「もの派」による否定には喪失の痛みがほとんど感じられなかった点である。萱木志雄の文章にそれを感得しうる以外はまったくなく、「もの派」に自覚的な喪失の契機はもとめようもなかった、というのが実際のところだろう。にもかかわらず、「もの派」(および日本概念派)によって日本の美術がたどりついた地点は、いちばん本質的な地点にほぼかさなっていた。ということが、「美共闘」がそこを白日のもとにえぐりだして「もの派」に痛烈な批判をなげかけたことによって、すなわちそれを「喪失」の位相からとらえかえしたことによって、かえってあきらかになったということができる。

「美共闘」にそれができたのは、美術とその概念もまた、ある特定の地域においてその固有の文脈に規定され(またみずからその固有の文脈をつくりあげながら)、歴史的に形成されてきたものであるという事実を、正しくふまえていたからである。それをわたしは正当な歴史主義と呼ぶのだが、本来は、あえて歴史主義と呼ばなくても、常識というべき事柄だろう。だが、じじつは、「具体」以降この常識が常識となっていなかった。この歴史的な視点が欠如していた。美術以外の分野の人なら、そんな馬鹿なことがとおもうだろうが、これが事実なのである。もちろん、責の大半は実作品よりも、(むろん実作者によるものもふくめた)言説のほうにもとめられるだろう。実作は、いくら非歴史主義ないし反歴史主義をいだく作家によるものであれ、必然的にある特定の時代と文脈を実現してしまうものでありうる。たとえその結果としての作品が無残な水準のものでしかないにせよ、だ。問題は、美術の歴史的規定性にあまりにも無自覚だった言説のほうにある。「具体」以降の現代日本の美術、というより美術をめぐる言説は、基本的に非歴史主義的なものだった。実作者たちが、彼らの作品を歴史的な視野のなかで正当に位置づけてくれる批評を期待していなかったはずはない。だが、日本の美術批評は、欧米の最新動向の把握とその日本への適用に忙殺されて、自国の動向にはまともな対応すらできずに終始してきている。ましてや、そこに一貫した固有の流れを読みとるという発想すらもちえなかった。この視点をはじめて自覚的に導入したのが、「美共闘」だった。そのとき、日本概念派と「もの派」がもたらした美術の極限化が、じつは美術そのものの喪失の状況を意味していることがあきらかになった。

だが、なぜ「喪失」なのか。なぜ、それは喪失とならなければならなかったのか。それは、日本概念派と「もの派」が既成の美術を否定したそのさきにくるあらたな美術として、みずからの活動をかんがえていたのにたいして、「美共闘」は、「もの派」までの近代日本美術の延長上にではなくて、その外に出ようとしたからだ。すなわち、自己の矛盾的性格という固有性と歴史的規定性に盲目のまま走ってきた近代日本美術、それをたんに否定して、みずからは別種の美術をめざそうというのではなくて、批判的・否定的に継承するがゆえに徹底的に解剖してみたときに、近代日本の美術概念（思考―制作―作品）を相対化して、その外に出るほかはなかったからである。その結果、「美共闘」は制作の契機を、つまり美術を喪う。喪ったところで、しかし彼らには、近代日本の美術概念の矛盾性、虚妄性のすべてが相対化されてはっきりと見えた。そこまで徹底しなければ、近代日本の美術の総体をとらえかえしてその根をつきとめることはできなかった。これは、ダダ的な否定でもなければ、タブラ・ラーサでも、「もうひとつのべつの美術」の主張でもない。あえて矛盾するいいかたをいとわないで言えば、のがれるわけにはいかない近代日本美術という固有の文脈をひきうけるからこそ、その文脈のなかでその外へ出よう、とすることである。このようなパラドキシカルな事態は、美術にかぎらず、日本の近代化（西欧化）過程のなかではふつうのことで、避けて通ることもできないことだった。戦後の美術については、やっと「美共闘」によって、はじめて正当に把握され、ふまえられたにすぎないともいえる。

制作の喪失、そして美術そのものの喪失──それは「美共闘」によってこのように負の方向において把握された。それは、もちろんそれで正当なことだった。だが、十数年をへたいまからふりかえってみるなら、このとき「美共闘」によって喪失としてあらわにされた位相、いいかえれば日本概念派と「もの派」による極限化の状況が喪失としてとらえかえされたときに全面的にあきらかになった位相こそ、近代日本の美術が歴史上はじめて、掛値なしに独自の美術、固有の文脈に根をおろし、かつ表現の世界的・同時代的水準をふまえた美術と呼びうるものを生みだすことができる地平にほかならないといえるのではないだろうか。これが、「類としての美術」の位相にほかならない。

Ⅱ　類としての美術

西欧の論理

わたしのいう「類としての美術」は、もちろん、仮の用語にすぎない。日本の美術の特殊な位相をとらえるための、いわば作業仮説として提供しているものである。「日本の現代美術」と呼ぶよりは便利だし、実体にも即しているはずである。もっと適切な用語を見出すことができないので、とりあえずこの語に付合っていただくほかはない。さしあたって、あくまでも符牒として用いることにして、その意味を説明する。
論理のレヴェル、概念のレヴェルでいうと、「絵画・彫刻」を種概念とすれば、それを包括する上位概念たる「芸術」は、それにたいする類概念の関係にある。だが、実体のレヴェルでいうと、存在しているのは「絵画」と「彫刻」で、「芸術」は存在しない。「芸術」は総称語であり、「絵画・彫刻」を包括する上位概念としてあるだけである。この点に、まず留意しておく必要がある。

たとえば、「絵画・彫刻」の枠を逸脱するような作品を、近代西欧の論理はどう理解し、どう整理してきたかをかんがえてみる。具体的には戦前のダダ、戦後のネオ・ダダ、ヌーヴォー・レアリスム、ポップ・アート、フルクサス、ジャンク・アートから「環境芸術」へといたるさまざまな動向のなかで、数かぎりなく生れた「絵画・彫刻」の枠をはみだす作品群がそれだが、近代西欧の論理は、つねに、そういうものを芸術概念の外延をひろげることでなんとか芸術の枠のなかにとりこもうとしてきたといってよい。それも芸術である、あれも芸術である——というわけである。外延を拡大するといっても、もちろん無制限に可能なわけではないが、あくまでも「形体」と「視覚」にかかわるものであるかぎりという、共通の了解が底にはあった。そのかぎり、結果としての作品が絵画や彫刻の従来の形状をこえるものだったとしても、それは、「平面作品」「立体作品」「二次元的作品」「三次元的作品」「立体造形」「造形作品」「環境的作品」「インスタレイションによる作品」

等々というように、いわば名称の射程を拡大させていけば、対応が可能だった。簡単にいうと、「絵画」や「彫刻」の意味内容をひろげれば、それですむわけだった。

そうもいっていられなくなるのは、「概念芸術」によってである。なぜなら、概念芸術とは、すくなくともその最も典型的で極限的なかんがえかたをあらわにした「分析的概念芸術」[3]とは、まさしく「形体と視覚」の埒外に美術の活動をもっていこうとした、美術を形体と視覚からときはなって精神の活動たらしめようとしたものだったからだ。ジョゼフ・コススは次のようにいっている——

いま芸術家であるとは芸術の本質を問題にするということを意味しています。もしも絵画の本質を問題にしているのなら、芸術の本質をも問題にしているということにならざるをえません。ある芸術家が絵画（あるいは彫刻）というものを受容れるとしたら、彼はそれにともなう伝統をも受容れているのです。その理由は、芸術という言葉は総称的だが絵画という言葉は個別的だからです。絵画は一種の芸術なのです。もしもあなたが絵を制作しているとすれば、あなたはすでに芸術の本質を容認している（問題にしているのではなく）ことになるわけです。人はかくして「絵画＝彫刻」[4]二分法というヨーロッパ的伝統たる芸術の本質を容認していることになるのです。

哲学と宗教以降という、人類のこの時期にあって、芸術とは、時代がちがっていたら「人間の精神的必要物」と呼ばれたかもしれないものを実現するひとつの営為になりうるかもしれない。あるいは、また別様にかんがえてみるなら、哲学が所説を立てねばならない「科学を超えた」ところで芸術も事物のありようを同様にして取扱うのだ、ということになるだろうか。そして芸術の強さは上述のこうした文章でさえひとつの所説であって、芸術によっては立証されないというところにある。芸術の唯一の要求は芸術のためのものなのだ。芸術とは芸術の定義なのである。(5)

コススにとって芸術(美術、ではないことに留意しよう)とは、形体と視覚にかかわるものであるどころか、宗教と哲学の終焉のあとそれらを襲ってそれらのかわりに精神的な活動としての位置を占めるべきものであり、したがって芸術をめぐる言説、芸術とは何かという定義づけこそが芸術の活動にほかならないことになる。こうした概念芸術にあっては、結果である作品も「造形」を感じさせるところのほとんどないもので、「言葉」とか「写真」を媒体としたものだった。そして、それはたしかに、「絵画」とか「彫刻」とは呼びがたいたぐいのものだった。ではいったい何と呼ばれたか。「芸術 art」と呼ばれたのである。ここで、注意されなければならない点が三つある。

第一は、ここでいう「芸術」とは、「絵画・彫刻」を逸脱するもうひとつの芸術のありかたという意味で理解されたものであり、ないしは（主として実作者の側の意図としては）、芸術であろうがなかろうが、つまり形体と視覚にかかわりがあろうがあるまいが、とにかく精神の活動のありかたのひとつを指すものという意味で主張されたものであり、いずれにしても「絵画・彫刻」（芸術）と等位のものとして、等位のレヴェルでかんがえられている、という点である。

第二に、したがって、それは「絵画・彫刻」を包括する上位概念としての「芸術」という意味で言われているのではないということである。絵画と彫刻とをふまえて、それらを（否定をとおしてにせよ）綜合する位相へと、芸術を展開させるというのではない。そこでめだつのは、むしろ、「絵画・彫刻」からなんとか身をふりほどいて自由になりたい、そして「絵画・彫刻」とは無関係のことをやりたいといった欲求、焦慮だといったほうがいい。この欲求ないし焦慮は、かえってしかし、なお「絵画・彫刻」に強くとらわれていて、そこから自由にはなりえないことを証明してしまっている。そのため、「絵画・彫刻」を超えるものを志向しながら、結果的には、「絵画・彫刻」と等位ないし同格という意味で、「芸術」という用語をもちだすことになった。芸術も一種の芸術である、ほかはない。

そして第三に、コススにおいて、そして全般的に概念芸術において用いられている「美術」とか「芸術」という語のあいまいさ、用法のあいまいさがある。コススそして概念芸術において、「芸術とは芸術の定義である」とか「芸術家が芸術といえばそれが芸術なのだ」と言明されるばあい、その「芸術」とは原語では「art」である。ところで欧米の言語で「art」といえば、それは、「技術」という語義をべつにすれば、「fine art（美術）」か「芸術（一般に人間が何かをつくりだすことによる表現）」のどちらかを主として意味し、後者はふつう総称的な意味で使われる。だから、概念芸術が、コススの主張するように「人間の精神的必要物と呼ばれたかもしれないものを実現するひとつの営為」だとするなら、「芸術」とは呼ばないほうがよい。まぎらわしいからだ。にもかかわらず「芸術」と呼ぶのは、やむをえないからであり、名称というものからのがれることができないからだが、そのとき、それは、総称的な意味での「芸術」ということばを特定し、個別的な意味のものにしようと試みることにほかならなくなる。あいまいになり矛盾してくるのも、あたりまえといえばあたりまえである。しかし、ほかには呼びかたがないから仕方のないことでもある。「art」と呼ぶのでなければ、「painting（sculpture）」と呼ぶしかないということである。

ここでわたしは、「芸術・美術・絵画（彫刻）」の用語法をめぐる彼我のちがいに注意をうながしたい(6)。欧米語では、総称は「（fine）art」であり、個別的な呼称は「painting: sculpture」である。これにたいして日本語では、はじめは欧米語で、それを翻訳したものだが、総称は「美術」であり、個別的な呼称は「絵画・彫刻」である。ここまでは同じようにみえる。しかし問題は、欧米語では、「painting」や「sculpture」を逸脱するものは、まったく新たな呼称をつくりだし（ないしは援用し）て「painting: sculpture」と等位におかなければならない。そうしないで、「conceptual art」のように「art」という語を用いてしまうと、総称としての意味が混入しないわけにはいかない。また、「art」と「fine art」の区別がそれほど強くなく、「fine art」がしばしば「art」で代用されるから、「painting: sculpture」の総称がふたとおり可能だというあいまいさが生じやすい。これにたいして日本語では、「芸術」と「美術」の区別はかなりはっきりしているといってよい。つまり、式になおせば「art≧fine art」にたいして「芸術＞美術」という関係になっている。conceptual art の不幸とあいまいさは、「絵画・彫刻」を逸脱するものを、その一段階上の上位概念たる「美術」という語でせきとめることができずに、論理的に無理なために、いきなり総称の art で呼ぶしかなかったところにある。しかし、日本語においては、「美術」でせきとめることができるし、「美術」と「芸術」を明確に区別して用いることができる。

　要するに、西欧においてはじめて、本質的な意味で「絵画・彫刻」を逸脱するかにみえた「概念芸術」も、結局は「絵画・彫刻」と等位のところに収束させられてしまうほかはなかった。しかし、概念芸術が「形体と知覚」の外側へと美術をもっていこうとしたこと、その可能性をもっていたこともたしかである。むしろ、実際には外側に逸脱しているのに、うまくつかまえることができなかった。それは、「絵画・彫刻」を逸脱するものを許容できない西欧の論理の構造のためであり、その規範力の強さのためである。

それならば、もしも「美術」（＝「芸術」ではなく）が概念としてではなく、実体としてありうるとしたら、つまり、「絵画・彫刻」およびそれを逸脱するものの双方を同時に包摂しうる位相としての「美術」が実体としてありうるとしたら、そのためにはどんな条件が必要なのだろうか。

日本の現実

もちろん、ひとつの可能性としては、「絵画・彫刻」を完全に廃棄することができるなら、論理的には、実体としての「美術」の位相もかんがえられるだろうが、それは西欧の論理構造、思惟構造そのものの革命が起らなければ事実上は不可能である。とすれば、もうひとつかんがえられることは、西欧的な意味での「絵画・彫刻」をもともともっていないところでならそれが可能かもしれないということだ。ただし、どのようなかたちによるにせよ、西欧の美術概念を導入していないところでは、こういうことを問題にすることじたいが意味をなさないから、これは、西欧の美術概念を導入していながら、なお固有の美術を生みださざるをえないという課題を負っているところでしか可能ではないだろう。さらに、こういう課題を背負いこまなければならないとは、要するに美術の長い伝統を有しているからにほかならないからだとすれば、たとえば東アジアのなかなら、地域（国）は限られてくる。すなわち、他の地域（国）のことはともかくとして、これはまさしく近代日本のことにほかならないのであり、近代日本の文脈のなかでなら、「美術」を実体として想定するということが、可能になってくる。

ここでは、近代日本美術全体を、西欧化一辺倒（および、その逆の排外主義一点張）の視点からではなく、西欧化と土着性のブレンドの割合をどのくらいにするかといった折衷主義の視点からでもなく、根本的にちがう立脚点から見直すことをもとめられている。いいかえれば、西欧から輸入された「絵画・彫刻」に眩惑され、以前から日本に存在していた「絵画・彫刻」との落差には眼をつぶって、西欧の「絵画・彫刻」概念をそのうえにかぶせてしまったために、西欧美術の移入・定着・展開の観点からのみ美術の流れを裁断してためらわなかったという、日本における近代美術史上および美術批評上の常識（＝通念）そのものが、俎上にのせられなければならない。したがって、なによりもこの落差を凝視するところからはじめるべきだろう。そうすれば、明治から現在にいたるまでの近代日本美術とは、西欧化や折衷の歴史ではなく、伝統的な美術でも西欧的な美術でもないものを、実現しようとしてきた歴史であることがわかる。西欧化と土着的なもの、ヴァーナキュラーなものとの矛盾・葛藤は、どちらかに一元化してしまえば、問題は解決されずに本質が脱落してしまうわけだし、折衷に走っても結果はおなじである。つまり、あらたなる綜合の地平をきりひらかないかぎり、西欧化に犯されつづけるか、排外主義の狂信にこりかたまるか、折衷でお茶を濁すかの、いずれかの方途しかのこされてはいないのが、近代日本のすでに見飽きた宿命である。だが、この矛盾・葛藤のなかで近代日本美術が実現しようとしてきているもの、その綜合の地平に見出しうるもの、それこそが実体としての「美術」であり、「類としての美術」にほかならない。

「類としての美術」――それは欧米においては事実上不可能だろう。かんがえる（措定する）ことじたいが不可能かもしれない。欧米では、それは実体ではなく概念、「絵画・彫刻」にたいする上位概念としてしか理解しようがないからである。では、もともと西欧的な意味での「美術」というものをもたず、伝統へと一元的に回帰することもできないという状況のなかで「表現」を模索してこなければならなかった、きわめて特異な文脈を本質としてきた近代日本において、「表現」とはいったい何だったのか。「絵画」であり「彫刻」なのか。しかし、躓きの石は、それを「絵画・彫刻」と名付けてしまわざるをえないということそれじたいのなかにこそ潜んでいたと、なぜかんがえてはみないのか。実作者が現実に日々の制作の場でぶちあたっていたのは、あっさり「絵画・彫刻」と名付けてしまえばそれですむような、簡単な矛盾・葛藤だったとはとうていおもえない。それですむような画家の作品など、どうせタカがしれている。じっさいには、そんなことではおさまらないところで実作者たちは模索の苦闘をつづけてきたはずだし、いまもつづけているはずなのだ。

だから、模索されてきた「表現」のいちばん本質的な姿は、西欧の油彩画をどこまで理解して消化したかとか、質の高い洋風画がどれだけ描かれたかというようなところにみとめられるのではない。かえって、「絵画・彫刻」にまで到達しなかったような苦闘とか、「絵画・彫刻」を逸脱してしまったような試みのなかにこそ、みとめることができると言わなければならない。もとめられているのは、近代日本美術史の従来の通念とは基本的にことなるこのような視点に立ってものをみることであり、そしてこの視点に立てば、流れの底でじつはつねに模索されてきたこの「表現」の位相が、まったく違う姿のもとに見えてくる。近代美術が模索してきた「表現」とは、「絵画・彫刻」ではなく、それを逸脱しまた超えるひろがりをもった、「美術」そのものである。下位概念として「絵画」や「彫刻」といったジャンルをしたがえた上位概念としての美術という意味ではなく、むしろ、「絵画」や「彫刻」とのそういう対応関係をはじめから想定しない（なぜなら近代日本の文脈においては「絵画・彫刻」はア・プリオリに存在していたわけではないからだ）、端的に「美術」と呼びうるものである。さらにいうと、それは、「絵画・彫刻」の一歩外側へ出たところでなお「絵画・彫刻」を包括しうるような位相をもった「美術」にほかならない。この位相をさして、とりあえず「類としての美術」と呼びたい。それは、「絵画・彫刻」の意味が、したがって従来の「美術」の意味がひとつ「けたあげ」された位相だということができる。「もうひとつ別の」という意味ではなく、「外の美術」というように呼んでもいいのかもしれない。

近代日本美術において、「美術」の概念と実体を、このような意味で措定し検証することができる。欧米においては不可能だろうが、「美術」と「芸術」とを明確に区別して使用することができる日本語の文脈においては、十分に可能だといってよい。そのようにとらえなおさないかぎり、近代日本美術の全容と体質を、過不足なくつかまえることはできないのではないか。いま肝要なのは本質をとらえることで、枝葉はあとからついてくる。美術上の事象と作品を網羅的に羅列していけば、通史ができあがって全容を示しうるというのは、まったくの幻想にすぎない。わたしたちは、否応なくあるなんらかの特定の立脚点をえらびとり、それに依拠するところからしか、はじめることはできない。ある特定の視点という不可避なものを回避して、客観的な歴史の画餅なるものを虚空におもいえがいてみたところで、くちくなるのは当人の腹だけで、現実も作品も実作者も観客も、なんらみたされることはない。というのが、近代日本美術史をめぐる言説の実情にほかならない。

もちろん、通念をはなれてものをみるのは、「絵画・彫刻」に骨の髄まで犯された頭には、そう簡単なことではないだろう。しかし、模倣と追随、排外主義、折衷は、もう沢山である。西欧化という必然の事態をもくりこみうるところで、近代日本の美術に固有の文脈とは何なのかということを、なんとか探っていくほかはない。そのためには、意識することすらなくあたりまえとおもいこんでいた、発想の土台を自覚的にあらいなおすことが、まず必要だろう。不思議なことに近代日本美術（史）をめぐる言説において、従来いちばん欠けていたのが、このことなのである。

歴史的検証

こういう視点からみると、戦前・戦後という区分にはさほどの根拠をみとめられない。むしろ、戦前期というよりも、大正初年くらいまで（第一次世界大戦の頃まで）、つまり開国から約五十年間をまずひとかたまりとして把握することができる。それは、西欧の美術との最初の接触による衝撃と混乱に支配されていた時期、黎明期だといってよい。急速に西欧化・近代化をすすめて富国強兵をはからなければならないという至上命令の国策にともなって、美術の分野においても、西欧の美術概念が急速に浸透していく時期である。もちろん紆余曲折はあったが、大勢としては西欧化を受容れていった。西欧美術との接触は、一五四九年のフランシスコ・ザヴィエルの来日、そして江戸中期以来の蘭学の導入まででさかのぼる。しかし当面の時代についていえば、大筋としては西欧化の道をすすんでいった。それは、幕末期の開拓者川上冬崖（とうがい）の活動、明治九年（一八七六）に来日したアントニオ・フォンタネージの活動、高橋由一（ゆいち）による写実画風の確立にはじまった。そして、明治十年代後半期の岡倉天心、アーネスト・フェノロサによる民族主義のゆりもどし（もちろん、その背景には不平等条約改正の要求などにみられる、欧化政策にたいする政治的・

経済的・社会的な民族主義のゆりもどしがある）をうけたあと、明治二十二年（一八八九）の明治美術会結成による洋画家の大同団結があった。ついで、外光派の流れをくむ白馬会（明治二十九年結成）系と太平洋画会系とのあつれきをへて、明治四十年（一九〇七）には文展創立による再度の大同団結をみた。さらに、そのなかの先鋭的な部分は、大正三年（一九一四）に二科会を結成していくという、西欧化の流れである。

この間のナショナリズムの側からの反発にしても、天心とフェノロサが、新興の洋画とだらけきっていた文人画の双方を排して、近代日本に日本画を再興させようと主張したことにもみられるように、日本画の近代化は主張しながら、もうひとつの近代化＝西欧化、すなわち西洋画の導入のほうは排斥してしまおうとするものだった。その意味で、バランスを欠いていた。つまり、西欧化もまた必然であるほかはないという観点をふまえたうえで、自国に固有のものを創出していくという発想にまでは、とうてい到らなかった。とすれば、欧化主義か伝統主義かという二者択一のパターン、近代日本の美術家たちを色分けしていくことになるこの心的なパターンは、この時期に定まってしまったということができるだろう。ましてや、この段階まででは、絵画や彫刻というばあいの彼我の落差は、ほとんど自覚されることがなかった。見方によっては、これは奇妙きわまりない事態である。現実には彼我の絵画・彫刻の落差は非常に大きく、それがおびただしい悲劇、喜劇、悲喜劇をもたらしていたからだ。たしかに、天心とフェノロサは西欧にはない日本の伝統として日本画を顕揚したが、注意しなければならないが、西欧化も不可避だったときに伝統主義だけをふりまわしてみても、それは偏狭な排外主義にすぎない。そして排外主義とは、落差を自覚することではなく、落差に眼をつぶって跳びこえてしまうことだった。追随から折衷にわたる欧化主義が、逆の方向から、やはりこの落差を真正面からはひきうけなかったという事態が、それに対応している。

次に、この約五十年につづく時期についてみてみよう。もちろん、すでに大勢がさだまった二者択一のパターンは踏襲された。そして、現在までわたしたちがとらわれつづけている通念によれば、その流れが近代日本美術の歴史だとされている。しかし、大正初年以降になると、さらにもうひとつのべつの要素、新しい事態があらわれてくる。すなわち、西欧の最先端、最先鋭の美術動向がはじめて同時代的に自覚され、導入されたということ、それによって「前衛」の意識が確立していくことである。それまでは、たとえば外国の地を踏むことのなかった高橋由一は『Illustrated London News』特派員の素人画家チャールズ・ワーグマンやバルビゾン派の亜流画家フォンタネージらから学ぶほかはなかった。在外体験のある画家でも、黒田清輝から藤島武二にいたるまで(前者はフランスのアカデミズム画家ラファエル・コランに、後者はパリではエコール・デ・ボザールのフェルナン・コルモン、ローマのフランス・アカデミーのカロリュス・デュランに師事した)、同時代の西欧の美術表現の最先鋭、最高水準のものを学んだとは言いがたく、むしろアカデミズムを身につけて日本に帰ったのだった。印象派の移入も、やっと明治末年になって、『白樺』や『スバル』といった雑誌による紹介活動、および新帰朝者たち（高村光太郎、津田青楓、有島生馬、山下新太郎、梅原龍三郎、安井曾太郎ら）によって展開されたものであり、日本における印象派宣言ともいわれる高村光太郎の「緑色の太陽」が、『スバル』誌上に発表されたのは明治四十三年（一九一〇）四月のことだった。そして、この、日本における印象派および後期印象派の流行が、大正元年（一九一二）の「フューザン会」結成をもたらし、さらに文展審査にたいする不満ということも作用して、大正三年（一九一四）の「二科会」結成を生んでいく。また、フォーヴの移入も昭和五年（一九三〇）の「独立美術協会」結成をまってであった。

たとえば土方定一は、二科会創立について、「現代美術につながる近代（modern）の性格は、まずなによりも反官展（unofficial）ということであるから、この期に近代日本の美術のこの意味の近代がここで主張された」といっている[7]。この常識的な理解がまったく間違っているとはいわないが、それにしても、近代の性格がなによりも反官展だというのは、あまりに単純すぎる見方である。反官展としてのグループということが二科会の意義だというなら、二科会とは、それから二十四年後の、二科会の中の二科といってもよい「九室会」の結成によって[8]、理念的にはあえなくも崩壊してしまうだけのものにすぎなかったとみるほかはない。だが、二科会とは、日本への印象派および後期印象派の導入を体現したものにすぎない。二科会に意味があるとしたら、その点にではなくて、二科会のなかの一部においてだったにせよ、西欧で公認済の動向を遅れて輸入するのではなく、西欧との同時代意識を明確に示した作品をはじめて登場させた点にこそある。すなわち、大正五年（一九一六）の第三回二科展に出品された、当時弱冠十九歳の東郷青児の、《パラソルさせる女》をひとつの記念碑的な皮切りとして、神原泰（かんばらたい）や萬鉄五郎（よろず）らによって未来派的ないしキュビスム的な作品が、西欧とほぼ同時進行のかたちで制作されていった事実がそれである。したがって、この一九一六年をひとつのメルクマールとしてはじまる流れ——それは通念的には「日本の前衛美術」として括られているが——、この流れこそ、のちに日本に固有の美術といってよいものを生みだしていくことになる。極端にいうと、これだけが近代日本の真正の美術（「前衛美術」などではなく）かもしれない。爾余のもののほうが後衛美術ないし二流美術であるにすぎない、のかもしれない。

土方定一とはちがって、わたしは、一九一六年にはじまるこの新興美術の流れが生みだしたものが、貧弱だったとはまったくおもわない。土方はたぶん、悪しき作品主義にとらわれすぎていた。実験的ゆえに貧弱だというのなら、「外光派↓白馬会↓文展↓二科会↓独立美術協会」の流れだって、西欧の諸様式を移植しようとする実験にほかならず、貧弱さも五十歩百歩である。さらに、この新興美術については、作品や資料についての調査・研究が、散佚（さんいつ）や喪失がひどいこともあり、まだ尽されているとはいいがたいという事情もある。調査・研究がすすめば、もうすこし豊かな姿をあらわすかもしれない。いままでの調査・研究によってあきらかになったところまででみても、大正五年（一九一六）から大正十四年（一九二五）の「三科」解散あたりまで展開された「大正期前衛美術」[9]、および満州事変勃発以後、昭和九年（一九三四）あたりから数多くの前衛運動の小団体を群生させながら、昭和十六年（一九四一）の福澤一郎と瀧口修造の検束に象徴されるように、日本ファシズムに窒息させられていった「昭和期前衛美術」[10]という、断続して展開された戦前の前衛美術のなかで生れては消えていった諸動向は、幾多の誤解、誤謬、錯誤、愚行とともに、しかし大きな可能性をもはらんでいた。

したがって、戦前の日本の前衛美術がもっていた大きな問題点は、土方定一が指摘したところとは、ちょっとちがうところにあった。それを要約すると、日本にははじめて前衛の意識をもたらした点で肯定的に評価することができる一方で、はじめてのことだったからやむをえないことでもあるが、前衛ないし前衛主義もまた、日本にはひとつの様式として導入されてしまったといわざるをえない、ということになるだろう。ここのところは、戦前の前衛美術全体をもっと総合的かつ緻密に再検証してみないと、確定的なことは断言できないとおもうが、概して、前衛主義もまた、ついに様式としてしか把握されなかったようにおもわれてならない。導入されるべきは、キュビスム、未来派、ダダ、構成主義といった個々の様式ではなかったはずだった。西欧の前衛的諸動向をまえにして学ぶべきは様式ではなく、西欧がそれらを生みだした必要性と必然性、その文脈のありようだったはずである。そこからひるがえって、近代日本の自分たちの現場の文脈のなかで、前衛とは何であり、どのようなものでありうるのかを自覚的に問いなおすことが重要だった。

時代的な制約ということは、十二分に勘定にいれるべきだろう。とくにこのばあい、近代日本における前衛のはじめての発生だったということと、やがて芸術表現全体がファシズムによって窒息させられてしまうということをかんがえあわせるなら、時代的な制約は二重のものだったということができるから、なおさらである。それでも、前衛主義を流行や様式として導入するだけでは、印象主義の輸入と同列の事柄になってしまう。前衛には一段階上の過酷さと、よりきびしい自覚がもとめられざるをえないのは、いつの世もおなじで、自分の根源において先鋭的たらんとする途をひきうけることに耐ええないなら、前衛という名のひとつのイズム、ないしあれこれの泰西新趣向を、外光派以来のおなじみの輸入方式でもてあそぶに終始するにすぎない。それでは、西欧の最新動向にたいする反応の速度があがっただけのことであり、同時代性の自覚などといっても語るにおちるだろう。

戦前の前衛美術がこういう問題点をはらんでいたことはきちんと把握しておかなければならないが、にもかかわらず、この流れのなかからは、近代日本という状況のなかで固有の美術表現とは何かという問いを発したときに、ひびいてくるものがあることも事実である。つまり、近代日本に固有の美術表現の文脈をたどりなおそうとするとき、一九一六年にはじまるこの新興美術の流れが、「戦前の前衛美術」というこれまでの通念とはすこし、ないしまったくちがう意味と実体をもったものとして見えてくる。そのとき、当然ながら、「前衛美術と爾余の美術」といった奇怪な区分も、実質的には失効せざるをえないだろう。そういう奇怪な通念から自由になった眼で見るとき、最も本質的なものは新興美術のほうの流れのなかにみとめられる、ということなのである。そこだけにしかみとめられないといったらいいすぎかもしれないが、ほとんどそれに近いかもしれない。

なぜ、それが新興美術の流れのほうにしかみとめられないのか。答はそう簡単には出てこないとおもう。前衛の自覚と同時代意識だけでは、かならずしも十分であるとはいえないからだ。それに、さきほど指摘したように、戦前の前衛美術も大勢としては前衛を様式としてしか理解していなかったきらいが強く、近代日本の美術表現の固有の文脈のなかでの前衛という自覚は、まだまだ稀薄だったということもある。では逆に、「二科→独立」の流れのほうには固有の文脈にたいする自覚があったかというと、そうではない。西欧の本場の美術にはなかなか追いつけないという、いわば中央にたいする地方コンプレックスの段階に低迷していただけのことにすぎなかった。

新興芸術の流れのなかに（のみ）まがりなりにも、あるいはわずかながらも本質的なものがみとめられる理由としては、同時代意識というのはたんなる時間的な意味だけではなくて、世界的な同時代的な表現の水準の問題をこそふくんでいるのだということが、かろうじてとらえられたことをあげてよいかもしれない。同時代意識とは、グリニッジ標準時は世界共通といった単純なことではなくて、美術表現の世界的な同時代的な水準にたいする自覚ということを意味している。戦前の新興美術には、かろうじてそれがみとめられる。

西欧と近代日本では文脈がことなっているが、文脈がちがっていたら表現水準の比較はできないかというと、かならずしもそうとはいえない。同時代的共通性のあるところでは、水準の比較が可能である。そして、固有性の自覚と追求が、偏狭な排外主義のローカリズムを免れるためには、自分の表現が世界的な同時代性のなかでどのくらいの水準を獲得しているものなのかということが、どのようなかたちにせよふまえられ、自覚されていなければならない。むろん、この自覚は前提条件にすぎず、この自覚から出発して、借りものでない独自の作品を、しかも同時代の世界的な表現水準の点からみて遜色のない作品を表現するにいたるには、長く苦しい道程が必要だろう。ある一人の美術家のばあいでも、圧倒的な西欧化を必然としてひきうけなければならなかった一後進国のばあいでも、である。しかし、自覚すらなかったとしたら、話にならない。戦前の新興美術と「二科→独立」という擬似正統とをわかつものがあるとしたら、この自覚の有無にもとめられる。いいかえれば、「新興美術↔正統美術」といったカテゴリックな区分に意味があるのではなく、この自覚の有無こそが分水嶺をなしていた。

次のように整理していうことができるだろう——一九一六年にはじまる新興美術におい

ては、同時代の世界的な表現水準にたいする意識をもちはじめながらも、固有の文脈に立脚して固有のものを創出していくことにたいする自覚を欠いていた、だから、この後者の自覚は、この段階ではまだどこにももとめることができないのだと。むろん、自覚があっても実現可能とはかぎらないように、自覚がなくても実現してしまうことも、一般論としてはありえないことではない。しかし、このばあいは、事実としてそういう事例が存在しない。それに、前衛も固有の文脈も、無自覚裡に実現しうるようなものではとうていありえない。無自覚に達成しうるのは、流行や様式としての前衛や、貧弱ないし排外的なローカリズムにすぎない。こういう状況は、一九一六年にはじまり、一九四〇年をまわったところで軍部ファシズムによって息の根をとめられた、戦前の前衛美術動向の全体についてあてはまるといってよいだろう。

わたしは、この全体をひとつづきとして戦前期前衛美術として言っているが、もちろん、大正期前衛美術と昭和期前衛美術とに分けることができる。前者の時期では、まだ西欧の前衛概念がはじめて導入されただけで、展開はまったく不十分であり、後者の時期にいたってやっと、わずかにふみこんだ展開がみとめられることになった。しかしそれも、あまりにも早く日本ファシズムによっておしつぶされてしまった。前者では、未来派をはじめとして西欧の同時代の前衛動向が、ほとんど区別もされないまま、いっしょくたに導入されるといった状態だった。それにたいして、後者では、西欧の一九二〇年代以降の前衛動向を知りながらも、[11] 即座にとびついて輸入するというよりも、いちど自己の内部に沈めてからおもむろに、つまりそれなりに消化してから、表に出すようになっていた。強い同時代意識のもとに、生のままではなく、いったん自己自身の問題の場になげいれてとらえかえそうとする自覚があらわれたといってよい。西欧の抽象絵画やシュルレアリスムは、十ないし十五年くらい遅れて昭和期前衛美術において展開されたが、それは、すこし遅れて輸入されたということではなかった。それらが日本に導入されたころ、西欧では、前衛諸動向は抽象絵画とシュルレアリスムのふたつにほぼしぼられ、しかも美術思想としてたがいに対立することが、避けようもなくあきらかになっていた。これにたいして、日本では、かならずしも対立するものとして導入・展開されたのではなかった。たしかに、昭和九年(一九三四)頃から陸続とあらわれては消えていった前衛的な小団体は、概して、抽象でなければ超現実主義だったというように、[12] 抽象絵画とシュルレアリスムの対立の契機がなかったわけではない。しかし全体としては、両者はきびしい対立をはらむものとはみなされておらず、しばしば混在・交錯・混合してあらわれた。その意味では、昭和十二年(一九三七)の「自由美術家協会」とか、翌年の「美術文化協会」といった前衛統合の動きは、なだれてくるファシズムに対抗するためのものだったということのほかに、日本ではこの両傾向が同舟可能なものとしてうけとめられていたことをも示している。だから日本に導入された抽象絵画やシュルレアリスムはだめだったといっているのではない。西欧渡来の動向が、西欧においてとおなじように日本でも展開されなければならない、などということはありえない。そうではなくて、昭和期前衛美術が抽象絵画とシュルレアリスムの理解を徹底できず、様式としてのみとらえて折衷しか生まなかったとすれば、ここでもまた、みずからの足元がさだまらなかったということなのだ。大正期前衛美術と同様に、自分が置かれている固有の文脈へと降りたったところまで、前衛の意味が深められることはなかったのである。大正期よりは進展をみせているが、決定的に抜けだす一歩をしるしてはいない。一九一六年から太平洋戦争までの戦前期前衛美術を、一括してとらえようとする理由のひとつである。

この戦前期前衛美術から導きだすことができるのは、前衛につこうとして足元を失った極楽トンボになるか、固有の文脈につこうとして前衛の精神を忘れて矮小なローカリズムへと退行してしまうかという、またしても二者択一のパターンである。そしてこの両極端の中間地帯に、おびただしい数の折衷がひろがっている。明治維新から五十年のあいだに日本の美術を決定づけた、欧化主義か伝統主義かという二者択一のパターンは、つづく二十五年の主流をなした戦前期新興美術の流れのなかでも、同じかたちであらわれていたとみなければならない。[13]

こうして、戦争と、そして戦後をむかえる。戦後の流れについては本書でたどってきたからくりかえさないが、「具体」から「もの派」まで、基本的には、世界的な同時代性の意識と日本に固有の文脈の自覚とが、次第に増幅されていく。しかし、それにともなって、欧化主義か伝統主義ないしローカリズムかという二者択一のパターンも、よりいっそう複雑化しながら、なお抜きがたいものとして存続してきた。戦後の日本、とりわけ一九六〇年代に入ってからの日本は、急速な高度成長によって近代国家の仲間入りを果し、最近［一九八六年］では超近代の段階に入りつつあるということができる。しかし、こうした社会の推移は、美術表現上の展開過程とかならずしも一致するわけではない。事実はむしろ、このギャップは複雑さの度合をましながら、よりひろく、より深刻になってきているといったほうがよい。社会的・経済的な高度成長による表層的な近代化―超近代化に眼をうばわれて、このギャップそのものが見えなくなってきているという事態は、それじたい、あのパターンが複雑に構造化してしまっていることを証している。病は膏肓(こうこう)に入ってしまっているかもしれない。だからといって、病がいきつくところまでいけばこのギャップが雲散霧消するかというと、そんな気づかいはもちろんない。奇蹟などは起りようもないだろう。状況はむしろ混迷をきわめている。

そして、状況が混迷をきわめているいちばんの原因は、ここでも固有の文脈にたいする自覚の欠如ないし不徹底にもとめられなければならない。「具体―反芸術」から「もの派」まで、たしかに固有の文脈の実現に近づきつつあったのだが、前者はそれにたいして無自覚ないし無意識であり、後者は不徹底だったことは、これまであきらかにしてきたとおりである。結局のところ、近代日本における美術表現の固有の文脈の根源まで到達するためには、「美術」の外にまでまず出てみる以外にはなかった。そこまで徹底しないかぎり、欧化主義か伝統主義(ローカリズム)かに足をすくわれてしまわざるをえないという宿命を、わたしたちは負わされている。この点を明確に認識したことこそ、「美共闘」の、つまり「美共闘」に象徴される時代そのものの、最大の意味だった。

したがって、「美術そのものの喪失」は、喪失であるとともに、喪失の地平へと出なければ固有性の根源に到達しないという本質的な逆説性をはらんでいる、近代日本の美術表現の総体を歴史的規定性としてふまえたうえで(つまり、簡単にいうと、喪失だからそれ以前は関係ないと捨てさって「新しいもの」を始めるのではなく)、美術の表現を実践しつくりあげていくための、契機たりうるのである。そういう意味での「喪失」をふまえて、そこから、いわばありうべき「美術」へ向って実践によってせりあげていくもの——それを指してわたしは「類としての美術」と呼んでいる。それはア・プリオリに存在しているものではなく、ありうべきものであり、実践の総体がかたちづくっていくであろうものである。

現代日本の美術の営為は、つねに、「絵画・彫刻」の手前か、向う側か、左右どちらかの側面の方に、はみだしてしまう必然性をもっている。逸脱せずには、作品にならない。「絵画・彫刻」の内側では、西欧の美術概念か日本の伝統的な美術概念に、からめとられてしまうからである。かといって、「絵画・彫刻」という枠の引力の圏外にまで脱出してしまったのでは、「美術」とは無関係になってしまう。

内側に入ると自分を失う。自分より大きなものに取込まれるか、それが嫌な場合でも、昔日の亡霊しか見出せないからである。しかし、外側へ逃れ出るなら、もはや美術ではないところまでいくしかなく、そこで自分を失うほかはない。

このディレンマは、近代ー現代の日本の美術の構造の矛盾性と二重性からやってくる。矛盾性とは、自分たちがはじめからもっていた美術のうえに、西欧の美術がかぶさったために生じているものである。二重性とは、その矛盾性と、美術じたいがもはやいかなる意味でも自明ではない事態とが、重なっているという二重性である。美術じたいがもはやいかなる意味でも自明ではありえない事態は、現象としては、西欧も日本も同じに見える。しかし、「喪失」の契機がそこにあるかないかで、決定的にちがうのである。

「喪失」の起りえない西欧では、コンセプチュアル・アートを境にして往相から還相へ推移したことが象徴しているように、芸術は円環をたどる。「絵画」「彫刻」「絵画・彫刻を逸脱するもの」は、すべて、一列上に並び、総称としての「芸術」がそのすべてを保証する。総称としての「芸術」は「類概念」であるが、概念は実体ではない。「類概念」としての芸術」は、実体ではなく、概念にすぎない。

だが、日本では、「喪失」を通して美術がもはやいかなる意味でも自明でありえない事態がはっきりした。というより、もともと自明ではなかったことが、「喪失」を契機に判明したのである。その意味では、「喪失」の自覚には「美共闘」を待たなければならなかったが、「喪失」じたいは、「具体」においても、「反芸術」においても、「日本概念派」や「もの派」においても、起っていた。いや、「喪失」はつねに起っていたというよりは、「喪失」ははじめから与えられた条件だった。もともと、美術はいかなる意味でも、自明ではありえなかったのである。

その意味で、「絵画・彫刻」を逸脱するものは、「絵画」「彫刻」の同列に並びえない。「絵画・彫刻」という枠の外側の出来事だからである。枠の外側で、かつ、枠の引力の圏内——それが現代日本の美術の場である。そこへ向って、繰返して逸脱していくものが、現代日本の美術なのである。

注意しておかなければならないことがひとつある。それは、「絵画・彫刻」を逸脱するものという場合、「絵画・彫刻」を逸脱する「絵画」や「彫刻」も、含んでいるということだ。現代日本の美術の複雑な状況をまえにして、形式が従来と同じ「絵画・彫刻」のものだから区別もしないというのでは、粗雑にすぎはしないか。内容のほうから差異を読みとり、従来の「絵画・彫刻」と、「絵画・彫刻」を逸脱する「絵画」や「彫刻」とを、弁別したほうがよい。そのほうが実情に即していると思われる。

そして、これを含めた「絵画・彫刻」を逸脱するものが展開されている場をとらえるために、「類としての美術」の位相を想定してみればよいのではないかと考える。「類概念としての芸術」の場合とはちがって、「類としての美術」は、「絵画・彫刻」を逸脱するものという実体を指している。西欧では、美術の場合、「類概念」のレヴェルは概念のレヴェルを出ない。日本人・アメリカ人・フランス人という種にたいする類としての「人間」なら、人間という実体はあるだろう。だが、「絵画」「彫刻」にたいする「芸術」は、総称にすぎない。しかし、そのレヴェルを実体のレヴェルとみなすことが、日本の現代の美術の場合には可能であろう。だが、それはありうべき「実体」である。

そして、ありうべきものを実体化していくのが、実践である。枠の外側で、しかし枠との緊張関係のなかで、持続される実践——わたしたちは、いつまでも、彼方にありうべき「美術」をめざしていくだろう。還相のない、永続的な往相が、「類としての美術」のありようである。

プラークシスへ

一九六〇年代末期に極限的なところまですすんできた近代日本の美術の状況を的確に洞察し、そこから制作それじたいの喪失をひきうけるところまですすみでた「美共闘」は、さらに、「実践」の問題にまでふみこんだ。「具体」から「もの派」までの流れをふまえたうえで、「喪失」の先の「実践」の問題が理念的にあらわれたのが、一九七〇年代初頭という時代だった。「美共闘」の論客だった彦坂尚嘉は、かつて宮川淳がアンフォルメル論において剔出した「表現手段の自己目的化」というかんがえかたを援用して、「具体」および「もの派」における「行為ー制作」のありようを分析し、そこからグループ「位」の活動の意味を導きだす。

白髪にしろ関根にしろ共通していえることは、両者ともポイエーシスにおいては手段であった制作活動を自己目的化していることであり、自己目的化された活動の無意識性によって、物質と関わっていることであろう。無意識において物質と関わることで、物質は精神に従属されずに、物質のままで物語りはじめるのである。
だが白髪の〈アクション〉が、本来は手段であった制作活動を自己目的化することによって、ポイエーシスを崩壊させたものとすれば、関根の〈仕草〉は、自己目的化された活動のポイエーシス化ではなかったろうか。言い換えれば、自己目的化された活動の無意識性を手段とした制作であったのではなかろうか。(中略)
白髪も関根も、同じく自己目的化された活動を行ないながらも、前者はポイエーシスを崩壊させ、後者は再びポイエーシスを復権させたのである。
この両者の行為がともに、人間と物質との関係として在り、行為を物質から切り離して自立させなかったのに対して、グループ〈位〉の活動はむしろプラークシスと呼ぶべきものであった。

ポイエーシスにおいては活動は結果としての作品を産む手段であるが、プラークシスにおいては活動そのものが目的である。しかも、「共に生きること」すなわち人間関係に即した活動である。（「閉じられた円環の彼方は——〈具体〉の軌跡から何を」）

そしてグループ「位」の《穴》（一九六五年八月）、「非人称展」（一九六五年十一月）、「E・ジャリ展」（一九六六年一月）といった活動、さらには柏原えつとむ（小泉博夫、前川欣三）による「Mr. X とは何か？」（一九六九年）の試みなどを評価する。

一九五五年、制作活動の自己目的化によって〈具体〉はポイエーシスの崩壊を引き起こした。この崩壊によって、それまでは作品といわれてきた結果的物質、制作とされてきた活動、作品が置かれていた環境、構想でしかなかった思考等々はそれぞれに自立して、七〇年代初頭に至るまでの多様な展開をみせることとなった。

一九六五年グループ〈位〉は、自己目的化された活動をポイエーシスの崩壊においてのそれから、プラークシスとしてのそれへと移行させた。

そして一九七三年、われわれはグループ〈位〉以降何が可能となったのか。いまだ十分に答え得ていない。（同前）

「具体」を論じたところですでに一部分を引用した、この彦坂の論考をふたたびひきあいにだすのは、ここで提出された「プラークシスとしての美術」というかんがえかたは、近代日本の美術の流れのなかで、コペルニクス的転回にも似た転位の思想をはらんでいると、かんがえられるからである。

もちろん、彦坂の見方とわたしの見方が完全に重なるわけではない。彦坂は、「具体」から「もの派」にいたる過程をポイエーシスの崩壊→再生産過程ととらえ、それにたいしてグループ「位」そして自己自身の作品制作活動を、プラークシスとして成立させようと主張している。それは制作行為の軸からみた分析であり、その意味で、実作者の制作の現場からの分析だということができる。そして、彦坂や「美共闘」世代、つまり「七〇年代作家群」にとって頭のすぐ上につかえていた、のりこえられるべき直接の対象、敵ですらあったのは、「もの派」にほかならなかったから、「もの派」の直接の祖先を「具体」にみて、その流れにポイエーシスの崩壊過程を読みとったのはきわめて正当なことだった。そうであるとして、しかし、わたしの視点からは彦坂の理解にたいしていくつかの疑義がある。ひとつは、関根伸夫の「仕草」については彦坂のこの理解でよいだろうが、「もの派」一般の「仕草」＝制作行為の問題になると、必ずしも関根によって代表させることはできないという点である。とくに、わたしのように、むしろ菅木志雄を「もの派」の典型とかんがえるとすればなおさらだ。この見方からは、「もの派」の制作行為は「自己目的化された活動のポイエーシス化」とはみえないし、「もの派」がポイエーシスを復権させたともかんがえられない。もうひとつは、グループ「位」の活動の評価をめぐってで、彦坂はみずからの「プラークシス」を言わんとするあまり、グループ「位」の活動（穴を掘るという行為）［図2-13］をすこしばかり過大に評価したような按配になっている。「自己目的化された活動をポイエーシスの崩壊においてのそれから、プラークシスとしてのそれへと移行させた」というが、彦坂がそう読みとったということなので、グループ「位」はこの移行の糸口を垣間見せたにすぎないといったほうが事実に近い。現実に「移行させ」ていこうとするのは、その後の彦坂ら自身だろう［図4-1、2］。さらにもうひとつ、その理解からは、いったい日本概念派における制作行為はどう位置づけられるのか、という問題がある。松澤宥に代表される日本概念派は、可能なかぎりオブジェ（物質）を消して、純粋な観念の世界に近付こうとしたから、制作という行為は極小化され、物理的には極小化されなくても、制作行為がもつ意味はほとんどなきにひとしくなっていた。したがって、そこにみられるのは、制作行為の自己目的化ではなく、制作行為の無化、廃棄にほかならない。しかしそれも、美術の全状況をとらえるためには、制作じたいを否定したからといって無視するわけにはいかないだろう。日本概念派もまたポイエーシスの崩壊に与(くみ)したといいうるとしても、それは、まさしく制作行為じたいを否定したことによってである。

4-1：彦坂尚嘉《デリヴァリー・イヴェント＋フロア・イヴェント》1972年

4-2：彦坂尚嘉《赤犬　P.W.P79》1985年（木、アクリル。173.8×281.2×33.2 cm。ソフトマシーン美術館蔵）

つまり、「具体」から日本概念派と「もの派」にいたる過程は、制作行為という軸だけではなく、べつの軸からもみることができる。というか、美術が「思考―制作―作品」から成っているとすれば、そして「具体」以後、この三要素が解体し自立しているとしても、くだんの過程は、この三つの軸を同時に組合せた立体座標のなかで把握される必要がある。彦坂が実作者の側から理解したとすれば、こちらは歴史的視点から理解しなければならない。むしろわたしは、「具体」から日本概念派や「もの派」にいたる過程の全体を、プラークシスへの前史として理解する。ポイエーシスの崩壊過程であるにもまして、プラークシスへの自覚の過程とかんがえる。したがって、日本概念派と「もの派」によって最終局面をむかえる極限化とは、そこからプラークシスとしての美術へと決定的に反転していく、臨界状況を意味している。この見方からは、白髪や関根らのアクション的要素の勝った制作行為ばかりでなくて、日本概念派における観念やことばとのかかわり、「もの派」におけるものないし世界とのかかわりもまた、行為としてとらえうるのであり、プラークシスとしてみることができる。いわばプラークシスの意味を拡大してかんがえてみるのである。ポイエーシスとの対比においてみられたプラークシスという意味から拡大して、ないしは一段階けたあげしたところで、プラークシスをかんがえることができる。そのうえで、日本概念派と「もの派」までの過程はその意味でのプラークシスへの前史をなしているということなのだ。そこまでは前史であり、プラークシスの道に現実に入るには「七〇年代作家群」の営為をまつことになる。

彦坂はプラークシスを「「共に生きること」、すなわち人間関係に即した活動」とかんがえて、グループ「位」の穴を掘った活動、「Mr. X とは何か?」、そして自分たちの活動の流れへとたどっている。そこでいう彼ら自身の世代の活動とは、一九七三年八月の京都市美術館における第二回京都ビエンナーレ展において、「五人組写真集編集委員会」の組織「五人組＋5」[14]が制作した、A2判大三十冊三百枚の組写真を成果の一例、端緒とする活動を指している。

やっと手に入れたこの唯一の成果らしきものは、依然としてあまりにも貧しいものであるかもしれない。しかしこの〝成果〟によって、わたしは、単純に李禹煥や松沢宥のイデオロギーの超克ないしは否定としてみずからの表現主体を定位させたりせずに、七〇年代から八〇年代へと向かうわたし自身の具体的な表現とその実践に焦点をあわせることが可能となったのである。

京都ビエンナーレにおける〝成果〟の延長上にわたしは無数とも言える作品を想定することができる。このこと——一つの成果の延長上に無数の作品を想定しうる地点に到達したこと——を、わたしは「僕ら自身の表現」を明らかにするはじめての媒介物として最大に評価するのである。かつてわたし(たち)が言い切った言葉——僕ら自身の表現を獲得する闘いは今ある表現の延長上にはあり得ないだろう――において「今ある表現」とはわたしたち以外の他者がつくりだした表現であった。しかし一九七三年一二月現在において「今ある表現」とはわたしたち自身が生産した表現なのである。みずから生産した〈表現〉の延長上に、〝僕ら自身の表現〟を想定するのか、それともこの延長上には〝僕ら自身の表現を獲得する闘いはあり得ない〟とするのか、この二つの路線の対立が今、わたしたちの中で、いやわたし自身の中で争われている。しかしこの争いは単なる論争において決着のつく問題ではないし、単なる決意によってどちらか一方を選択することによって解決のつく問題ではない。（『反覆』）

彦坂がこのようにプラークシスの問題を「集団による活動」とむすびつけてとらえている理由は、たとえば次のことばにあらわれている――「一人の美術家が、みずからを『美術家』と名づけたとしても意味はない。／われわれの出発点は、複数の人間が出会うことによって、個人の位置では見向きもしなかった〈美術家〉という名称に、美術の非公然性の領域を発見するところにあった。／この名称を逆手にとることによって名称総体を明らかにしようとするプラクティスこそ一九六九年以来わたしたちがやろうとしてきたことなのである」（「集団の死」、『美術手帖』一九七三年十月号）。そしてこのことは、芸術における個人〈創造者〉と共同性の関係を「図と地」の関係になぞらえて理解していた、彼ら「美共闘」の流れをくむ作家たちの問題意識に裏づけられていた。それは、集団による美術の可能性をさぐるというようなことではなく、美術表現そのものを問いなおしていって、表現は自由であり自立的であるということが個人幻想のなかでは真実だとしても、同時に地としての共同性に規定されてあるほかはないという自覚にまでいたったことを意味している。これは正当な自覚だった。個人幻想はみずからだけで自立して成立っているとかんがえる芸術派、下部構造との規定―反映関係において成立っているとする社会派――この双方の誤謬を、「美共闘」は同じ刀で切ってみせたといってよい。芸術派でなければ社会派という二者択一の問題は、理念的には「美共闘」によって、現実的にはそれ以降十数年の時の経過によって、片が付いたということができる。

いや、わたしがいいたいのはそのことではなかった。わたしがいいたいのは、彦坂はプラークシスの問題を共同性の問題とからめて語ったが、いまあらためて、プラークシスということをそれとはちがった位相で、とらえなおすことができるということである。つまり、日本概念派と「もの派」以降の実践の総体という意味でとらえなおすことができるのであり、この意味では、グループ「位」や「Mr. Xとは何か?」だけが契機ということはなく、「具体」以降、「もの派」までの全体が、それぞれ契機をはらんでいた。しかし、開始地点は、「七〇年代作家群」が問題提起のあと実践の過程にふみこんだときに、みとめられる。「今ある表現」をこえた「僕ら自身の表現」という彦坂の言明は、このプラークシスが作品の地平を獲得しはじめた言明以外の何であったろう。たしかにそれは、一九七三年の時点では、まだ「依然としてあまりにも貧しいもの」だった。しかし、すくなくとも、固有の文脈と歴史的規定性をふまえるがゆえに美術の喪失をえらびとり、プラークシスとしてつくりあげていく美術の実現は、この転回をもってはじまったと言うことはできるのである。

転回――「砂利と格闘するのも美術である、道路を清掃するのも美術である、穴を掘るのも美術である」から、「美術家が美術の位相からのプラクティスとして道路を清掃することも有りうる」への、発想の逆転。わたしがコペルニクス的転回にも比せられるというのは、それである。決定的なわかれみちは、美術そのものの喪失を自覚しえたか否かにあった。これが自覚できなければ、何をやっても美術である、という論理の桎梏（しっこく）から抜け出せない。そして、そこから抜け出せなければ、わたしたちは独自の美術を実現していくこともできないだろう。喪失の地平に立てば、わたしたちは美術の位相からのプラークシスとして、道路を清掃し、かつて絵画と呼ばれていたものをつくり、かつて彫刻とかオブジェと呼ばれていたものをつくり、プラークシスをつみかさねていく。このプラークシスの総体がかたちづくるものを指して、ひとまず「類としての美術」と呼んでみる。「類としての美術」とは、むしろ、このプラークシスの場をさして呼ぶ、といったらよいだろうか。現代の日本の美術にあっては、美術はもはやどのような意味でも自明ではありえないし、

4-3：山中信夫《カメラオブスキューラ・パリ》1982年（モノクロ写真、スチレンボード。240×240×50 cm。高松市美術館蔵）

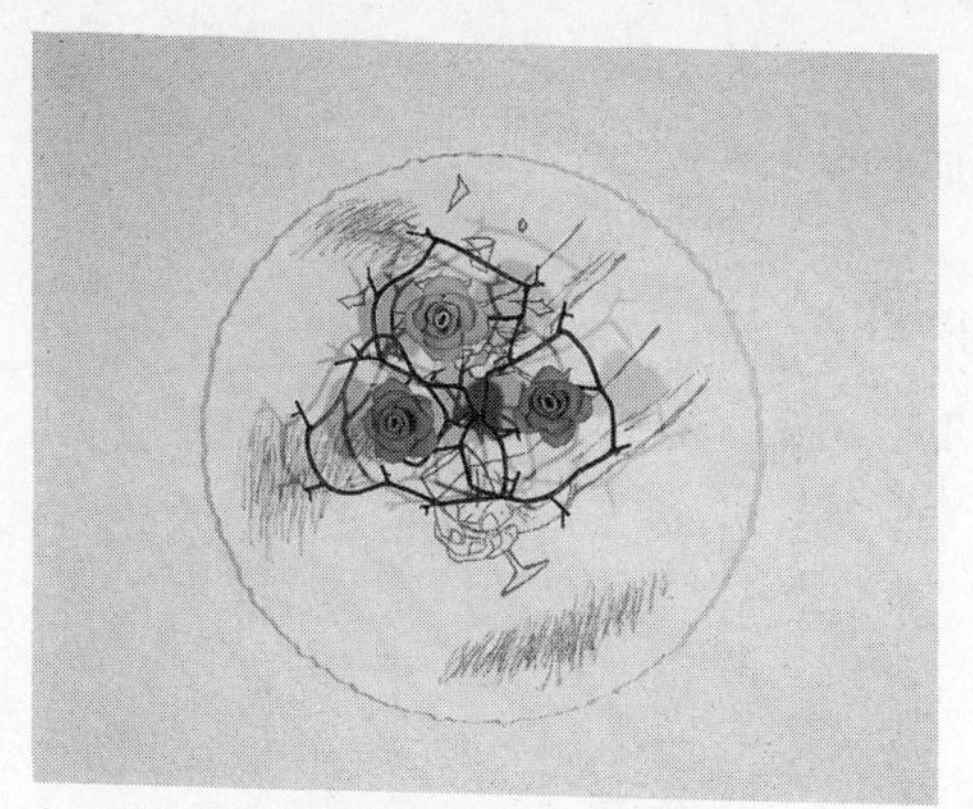

4-4：北辻良央《WORK-RR1》1982年（鉄線、テラコッタ〔素焼き〕、紙〔パステル〕。79×20〔直径〕cm。MTMコレクション蔵　撮影・木村浩）

4-5：田窪恭治《巨船アルゴー》1983年（金箔、蜜蠟、石膏、鉄、木。草月美術館蔵・東京都現代美術館寄託　撮影・田窪大介）

ましてや西欧的な意味でのそれでもありえない。それをわたしは、「類としての美術」と呼んでみたのだが、重要なのは、このプラークシスがいまげんにつくりつつある何ものかであり、プラークシスの持続である。プラークシスとしての美術、それが、近代日本の美術がたどりついたところであり、現在の美術の固有の状況にほかならない。

「第二次美共闘REVOLUTION委員会」のメンバーは申しあわせによって、一九七四年の一年間、制作・発表活動を中止する。そして一九七五年以降、集団としてではなく、個々の作家が個々の活動へと入っていく。したがって、プラークシスが作品としての開花をもたらすのは実質的にはこの時以降のことになるし、むしろ一九七〇年代最末期以降のことである。そして、その時、ほぼ時を同じくして、「美共闘」と直接の関係のなかった、ないしまったく関係のなかった同世代の作家たちの作品が、やはり開花をはじめたのである。それはけっして偶然の出来事ではない。この同世代の作家たちは、同時期にそれぞれ別の場所で、同じ状況を個々に掘下げていたということができるからである。

Ⅲ　美術の現在

美術の現在にまで到達するために、一九七〇年代なかば以降、すくなくとも現象的には、さらに二度、波をかぶっている。一九七〇年代なかばの伝統への回帰の議論、ないし絵画的なひろがりからみてのことにすぎない。

や彫刻という伝統的な形式の再評価の議論という小さな波と、一九八〇年代に入って起ったいわゆる「ニュー・ペインティング」（ないし「ニュー・ウェイヴ」、なぜならペインティングだけではなかったから）現象という大きな波である。波の大小は、とりあえず現象的なひろがりからみてのことにすぎない。

かりに、いま、何も事情を知らない人が、一九七〇年代なかばから現在までの美術雑誌類を通覧して流れをとらえようとしてみたとする。するとおそらく、はじめの小さな波のほうはほとんどつかみがたいだろうとおもう。絵画という伝統的な形式をどうして再評価しなければならないのか、根拠なり必然性があいまいだとしかみえないだろうし、だいいち誰が、どのような明確な論理をもってそれを主張しているのかも、かならずしもさだかにはみえないはずである。他方、大きな波のほうは、八〇年代をまわってしばらくすると雑誌類をさかんににぎわすから、こちらはまちがいなく流行したものらしいことはわかるだろう。ただ、小波のばあいと同じく、こちらも欧米における流行であること、起源は欧米にあること、そして雑誌類のにぎわいのあらかたは欧米の流行の紹介であることも、またわかるはずである。つまり、大波のばあいも、日本のなかで「ニュー・ペインティング」が出てくる必然性はうまくつかみとれない、いや、ほとんどつかみとれないにちがいない。雑誌を通覧しようとする人間がいちばん若い世代に属する人だったら、感性のレヴェルで感じとるものはあるだろうとしても、である。そういう意味では、この小波と大波の両方に共通しているのは、第一に笛を吹いたのはジャーナリズムだったこと、第二に欧米の現象の輸入だったこと、輸入に終始したことである。第一点については、小波では踊ったのは、ほとんど、ほかならぬ笛を吹いた人だけだったのにたいして、大波では美術家もずいぶん流行にのせられた。そして第二点については、小波には対応する現実が日本にはほとんどなかったのにたいして、大波には対応する現実が日本にもそれなりにあった。そういうことになる。

ちょうど、大波もだいたい一九八四年いっぱいでほぼ終ったいま、この小波大波を、冷静にいちど検討しなおすことができる。いま、まったくちがう見方ができる。七〇年代なかばの絵画（彫刻）形式への回帰、八〇年代初頭のニュー・ペインティングを、伝統への回帰でもニュー・ペインティングでもない視点からとらえなおすことができるのである。まず、ジャーナリズム上のにぎわいが、どこまで日本の（欧米の、ではなく）美術の現実を反映していたか、大きな疑問がある。本質からはもとより、現実からも概してかなり外れていたのではないか。この小波と大波にまったく意味がなかったというのではない。そうではなく、意味があるとしたらそれは小波と大波が起ったときにジャーナリズムで騒がれたような意味においてではなく、まるでちがう意味と文脈においてだった。すくなくともいま、そういう読みかえがもとめられている。

絵画・彫刻への回帰

一九七〇年代なかばに「伝統への回帰」を語った人には、ほとんど見えていなかったのではないかとおもうが、時はちょうど、「七〇年代作家」たちが、「もの派」とその世代（およびそれ以前の世代）を否定したあと、その否定の矢がみずからをも貫いていることに耐えていくなかで、自分たちの表現を模索していた時期だった。くりかえすが、ここで「もの派」とその世代を否定する作家たちというばあい、それは、自覚的に「もの派」（と日本概念派）を否定した人々だけではなく、「もの派」とその世代を否定するところから出発することになったこの世代の全体を含みうるものとしてかんがえている。じじつそれが、「七〇年代作家」の出発の地平にほかならなかった。

この「七〇年代作家群」の模索は、最も本質的なところでは、制作そのものの喪失にまで達していた。喪失の自覚からいちばん遠いところにいた「七〇年代作家」ですら、この喪失ないし崩壊がもたらした地平のなかから始めるほかはないことにかわりはなく、その現実に動かされていた。とすれば、この「喪失↕模索」の過程のどこかで、絵画（彫刻）という形式の再検討が、個々の作家のなかでおこなわれたとかんがえてよい。再検討のありようは作家によってことなっていただろうし、再検討の対象たる絵画（彫刻）という形式にしても、作家によって意味するところはちがっていただろう。その意味では、この再検討という事態は、かならずしも一般化できることではなかったかもしれない。ましてや、

4-6：遠藤利克《無題》1982年（木、タール、油土、水。30×150×900 cm。現存せず　撮影・山本糾）

4-7：小清水漸《デウカリオンの机》1983年（松、杉、檜。300×155×138 cm。千葉市美術館蔵）

欧米における当時の、伝統への回帰の現象に一元化できる事態ではなかった。絵画（彫刻）という形式といっても、作家によって、正統的な西欧絵画から日本的仏画や大和絵までを意味しうる。正統西欧絵画と正統日本絵画（？）の両方の形式が、理念として以前に、現実として同在している状況じたいが、このばあい、絵画（彫刻）という形式を問返す場である、ということである。したがって、再検討とは、単純な一元的な回帰でありうるわけがない。「七〇年代作家」が喪失に到達したとは、とりもなおさず、この矛盾の状況に向きあうことを意味していたし、それが再検討にほかならなかった。再検討すべきは（絵画・彫刻という）形式ではなく、形式が矛盾的な構造をなしているという、日本の近・現代の美術に固有の本質それじたいだった。

七〇年代なかばの欧米で、ミニマリズムやコンセプチュアル・アートへの反動や反省として、絵画・彫刻という形式の再評価の動きがみられたことに並行する現象として、同時期の日本で、六〇年代から「もの派」にいたる「前衛」にたいする反動や反省として、それに類する動きがまったくみとめられなかったわけではない。だがそれは、いうなれば系としてにすぎない。六〇年代から「もの派」にいたる「前衛」主義の否定ないし反省は、系としては、たとえば、絵画・彫刻という形式を再評価する一種の「作品主義」を生んだ。しかし、眼目は、形式や作品への回帰ではなく（それは結果であったにすぎない）、前衛主義の超克であり、前衛主義をこえて矛盾的構造という本質をあらためて出発点として確

4-8：宮脇愛子《うつろひ》1982 年（ステンレスワイヤー。現存せず
撮影・山田脩二）

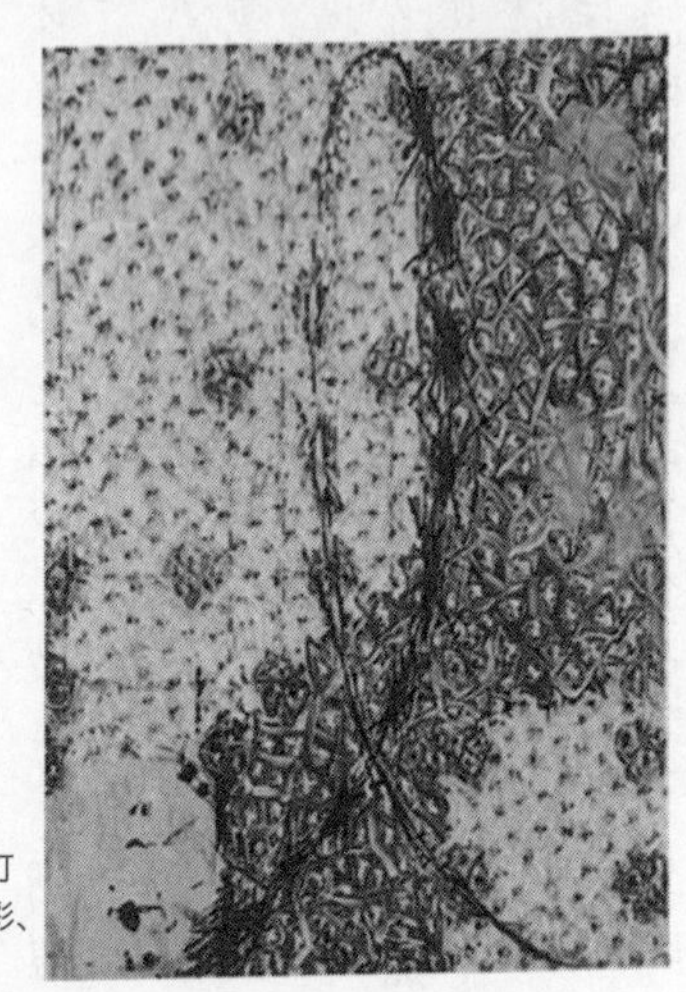

4-9：中西夏之《たとえば波打ち際にて　IX》1985 年（油彩、画布。千葉市美術館蔵）

4-10：斎藤義重《Seisaku ing》1985年（ラッカー、チョーク油彩、木〔合板ほか〕、ボルト、プラスティック、布ほか。220×350×320 cm。千葉市美術館蔵）

4-11：若林奮《所有・雰囲気・振動―森のはずれ》1981―84年 1st installation（鉄、鉛、紙、木。257×506.3×414.8 cm〔部屋状部〕。イケダギャラリー東京蔵　撮影・内田芳孝）

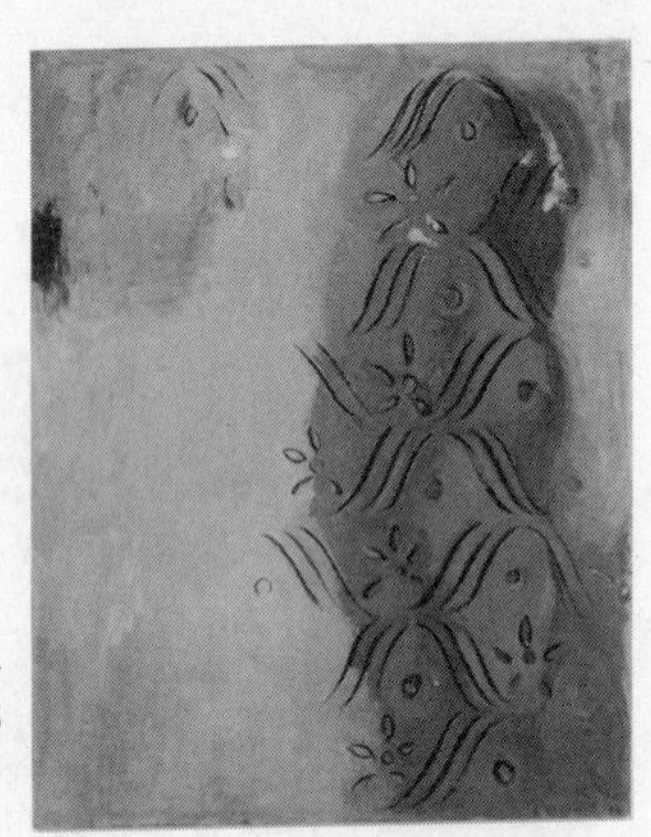

4-12：辰野登恵子《WORK 85-P-3》1985年（油彩、画布。227×183 cm。個人蔵）

4-13：原口典之《Matter and Mind》1977年（ドクメンタ6出展。鉄、廃油。18×550×750 cm）

認することだった。小波のかげでは、「七〇年代作家」を中心にして、このような動きが進行していた。あらわれとしては模索であり、試行錯誤だったから、目立ちはしなかったかもしれないが、静かに深く進行していた。

そういう動きは、当然だが、先行世代の作家たちにも影響を与えていたといっていいだろう。美大で教えていた時、その影響下から「もの派」が生まれることになった、吉原治良と並んで戦前からの「前衛」の代表の一人の斎藤義重、「ネオ・ダダ」の作家との付き合いの多かった建築家の夫（磯崎新）を持った宮脇愛子、若林奮（いさむ）、中西夏之ほか、多くの作家たちである［図4-8〜13］。

ニュー・ペインティング現象

日本であいまいに「ニュー・ペインティング」と呼ばれていたものは、欧米では「ニュー・ペインティング」として一括してかんがえられていたわけではなかった。ドイツでは「新表現主義」風、イタリアでは「トランス・アヴァンギャルド」、フランスでは「新象形（ヌーヴェル・フィギュラシオン）」とか「新バロック」、アメリカでは「パンク・アート」風や「バッド・ペインティング」から「グラフィティー（落書き）・アート」にいたる新傾向として、ほぼそろって七〇年代最末期に登場してきた。ジュリアン・シュナーベルをはじめとする個々の作家でいうと、それよりも以前から自己の仕事として展開してきているが、流行としてひとつの潮流をなして表面化したのは、七〇年代最末期のことだった。そして、それが国際的に注目をあびたのは、たとえば一九八〇年のヴェネツィア・ビエンナーレ、一九八一年（三〜四月）のパリの市立近代美術館ARC2における「バロック'81」展、同年（五〜八月）のケルンにおける「ヴェスト・クンスト」展など、一九八〇年代に入ってからのことだった。また美術ジャーナリズムでは、『フラッシュ・アート』誌の一九八〇年三・四月号の「ニュー・ペインティング特集」が最も早いもののひとつだった。

こうしたニュー・ウェイヴの動向の日本への輸入は、ほぼ三年遅れてのこととなった。それまでは、欧米の在住者からの短信などのなかに、いくらかの情報が散見されるくらいだった。たとえば、一九八〇年のヴェネツィア・ビエンナーレがとりあげられても、そのなかの「ニュー・ペインティング」には関心がまったく向けられていなかった。そういう日本の美術ジャーナリズムが、いっせいに「ニュー・ペインティング」に注目しはじめるのは、一九八三年になってからのことだった。[15]

輸入が遅れたことはともかく、要するに、ここでもきっかけが輸入だったことはあきらかである。その意味では、日本では「ニュー・ペインティング」の必然性はなかったと断言してもまちがいではない。そして、事実のうえでも、すでにこの波が過ぎ去ってみると、海外の最新モードにかぶれるしか能のない美術家たちを別にすれば、これも春の一夜の夢にすぎなかったと整理して、大過ないようにおもわれる。なぜなら、日本のいわゆる「ニュー・ペインティング」は、作品として見るにたえうるものをほとんど生まなかったからである。これは、価値判断というより、事実の判定である。事実として、人を納得させるに足る作品がほとんど出なかった。波の去ったいま、波がのこしたもののなかに光るものがほとんど見つからないという事実は、事実として認めるほかはないようにおもう。夢でしかなかった所以だが、だからといって、日本における「ニュー・ペインティング現象」が無意味だったことにはならない。ここでも、小波のばあいのように、「ニュー・ペインティング」ではなく、「ニュー・ペインティング現象」がもたらしたもの、その底で動いていたものを、つかみ出してみるべきである。

「ニュー・ペインティング」の波を誰がいちばんかぶったか、ということをかんがえてみる。例外はいつもあるが、それは「もの派」や「七〇年代作家群」ではないし、ましてその上の世代ではなかった。当然というべきか、最も若い世代の人々だった。ただ、最も若い世代といっただけではあいまいで、事情はずっと複雑だから、こまかくみていく必要がある。つまり、「七〇年代作家群」の次に来た世代、すなわち「八〇年代作家群一番手」の作家たち（川俣正、保科豊巳、阿部守、千崎千恵夫、岡崎乾二郎、諏訪直樹、佐川晃司、矢野美智子ら、一九五三年前後生れの世代）は、「ニュー・ペインティング」の流行以前に、一九七〇年代最末期から八〇年代初頭にかけてすでにデビューしていたし、作品のうえからいっても「ニュー・ペインティング」ではなかった［図4-14〜17］。したがって、ここで最も若い世代とは、その次の世代の人々ということになる。いわば「八〇年代作家群二番手」（天野博之、蔵重範子、後藤尚子、関口敦仁（あつひと）、平林薫、藤浩志、吉川陽一郎ら、「一番手」より五歳ほど下の世代）［図4-18、19］である。しかし、「ニュー・ペインティング」流行の最中からわたしが主張してきたように、彼らのやっていたことは「ニュー・ペインティング」ではなかった。いまでは、それはもう疑いの余地がない。だいいち、模倣や亜流を別にすれば、日本のこの世代の「ニュー・ウェイヴ」の主体は、「ペインティング」ではなかったという決定的な事実がある。彼らがやっていたものの多くは、いってみれば「インスタレーション」としての作品であり、なんらかの新味があってニュー・ウェイヴだったとしても、ニュー・ペインティングではなかった。そのニュー・ウェイヴのインスタレーションにしても、破天荒なものでも了解不能なものでもなく、ヨーロッパのニュー・ペインティングのように極端な折衷主義（エクレクティシズム）とか伝統主義を意図的に標榜するというようなものでもなかった。むしろ、「具体」や「反芸術」以来のインスタレーションの系譜上に、収めようとすればちゃんと収まるものだった。この最も若い世代は、欧米のニュー・ウェイヴから刺激や触発や影響をもちろんうけただろう。だが、彼らにとって「ニュー・ペインティング」は、自分たちの感性の発散ないし実現のためのきっかけ、機縁になったにすぎなかったとおもう。ちょうど、かつての「反芸術」の

4-14：保科豊巳《ギャラリーKにおけるインスタレーション》1982年（木、和紙、墨、空間。現存せず　撮影・安齊重男）© Estate of Shigeo Anzaï, courtesy of Zeit-Foto

4-15：川俣正《神奈川県民ホールギャラリーにおけるインスタレーション》1980年（木材、ペイント。現存せず　撮影・川俣正）

4-16：岡﨑乾二郎《そとかんだ》1981年（アクリル、ポリエチレン。14.1×33×39.5 cm。高松市美術館蔵　撮影・中川周）

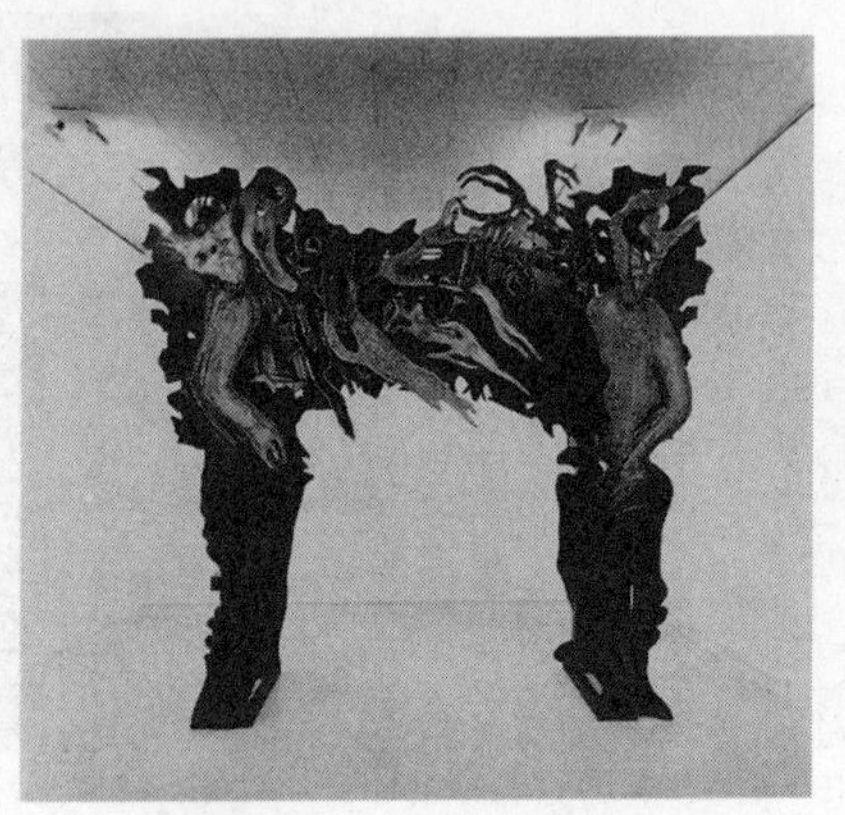

4-17：矢野美智子《タニア門》1984年

4-18：平林薫《五十一音—箱》1985年（ミクストメディア。51点組。各50×50×20.5 cm〔扉を閉じた時〕。北海道立函館美術館蔵）

4-19：藤浩志《豊かな庭園の鯉の叫び》1985年（木材、皿、石膏、ぬいぐるみ等ミクストメディア。現存せず）

世代にとって、アンフォルメルがエネルギーのはけ口の機縁にすぎなかったように、である。

日本における「ニュー・ペインティング現象」は、この最も若い世代（八〇年代作家群の二番手）にとってはそういうひとつのきっかけだったとすれば、それより上の世代の作家たちにとっては何だったろうか。それより上の世代とは、「八〇年代作家群」の一番手と「七〇年代作家群」を指している。「もの派」より上の世代は、「七〇年代作家群」と同日に論じられる作家を除いては勘定に入らない、というのではない。時代の基底の動きは、どの世代の作家にとっても無縁であるはずはないが、とりあえず、その動きの反映を「七〇年代作家群」のなかに追っていく。「ニュー・ペインティング現象」にまどわされずにみれば、事態はこうであった——つまり、七〇年代最末期から八〇年代初頭にかけての時期とは、否定と模索のほぼ十年に近い時をへた「七〇年代作家群」が、ようやく自分たちの表現といいうるものを各人が実現しはじめていた時であり、かつ、「八〇年代作家群一番手」の登場がかさなった時だった。その意味では、「七〇年代作家群」も「八〇年代作家群一番手」も、「ニュー・ペインティング現象」によってどう変るということはなく、実践が継続しているといえるし、事実そうである。だから、また、「八〇年代作家群一番手」は、二番手よりは「七〇年代作家群」につながっているといってよい。そういう「七〇年代作家群」および「八〇年代作家群一番手」にとっては、「ニュー・ペインティング現象」じたいは取るに足りないものだったろう。それが付随的にもたらした、たとえば美術における進歩主義や前衛主義の崩壊の一般化（大衆化）というようなことも、彼らにとっては、自分たちの出発の時点で進歩主義や前衛主義の終焉はすでに自明だったから、大衆化という側面をべつにすると、目新しいことではなかった。

ただ、「ニュー・ペインティング現象」という波が、いろいろな通念や迷妄をあるていど流しさる結果をもたらしたとするなら（そして新種の通念や迷妄にとらわれなければ幸だが）、波の去ったあとの今の状況は、「七〇年代作家」たちが作品を実現しようとしている地平にほぼ等しい、ということもできるのではないだろうか。「ニュー・ペインティング現象」がそれをもたらしたというのではない。迷妄に終始した「ニュー・ペインティング現象」の底から日本の美術の現実を救い出すために、そういう読みかえをすべきだとおもうのだ。いま、「ニュー・ペインティング現象」をへて、いろいろなものが整理され、ひとつけたあげされたところへ出たという印象を、たしかに誰もが抱いている。だが、この「けたあげ」の印象は、折衷主義の謳歌をはじめ、何もかもがもう自由なのだといった安直な、擬似的な解放感なり開放感からは、じつは程遠いものだろう。むしろ、方向づけられない自由感、崩壊の解放感とでもいうような、重苦しいものであるような気がする。それを方向づけていくには、とにかく、日本の美術の現実に足をおろす以外にはない。この「けたあげ」の状況を、「七〇年代作家」たちが実現しようとしている「類としての美術」へのけたあげへと読みかえたいのも、そのためである。「七〇年代作家群」は、否定と模索のなかで、いったん美術の外へ出てしまう体験をへて、美術を求めてきている。いま彼らが実現しようとしているのは、そういう意味で、ひとつけたあげされたところに出てくる「美術」であり、「外の美術」である。

他方、「ニュー・ペインティング現象」をもたらした基底部の動きは、とにもかくにも、一種の美術外といってよい地平をもたらすことで、ある種の「けたあげ」を実現してしまった。前者のけたあげと後者のけたあげは、過不足なくかさなるものとは言えないだろう。しかし、かさねあわせてみようという読みかえは、不可能ではない。ただし、あくまでも、「七〇年代作家」たちのけたあげの地平への営為が、たとえば「ニュー・ペインティング現象」のなかにそれと関連づけられるけたあげ状況に類した事態を、読みとらせることを可能にするという意味においてである。

終りなき現在

そうかんがえてくるとき、小波大波にかくれて、本質的な動きはいつも基層部分に流れていたとみるべきだろう。そして、美術としての美術からプラークシスとしての美術への転回という視点、日本概念派と「もの派」までをそういう意味でのプラークシスの前史、それ以降の総体をプラークシスの実現過程としてとらえるという視点を失わないかぎり、この本質的な動きとは、「七〇年代作家群」が七〇年代なかばまでにあきらかにしたものの延長上にあったことにかわりはない。

美術としての美術からプラークシスとしての美術へ——この転回は、しかし、終りなき実践の野に出たことにほかならない。この転回以降の実践の総体が、いつか、プラークシスとしての美術になるからである。十年くらいで結着のつくことではなく、ある時間をへたのちに、後世が、プラークシスとしての美術として位置づけてくれることができるだろう。個々の作家は、その死によって、それ以前にも実践の停滞によって、終ることはあるし、むしろ終るほかはない。また、ひとつの世代(たとえば「七〇年代作家群」)にも終りはくるだろうし、くるほかはないだろう。だが、プラークシスとしての美術には終りはないのだ。むしろ、終ることなき現在こそは、プラークシスとしての美術の異名だといってもよいのである。

一九八〇年代のなかばを越えたいま、付加えておくことがあるとしたら、ひとつの危機の感覚、崩壊の感覚であるかもしれない。何をどうやっても、結局は、美術のすべても、くずれていくのではないか、というおそれである。これは、いま突然に浮上してきたものでもないし、「ニュー・ペインティング現象」がもってきたものでもなく、むしろ、ここ数年の推移にみられる日本の社会状況の方からの圧迫に由来している。その意味では、かならずしも美術にとって直接的な、ないし内在的なことがらではないのかもしれない。だが、図としての美術は、地としての社会総体から吹いてくる嵐によって、何もこうむらずに済むというわけにはいかない以上、もしも社会そのものが崩壊していったら、みずからもまたくずれさる以外にないのではないか。そういうおそれである。もちろん、くずれさるまでは、続けていくことができる。それに、かならずしも内在的ではないかもしれないという意味では、まずは内在的なところで、未生の美術を実践によってつくりあげていくという課題があるだけなのだ。流産を前提に子を孕む女はいない。産もうと意志するからには、産もうと努力しなければならないのである。だが、くずれさるまではあくまでも続けていかなければならないと同時に、足元そのものがいま、とどめがたくくずれているというに近いのだ、といったおそれの感を、どうしてもぬぐいさることができないような気がして仕方がない。何が、どうくずれていこうとしているのか。そして、それは美術に何をもたらすことになるのか。わたしたちは本当は、そういうおそれにわけもわからずに浸され、犯され、染っていくことができるだけかもしれない。それでも、美術のなかでは、プラークシスとしての美術への営為を持続していかなければならない。また、それ以外のことができるわけではないし、望むと望まざるとにかかわらず、わたしたちがやっていくことは、それ以外のことではありえないだろう。

この先へ

増補へ

『現代美術逸脱史』から『未生の日本美術史』へ

『現代美術逸脱史』（以下『逸脱史』と略）の出版は一九八六年三月だった。そこでは「具体」から「ポストもの派」の入口まで、それなりに通史的な軸線を意識しながら書いた。取り上げえたのは、ここまで読み進んできておわかりの通り、実質的には「もの派」と「もの派」直後の「美術学生の反乱」までであり、「ニュー・ペインティング」など一九八〇年代のことはわずかに触れているだけで、論じているとは言えない。だから『逸脱史』は一九八〇年代に入ったところで終わっている。「高度経済成長期」が終わって十年ほどが経っていた。

それから四十年ほどが経った。一九八〇年代から「バブル崩壊」までが十年足らず、そこから「失われた二十年」が終わるまでが二十年、二〇一〇年から現在までが十年、振り返ればもう四十年ほども経つのである。

この四十年ほどの半ば頃の二〇〇六年に、わたしは『未生の日本美術史』（以下『未生の』と略）という本を出した。それは「通史」ではなく、現代の幾人かの美術家に焦点を当ててみた「作家論集」だったといっていい。批評的な「作家論集」だった。取り上げたのは「反芸術」世代の二人（草間彌生と田中敦子）、「もの派」についての私見を深めようとして菅木志雄、そして「ポストもの派」の五人である。彫刻が二人（遠藤利克と戸谷成雄）、絵画が二人（堀浩哉と中村一美）、「彫刻の展開としてのインスタレーション」が一人（川俣正）だった。

ただ「絵画」については、古墳壁画から仏教絵画、水墨画（雪舟等楊）、そして障壁画（尾形光琳）まで、一つの章を設けて簡略に辿っている。その意味では、「通史的」な視点を広げて日本列島での絵画の始まりから捉え直すという姿勢もなかったわけではない。ちなみに、この列島の絵画の始まりから明治時代に入るあたりまでについては、昨年（二〇二〇年）刊行した単独編集の拙誌『徘徊巷』の第十八号で「絵画は空間を描く」という少し長い文章を書いたが、それも批評論、作家論であって、美術史的な文章ではない。

そして『未生の』では、後述するように、一九九〇年代に登場する「新人類」とか「バブル世代」と呼ばれた美術家についても、少しだけ書いている。

「四十年ほど」は短い時間ではない。でも過ぎてみて、わたしの考え方はそんなに変わってはいないし、まあ変わりようもない。変わったのは、正直に言って以前ほどは展覧会を見て歩かなくなったことだ。毎週、貸画廊での展覧会までこまめに見て歩いていた頃とくらべると雲泥の差がある。また、『未生の』の出版年の前後に二度、ギックリ腰に見舞われてしまったことも大きい。その結果、歩き回って美術状況の全容を余すところなく捉えているという自信はなくなってきている。実物を見ないでものは言えないというのがわたしの基本姿勢だから、机上で考えることが中心になったことは否めない。歳も加わっていった。

でも、隠棲したわけでもないので、机の前に座っていても世の中の動きのだいたいはわかる。ここでは、そんな位置と姿勢で書いてみることにする。『逸脱史』と『未生の』を引継ぎながら、その延長上で、わたしに見えることを書いてみる。「もの派」の個々の作家の作品・思想とその展開、「ポストもの派」(「七〇年代作家群」)の展開、そういう美術の大きな変容に接して「既成」世代はどうしたのか、などについてということになるだろう。

状況

太平洋戦争降伏・敗戦後の日本は「日本国とアメリカ合衆国との間の安全保障条約」を

アメリカ合衆国と結び（一九五一年）、一九六〇年にそれを（「集団的自衛権」などを追加して）改定し、一九七〇年以降は自動延長のかたちで、現在まで基本的にはその体制が続いている。これと「代表民主主義制」のもと、政治的には基本的に保守政権が確立して主流を占め、それが継続され、さまざまな矛盾を抱えながらの「復興」、そしてその後の道を歩んできている。

一九五六年の「経済白書」は「もはや戦後ではない」という手前みその宣言を発したが、もちろん「戦後」はそんなに簡単に終わるはずがなかった。「日米安保条約」については改定時の一九六〇年、そして自動延長時の一九七〇年に「反対闘争」が起こった。前者の時にはデモ隊のなかに一人の死者を出したこと、後者の動きは「全国大学闘争」と重なったことは、周知の通りである。美術では、前者の時には、その数年前から「具体」を先頭とする「日本の反芸術」の運動が重なった。後者の時には「もの派」、続いて「ポストもの派」の動きがあり、それらの動きは、「全国大学闘争」の中心になった「団塊の世代」（戦後の「第一次ベビー・ブーム」と呼ばれた時期、一九四七〜四九年に生まれた人々。三年続けて年二百七十万人ほど生まれている）前後の人々によって展開された。それも周知の通りだろう。

この世代は、一九六〇年代末期から七〇年代前半にかけて、自身の青春が終わっていくなかで「戦後民主主義」と「進歩主義」と「旧左翼思想」が崩壊して「戦後」が終わっていく事態を目のあたりにした。以降の日本は、加藤典洋の言葉を借りていうなら、「戦後以後」をむかえたのである。ちなみに「戦後以後」とは「戦後はもう終わった」という意味ではない。「戦後」は続くのだが、「戦後はもう終わった」の次の段階に入ったという意味である。

表現者は自己を展開させたいと願っているから、直感的にせよ自覚的にせよ、社会全体の動きに鈍感ではありえないだろう。一九六〇年代末期から七〇年代前半にかけての社会全体の状況と思想状況と表現の状況に、無縁ではありえなかった。それは既成世代も同じだっただろうし、スタート直前だった世代にとってはもっと切実だったかもしれない。さらに、目前の出来事が一応の終息をみたのちも、この大きな変わり目のなかを生きていくのだから、各自の「問いかけ」は、今度は「表現そのもの」の問題のなかに組み込まれる、あるいはそれと重なる、そんなかたちで続いたはずである。

時代のこういう推移を経た一九七〇年代半ば以降、つまり「もの派」以降の最初の社会状況を象徴する語をひとつ挙げるとしたら「高度経済成長の終焉」だろうか。

戦後日本の復興は「東洋の奇跡」と呼ばれたりしたのだが、一九五四年に始まったその「高度経済成長」は、一九七三年の「第四次中東戦争」がもたらした「オイル・ショック」のために終わりをむかえ、まもなく「安定成長期」(要するにアップ・ダウンのあまりない時期)に入り、それは一九九一年初めの「バブル崩壊」まで続いた。

「バブル崩壊」とは、簡単にいえば景気後退だが、過ぎてみれば以降の社会・政治・経済の劣化段階のとば口だった。角度を変えるなら、普通の国民の生活を中心に置かない政治・経済がいよいよ堂々のスタートを切ったのである。「失われた二十年」はそこから始まった。はじめは一九九〇年代を「失われた十年」と呼んだのだが、さらに十年経ってみると「空白」は二十年間に及んでしまった、ということである。

空白の時代を生きる

もっと言うなら、それからさらに二十年経ってみると、「失われた」のは最初の二十年どころではなかったのだ。それ以降を顧みて、わたしたちは、皆、今もなお「失われた時代」、「空白の時代」のなかを生きている、と言うほかはないような状況下にある。それどころか状況は二〇〇〇年代途中から二〇一〇年代へと、ますます悪くなっていったように見える。政治上の長期政権が水をはなはだしく濁らせ腐敗させたことは明らかだが、残念ながらその劣化は、どうやら社会から人々の心にまで浸透してしまった。そして、そのことが文化芸術と無関係だと言い切る自信は、わたしにはない。

加えて種々の災害がある。この列島はもともと地震・台風・火山などに伴う災害が多い。だが、一九九〇年代からのこの「失われた三十年」には、以前より「災害」が頻発するようになっている感じもある。地球温暖化の影響もあるけれど、それだけではない。「阪神・淡路大震災」（一九九五年）と原発崩壊を含む「東日本大震災」（二〇一一年）を別格としても、豪雨による広範囲に及ぶ水害、「想定外」の大雪や猛暑、「やっぱりなあ！」と思わせる土砂災害（岩盤崩落、地すべり、土石流）、「ええ、何で？」と絶句する強風や竜巻による災害など、いわば従来型と非従来型の混合による災害が頻発するようになっている。勿論、そこには「人災」の要素も強く認められる。そして、現在も（というか、今後もずっと）その「渦中」にある（だろう）というほかはない。それらの「災害」には「新型コロナウイルス感染症（COVID-19）」のたぐいのものも含まれる。

したがって一九九〇年代以降は、そしてとくに二〇〇〇年代に入って以降は、美術家も既成・中堅・若手・予備軍というような老若を問わず、等しなみにこの「失われた時代性」のなかで美術表現の展開を遂げていくことを余儀なくされてきたのではなかったろうか。

いま現在、日本はパンデミック化した「新型コロナ」に襲われている。長きにわたった「失われた時代」に続けて、これである。地球の他の地域のことはさておき、日本列島と日本の美術にとっては、これはかなり大きい。しかも、「新型コロナ」が予告しているかもしれない「新型災害群」が今後の地球を次々に襲わないとは限らない。そういう怖れが蔓延してしまったような気もする。「美術」がどうなるか、まったく判らない時代を、これからわたししたちは生きなければならない。

いまや表現者は既成・中堅・若手を問わず、絶えず「表現の縁」に立たされながらの模索を強いられている。これは(これが)、新しい事態なのかもしれない。

振り返って

この大きな変わり目にまず現れたのが「もの派」だったが、この「もの派」世代はやがて変容していく。小清水漸をはじめ多くが「彫刻」を改めて問い直していき、あるいは李禹煥や吉田克朗のように絵画へと移っていく、といった変容である。もちろん、「もの派」はうわべの「形式」としてはその後も広がっていく。そして、時間差はあるが、その影響は中国大陸などにまで及んでいった。

他方で「ポストもの派」は、「美術家共闘会議(美共闘)」の問題提起に象徴的に認められるように、「もの派」とは異なる視点、角度から「美術」を根底的に問い直すことを始めた。そして間もなく、個々の試行錯誤を経て開花と展開をはじめる。そこに、「美共闘」の弟分くらいの年回りの世代、これも結局「ポストもの派」に括られることになる作家たちが続く。この広い意味での「ポストもの派」は一九八〇年代から「空白の一九九〇年代」にかけて大きく展開を見せていく。

そして、最初の「空白」の一九九〇年代をむかえて登場するのが(一九六〇年代生まれを先頭とする)、当時「新人類」とか「バブル世代」と呼ばれた世代である。美術ジャーナリズムで「サブカルチャー派」と騒がれた美術家たちだ。彼らは「高度経済成長」のさなかに生まれ、内閣府による「国民生活に関する世論調査」で八～九割の人々が「中流」だと思い込んだ「一億総中流」意識の時代に育った、「戦後を知らない」世代である。

I 「もの派」の展開と変容

関根伸夫――突破口

「もの派」の始まりは関根伸夫の名高い《位相―大地》(一九六八年)だった。しかし「第三章」で書いたように、関根自身の考え方の本質はむしろ「トリック」論にあり、《位相―大地》[図3-1]以前はそれを絵画で表現していた。彼は高松次郎の助手を勤めたことで思考を鍛えられ、「位相幾何学」的な「空間表現」を目指したという。

宇部の野外彫刻展の機会を得た時、考えが完全にはまとまらないまま「思考実験」をやろうと現場に臨んだという。それが良かったのかもしれない。つまり、プランはちゃんとあったが現実に制作してみないと実は何も見えない。だが何かを探し求めている強い勢いはあり、その勢いのまま現場に臨んだことが、である。それが、関根が言う「ビッグバン」(1)をもたらした。それは地球に穴を開け土を掘り出し続けていけば「いつか地球は卵の殻の状態になる、さらに摑み出すと地球は反転しネガの地球になってしまう……」(2)という「思考実験」だった。わたしも彼から直接「この円筒の穴を地球の反対側まで掘っていったらって、そういうことを考えたんだよね」と聞いたことがある。

作業員の人々の手を借りて作品が立ち上がった時、凹と凸の土の塊、物体と状況が姿を現わすと、声を失い、立ち尽くしたという。「思考実験」でいろいろ考えたことはいわば全部吹き飛んで、物の迫力と物性の強靭さに度肝を抜かれた。そして「物性やものの特性を作家が引き出す方式が新たな方向で存在するのではないか[3]」と考えたと言う。

そういう彼の考え方は、のちに「もの派」の仲間に、李禹煥や林芳史（よしふみ）らを交えて、西新宿の喫茶店でしばしば話をするようになって、明確になっていった。いちばんの課題は「いかに西欧近代主義を超えるか[4]」だったという。やがて、ジャーナリズムにおいても、例えば「もの」にすでにこびりついてしまった手垢を払いのけて「もの」にじかに触れること、その側面が強調されていくことになった。「手垢」というのは「言葉や認識による手垢」という意味である。

「彫刻・立体作品」は材料として「もの」を使わずには成り立たないが、木材にせよ石にせよ金属にせよ、「もの」は媒体だが「物質そのもの」でもある。媒体としては物質はニュートラルになることを求められるが、完全にというわけにはいかない。彫刻家はその事実を承知のうえで、一点の作品においてさえ、無意識のうちにもその「こと」、「もの」じたいが持つ「こと」を利用している。物質性に頼り、かつ媒体性に頼る。つまり二股をかけているのだ。それにたいして「もの」は、発言も抗弁もできないから、いわば自然な反逆としてみずからに彫刻家の「言葉や認識」を纏わりつかせていくことになる。それが「手垢」である。

だから、「もの」にこびりついた「手垢」を払いのけることじたいにも意味はあるだろう。だがそれだけでは、つまりそうやって「もの」を「ものそのもの」に戻して、いわば純粋な「ブツ」にして、それをただ並べるだけでは、後が続かないし、あまり意味はなかった。関根自身は、《位相―大地》の翌年になると、《空相―油土》〔図3-2〕という関根の「もの派思想」のもうひとつの典型といいうる作品を生み出した。

しかし、まもなく関根は、そういう「もの派」の思想を基盤にしながらも、《空相》(ステンレスの大きな柱の上に大きな自然石)のような「トリック」的な作品を主に制作する方向に舵を切る。また、絵画にも改めて着手するのである。

李禹煥――点と線の先の絵画へ

李禹煥自身にとっての「もの派」とは、二つの異質な、しかしそれぞれはニュートラルな物質を「関係」づけること、場所や環境や時間も異なる「場」で関係づける、あるいはぶつけ合わせることである。「関係(出会い)」のなかに置くことで「もの」と「空間」の変容を示すことであり、それによって彫刻の位相を変えるところにあった。「物と物または空間との関係や状態やプロセス自体としてアートを示そうとした」ということである。だが、彼の彫刻思想にそれ以上の展開はなかったといっていい。やがて「二つの異質な物質の関係づけ」は類型化の危うさに見舞われていったように見える。「もの派」の大枠は、文章化能力に長けていた李の「もの派」についての思想が作り出したと言っていい。繰り返すけれど、「もの」を使っているから、あるいは「もの」だけ「ボソッ」と提示してあるから誰言うとなく「もの派」と呼ばれることになっていったというのが実際なのだが、その漠然とした名称に一つの明確な輪郭を与えることになったのが李禹煥の文章だった。それは大きな功績だった。その後の世間一般の「もの派」理解に手がかりを与えたからである。ただし、第三章で書いたように「もの派」がグループとして成立することはなかった。皆、個性が強すぎたのだ。

李禹煥は、まもなく、自分がもともと馴染んでいた平面表現を始める。もちろん従来の絵画への回帰ということではなく、そこには「もの派」を経た体験が生きている。彼自身の言葉を借りるならそこには「身体の新たな発見」がある。すなわち、自身の内部にだけではなくて外部にも連なっているという「身体」と「外部世界」との連続性と、身体の特異性と、この二つを組み込むような平面表現としての絵画の発見がある。「点」を打つという行為、「線」を引くという行為、そのことじたいが絵画となる、そういう、きわめて特異な絵画作品を生み出していった。

彼は幼い頃から書画が身の回りにふつうにある環境のなかで育ったこともあり、絵画へ向ったのは自然だったろう。しかし「点より」や「線より」〔図5-1〕は、「書」ではなく「画」である。「画」であるが、近代絵画ではない何かを誰もが模索していたときに、それは、「書画」渾然の「段階」を彼なりに検証することを通して生まれてきたものである。象形文字の漢字圏では「書」じたいが元々は「形」を「象る」ものだった。つまり「画」に近い事柄だった。その「段階」、つまり現実のものの形を単純化ないし抽象化して（文字へ向って）いく段階で、「文字」へは行かずに、あらゆる漢字を成す要素の根源ないし基本要素だけを「線」と「点」として取り出して、「画」の方向へ向う。いわ

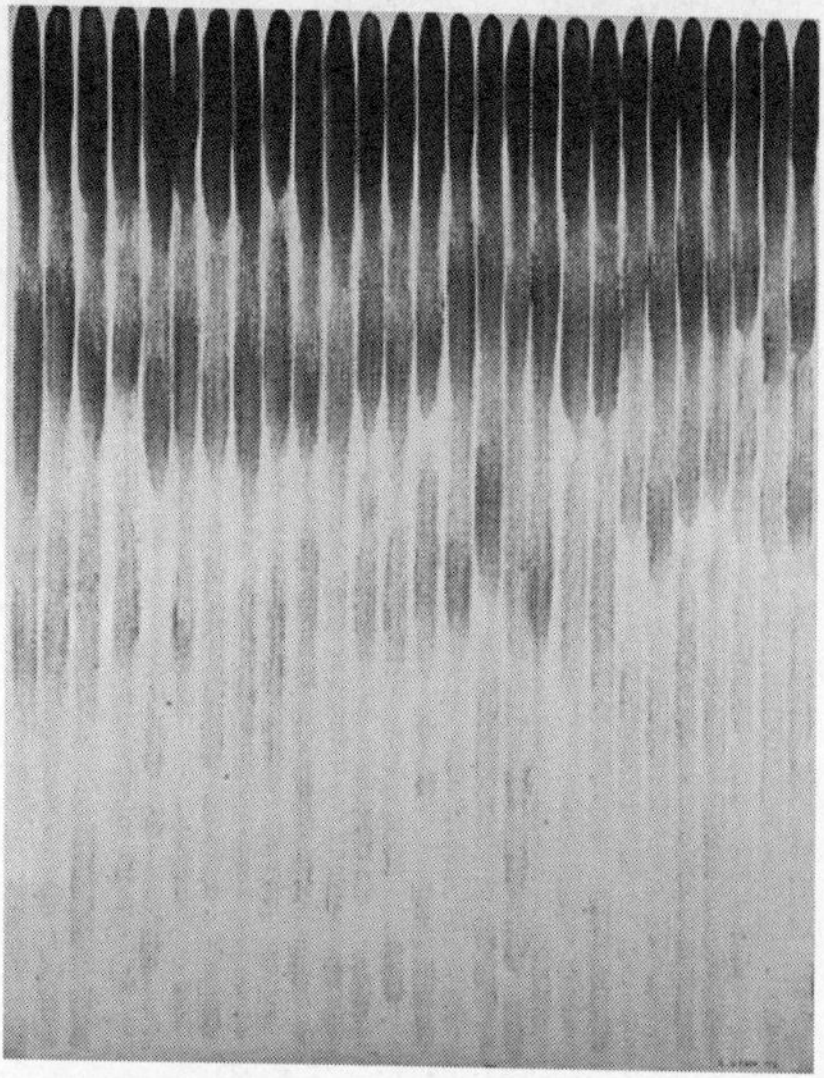

5-1：李禹煥《線より》1976年（岩絵具、画布。99.5×80 cm。東京オペラシティ アートギャラリー蔵）

ばそういう方向の地平を開いたのが、李の絵画なのである。

吉田克朗——身体の絵画へ

吉田克朗が《位相―大地》の制作を手伝ったときのことは、わたしは「吉田旅行社」の仲間だったので、彼から直接、一度ならずその話を聞く機会があった。それは伊豆西海岸の温泉へ定期的に遊びに出掛けた仲間の「名称」で、「社」というのはむろん冗談で、吉田が「社長」、わたしが「専務」ということになっていた。

印象に残っているのは「こういうのもありなのか!」、「作品って、こういうのでもいいんだ!」、「これでも作品になるのか!」という意味の言葉だった。つまり小清水と同じく、しかし別様に、吉田も大きな衝撃をうけたのである。そこから吉田は(彼も)まず「もの派」的な立体を作るのだが、しかし彼は、早くも一九六九年から版画(シルクスクリーン)も始めていて、一九七三～七四年のロンドン留学(版画工房で学んだ)を経て、帰国後は版画やドローイングを中心の制作を始めた。

一九八〇年代に入ると、関根・李・小清水・菅らと同じように、吉田も、かつての「もの派」の頃の作品の「再制作」の機会には、その求めに応じた。例えば一九八六年のパリのポンピドゥー・センターでの「前衛芸術の日本　一九一〇～一九七〇年」展などだ。わたしはこの展覧会では(ポンピドゥー・センターの依頼で)日本戦後美術についての「学術調査コーディネイター」として協力したのだが、パリで、関根・李・菅はそれぞれ別個に動いていたのにたいして、吉田と小清水は、食事にしても日本へのお土産を買いに行くのでも、わたし（案内役）を含めてけっこう一緒に行動したことを覚えている。《位相―大地》以降、李は絵画へ、小清水は彫刻へ、吉田は最終的には絵画へ、しかし共に「身体性」を核にする作品へと、展開していったのである。

吉田はまず版画から、「平面」へと彼の意識が変わる。例えば《かげろう》シリーズ（一九八三年～）は、絵の具にアルミの粉を混ぜたものと油絵の具を使って、画布や紙に風景（写真を元にした風景なのだが抽象的にも見える）を描いた作品である。

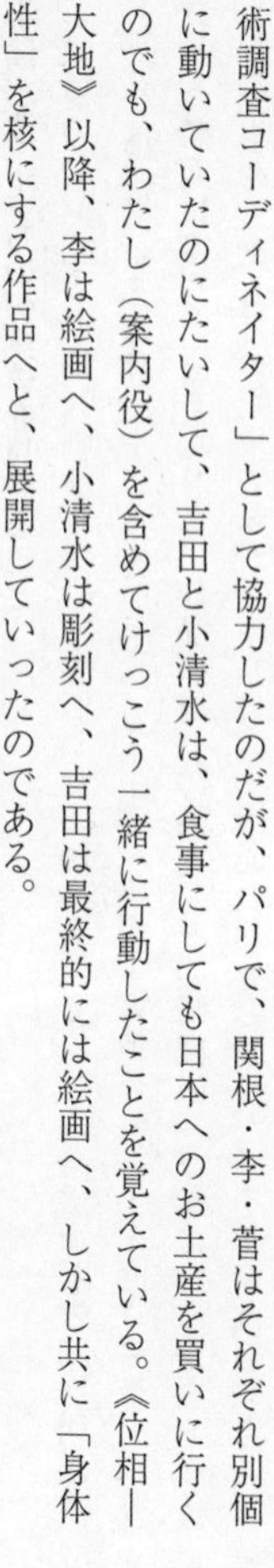

5-2：吉田克朗《触 "87-57"》1987年（黒鉛、油彩、紙。203×146 cm）
© The Estate of Katsuro Yoshida, Courtesy of Yumiko Chiba Associates

それを展開させたのが、一九八七年から始った《触》シリーズの絵画作品である［図5-2］。吉田自身の説明によれば、描かれているのは人体の一部、例えば肘を曲げた時のそこの部分、などである。それを（「そこを」というべきか）、人体の部分に触るように、黒鉛の粉を付けた手で画面に触りながら描く。描くというよりは、いわば画面上に「人体」を求めて触っていく。平面上に「人体」が欲しい。その「触る」（描く）行為について、彼はときどき、そこに「エロティック」な「感じ」があることを（ウインクしながら、あるいは冗談を言うように）ほのめかしたものだ。平面作品なのだが、触ることで「もの」を、描出ならぬ「現出」させようとしている、かのような絵画なのである。

わたしは、彼のこの《触》シリーズの最初の頃の個展のパンフレットの序文で、「吉田の作品はある野生の状態にある」、と書いたことを思い出す（一九八八年九月、かわさきIBM市民文化ギャラリー）。新たな表現への模索が、彼の場合、自分の身体の根もとにまで降りたところから始まっているのである。

「もの派」を体験したことで生まれた新しい絵画、「身体性」を軸にして「身体性」に迫る、そういう絵画と言っていいのかもしれない。五十代半ばで世を去ったことが惜しまれる。

小清水漸——ものの実体を見せること

関根の《位相—大地》制作を現場で手伝ったのは（男性では）小清水漸と吉田克朗だった。小清水漸はその体験をこう書いている——「《位相—大地》の（土を囲う）枠を取り払った瞬間にぱっと立ち現れた、作品の成立の瞬間。その瞬間に、なんていうかな……それまでもやもやしていた僕の霧が、本当にいっぺんにパッと晴れた、そういう経験をしたのでね。僕はその瞬間に、もの派が成立したと思っているんです」[5]。そしてこう言う——

僕自身はそのときに、どんなふうに今後の自分の作品を展開させていくかやっぱり数カ月考え込んだんですね。要するに僕があのときつかまえたものを、実際に自分の作品として生かしていくにはどんなことが可能かって、一生懸命考えて。（中略）そのときに僕は、観念やイメージではなくて実体を見せることを改めて自分の大事なものとして捉えた。[6]

それまでは表現が「自分の肉声ではない」という思いがあったが、これを機会に「ものにたいする身体的なアプローチ」でもって「自分のものを実体として出す」ことになった。《位相―大地》から約二年後、小清水は「一九七〇年八月——現代美術の一断面展」（東京国立近代美術館、ゲスト・キュレーター・東野芳明）に招かれて《70年8月石を割る》［図3-9］と《紙の袋》を出品した。前者は会場入口の屋外に置かれていた。「もの」を「もの」としてただ置くのではなく、大きな石をシンプルに二つに割ることで石の、「もの」としての実態を端的に見せた作品だった。わたしはその直接性に惹かれたことを覚えている。そこから彼は「表面から表面へ」連作で「イメージの拒否」へと展開していった。作品の背後に何らかのイメージとか意味を存在させるのではなく、「もの」と的確に対峙することを指針にして作品を作っていく。以降、素材と形式は変化するけれど、一貫した制作を続けてきている。例えば《作業台》の連作（一九七五年〜）［図5-3］。木の机の「作業台」の上に何かが載せられていたりする作品である。身体でものと関わり、制作に流れた「時間」、よぎったさまざまな想い、ふと頬をかすめた風、そういうもののすべてを作品化しようとしていく。空間と時間と世界とがそこに凝縮している作品で、彼の造形思想の根幹をよく現している。

ここでひとつ、「もの派」と呼ばれた作家の多くに共通することに触れておきたい。彼らは自身の「身体性」を見つめ直し、「空間」を捉え直そうとしたがゆえに、制作の仕方と結果としての作品に、西洋とは異なるものが本質として横たわっていることに、当然のことだけれど気づいた。

興味深いエピソードがある。小清水漸が一九七一年から七二年にかけて、パリ・ビエンナーレ出品のあとヨーロッパを回り、そしてデンマークのルイジアナ美術館に滞在していた時、関根伸夫がルイジアナの画廊での個展のためにやってきて、二人はしばらく一緒だったことがある。男二人、毎晩のように酒を飲み、議論をしたという。その折、「引き寄せて結べば柴の庵（いおり）にて解くれば元の野原なりけり」という和歌（慈円作とも一休和尚作とも言われ、定かではない）をめぐって論争になった。小清水漸はこう語っている——

「結んで庵にしてそれを解いてまた元に戻すという、その〝からくり〟が面白いんだ」っていうふうに彼は言う。だけど僕はそうじゃなくて「草を結んで庵にしたら、それはもう自然の中の人間の営為の一つなんだから、そのままで自然の中に元に戻っていくんだ」って[7]。

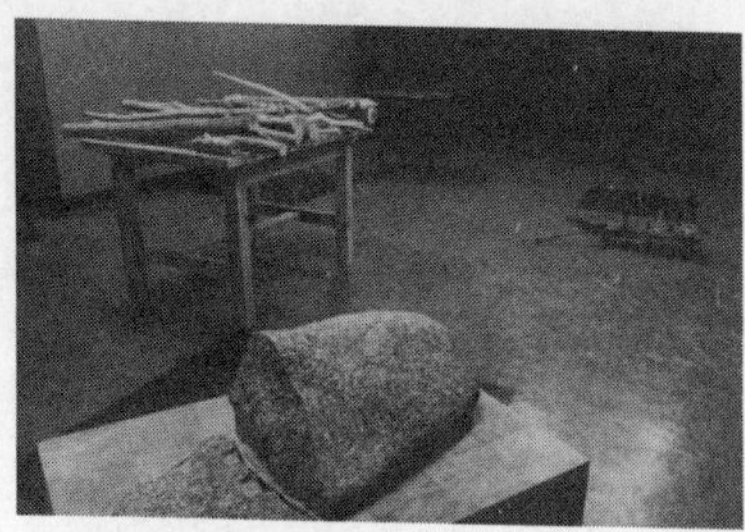

5-3：小清水漸《作業台》1975年（於・信濃橋画廊個展。現存せず　撮影・小清水漸）
（写真奥）《作業台―裏山の木の枝》（桜、ポプラ。120×90×85 cm）
（写真手前）《作業台―能勢川の石》（水目桜、御影石。57×38×90 cm）

つまり小清水のほうは「引き寄せて結べば柴の庵なれば　解かずそのまま野原なりけり」でいいではないか、と言う。そういう論争だった。この列島の「自然」は人の働きかけを許容し、それを含めて「自然」である。「自然」には変化がないということではなく、そこには絶えず人との交感がある。美術表現に「もの」を取り入れるのなら、そういう地平、そういう位相を無視はできない。

小清水はこの滞在で西欧文化の深さを非常に強く感じた。現代美術もそれぞれの場所で、土着のレヴェルで根付かないと、本物にはならない。そうでないと本当の意味での先端性にも辿り着かないと考えた。西欧の現代美術家たちはいたずらに先端性にばかり走っているわけではなく、自身の「場所」はきちんと織り込み済みで、そのうえで「先端性」とは何かを試みている。つまり「先端」なり「前衛」にたいする試みそのものが地についている。小清水はそういう事例を数多く見聞きしたのだろう。わたしの言い方に直すなら、「近代美術終焉」以降の西欧の可能性の一つは、そういう意味での「洗練」にあるのだ。小清水が、帰国後、東京を離れて京阪神文化圏に住むことを選択することになった理由はそこにあるかもしれない。

自身の場所、自分にとっての固有の文脈にたいするこういう意識は、それぞれ別様にだとしても、じつは関根にも吉田にも菅にも、そして李禹煥にもあり、それはごく自然なことである。勿論、ことは「もの派」の作家たちに限ったことではない。近代美術じたいもそうだが、時代と社会は大きな変わり目を迎えていたからである。その状況は、現在も変わってはいない。

菅木志雄——空間＝時間のたて・よこ

『逸脱史』でわたしは、自分が「もの派」よりはわずかだが「ポストもの派」に近い年齢と立場から「もの派」について、そして菅木志雄について書いた。「もの派」といっても各作家の「もの派」の考え方と各自の「思想」はそれぞれ異なっていることは明らかだった。また、美術評論家や美術館学芸員が「もの派」について書く文章に納得のいくものがあまりなかった。そこでわたしは、自分なりに「もの派」の思想の本質とは何かを言ってみたくなった。歴史的な見取図や位置づけはそれとして、だ。

その地平に立ってみると、「もの派」と呼ばれた渦からは菅木志雄が「空間」についての一つの新しい考えを提示し、かつそれを継続して展開していることは明らかだと思えたから、わたしは菅について書いてみることにした。『未生の』では、その第一歩というべきだろうか、日本列島の「庭」の歴史と在り方（念頭には朝鮮半島の「庭」の在り方もあった）なども検討して、日本人の空間意識という視点を盛り込んで書いた。その後も、さらに菅についてかなりの文章を、優に単行本一冊分くらい書いてきたのは、彼の作品展開とその仕方が「空間」という視点から非常に興味深かったからである。

二〇一六年の「創造の場所―もの派から現代へ（新・今日の作家展2016）」（横浜市民ギャラリー、九月〜十月）のパンフレット中の長くはない「インタビュー」で彼が要点的に語っているので、それを借りて（少し補いながら）言ってみる。

まず「もの派」登場の時期は、従来の美術の内容・概念・認識・制作方法が行き詰っている状況にあった。当時は「イメージ」が断罪されたのだが、それは人間のイメージを超えたものがあると誰もが気付いたからで、それを無視して「イメージ」だけではもう先へは行けなかったからだ。菅は、「もの」は人間とは関わりなくもともと在るので、それを一つ一つ「見て」いけば、そこに表現が成立するのではないかと考えた。「アース・ワーク」から刺激をうけたが、「地面」というものは無記名で、時間のなかでの行為を内在させているからだった。「横軸の繋がりの空間性と、縦軸の時間の空間性というものがある[8]」。「空間」といっても「時間」も含んでいるので、「作品」はそういうものとして作られなければならない。ただ、そうやって何かが見えてくるためには、作品の在り方はシンプルな方がいい。そして展示空間が変われば空間が変わるので、その都度、新たな「空間」を考えなければならない。そういうとき彼は、いつも地面（地表）が思考の基準だと感じている。「地面」をグラウンドとして、「時間」に「空間性」を発見していくことが、作品を綜合的なものとする。

こういう感覚と考え方で菅は個々の「もの」を見る。例えば、彼は石を幾つか地面に置く。個々の石はたんなる塊ではなく、それぞれ内部にそれぞれの空間を抱え込んだ石だから、置かれただけでそこに一つの関係が生まれ、それが一つの「場（空間）」を成す。石の配置を変えれば「場（空間）」も変化する。そこに異質の「もの」、例えば板を持ち込むと、石と板の新しい関係が生まれて、「場（空間）」がさらに変化する。勿論、その「場（空間）」は周囲の「空間」をも巻き込んで変化する。制作はそういう可変要素に対応しながら為される。じつは人は、何もしなくても、絶えずそういう環境、そういう「場（空間）」のなかを動き、止まり、また動き、そうやって生きている。菅の作品は、いわば

「空間」のそういう在り方のエッセンスを表現しているのである。わたしたち観客は彼の作品を見て、彼の作品の中に入って、ありふれた「もの」たちの散在のなかに「空間」を感じ取り、「見る」。

菅は同じ作品の「再制作」を何度でもおこなう。「再制作」とは、ふつうは失われた作品の「レプリカ」である。戦後、「具体」や「日本反芸術」の作品で「再制作」がかなりおこなわれた。美術館や美術史の立場からすると、「再制作」は厳密にいうと「作品」ではなくて「資料」とみなしたほうがよい。また、いわゆる「概念芸術」に「in situ（その場所で）」というタイプの作品がある。それは菅の「再制作」と表面上は似ているのだが、「概念芸術」での「作品」はむしろ「コンセプト」そのものにある。

しかし菅の場合はまったく事情が違う。彼は活動の初期から彼に独自の「再制作」を意図的に、繰り返してやってきている。ふつうの「再制作」、つまり「レプリカ」ではないからである。例として《接立体》をあげるなら、一九八五年の初作から二〇一五年の六作目まで作っている。展示場所がすべて異なるので、それぞれの場所に合わせて（サイト・スペシフィック）、しかし同じ考え方（基本構想）、基本的には同じ材料（石とアルミの細長い板）で、同じように制作される。その場合、作品の在り方を決めるのは展示場所の「空間」である。それに合わせて「材料」である「もの」を配置する。そして、その「空間」の全体が「作品」となる［図5-4、5］。

5-4：菅木志雄《接立体》1985年9月（於・かねこ・あーとGI個展。アルミ板、大谷石、オイルペイント白。同年制作《接立体—T》東京都現代美術館蔵　撮影・金子多朔）

5-5：菅木志雄《接立体—M》1989年（於・ベルギー・ユーロパリア・ジャパン展。石、アルミ板、木。現存せず　撮影・佐藤毅）

この《接立体》でいうと、美術館や個人に収蔵されているものもあれば、展覧会が終わって（写真と見た人々の記憶を別にすれば）なくなったものもある。なくなった？　しかし「なくなった」のは石とアルミの細長い板であり、例えば三作目のベルギーのミデルハイムの公園は、人知れずその記憶を宿し続けている。

わたしは菅のこの「再制作」については用語そのものを変えたほうがいいと考え、二〇一六年の「菅木志雄――空間の奥へ」という拙文で「再・新作」という用語を提案した。(9) 考え方（基本構想）と材料が同じでも、別の新たな「場」の在りようが「空間」を変えるのである。

したがって、菅の「インスタレーション」も、今の一般名詞としてのそれとは、かなり意味内容が異なる点に留意するべきである。ある空間にいろいろな「もの」をただ置く、配置するというものではないからだ。通常のインスタレーションは彫刻の延長か、あるいはインスタレーションされたものたちの集積ということであり、そこでは必ずしも「場（空間）」それじたいが事実上の主役になるわけではないからである。

もう一つ、菅の「パフォーマンス」にも触れておく必要がある。ハプニング、イヴェントが、世間ではいつしか「パフォーマンス」と総称されるようになったわけだが、菅はそれに違和感を抱き、二〇〇四年三月以降、それ以前のものもすべて含めて、「アクティヴエイション」という語に統一して現在に到っている。たんなる行為（パフォーマンス）で

5-6：菅木志雄〈アクティヴェイション〉2017年5月21日（於・横浜美術館　撮影・筆者）

はなく、「もの」と「場」に働きかけてその「空間」そのものを（直訳すると）「活性化」させるということだ。「活性化」という日本語訳はちょっと合わないというか、少しズレているというか、難しいところだ。それぞれの「もの」、「もの」たちの関係、その全体が「場」にもたらすいわば変容、それらを人々の前で眼に見えるように現前させる。それによる「空間」じたいの姿を眼に見えるようにすること、それが菅の「アクティヴェイション」である［図5-6］。意味内容を汲んで仮に訳すなら、例えば「場と遊ぶ」（「場と遊ばむ」）というようなところだろうか。そして「空間」とは、常に、「引き寄せて結べば柴の庵にて　解くれば元の野原なりけり」、陰は陽でもあり陽は陰でもある、そういうものなのだろう。

Ⅱ 「ポストもの派」の展開 1

戸谷成雄──見えない彫刻を捉える視線

彫刻の問題を考えようとするとき、二〇二一年の現在でも、吉本隆明の「彫刻のわからなさ」(一九七三年)から始めるべきだと思う。自身と北川太一が編んだ『高村光太郎選集』(春秋社)の別巻の「解題」として吉本が書いたものである(その後『吉本隆明全著作集』などに再録されている)。ほぼ半世紀前の文章だが、「自前の思想」の言葉は古びない。さまざまな「トピックス」ばかりに惑わされないで、落ち着いて「表現論」のレヴェルで周りを見渡せばわかるが、美術状況じたいがこの半世紀で大して、いやほとんど進んでいない、実は変わっていないということもある。

わたしたちは、ついに現在でも〈彫刻〉とはなにかをわかっていないし、わかるという段階に達していないかもしれない。もちろんこれは、わたしは彫刻家であるとおもい、それを造っているものにとっても、わたしは美術批評家だとおもい、美術批評に手を染めているものにとってもあてはまる。かれらには、表現論がない。

浮彫（レリーフ）から立体への移行は、文明の跳躍といってもいいほどの、大きな世界意識の変化なしにはありえなかった、としかおもわれない。この世界には、明晰な彫刻の意識を獲取した地域があるかとおもえば、立体的な像を造っても、じつは浮彫（レリーフ）の方法の延長にしかすぎないという地域もある。これは何ら芸術的な価値の問題ではないが、文明の摂取された質の差異であることは疑いないようにおもわれる。(10)

繰り返す、ことは「何ら芸術的な価値の問題ではな」く、文明の「質の差異」の問題なのだ。戸谷は「吉本さんの追っかけだった」からこの文章が出て直ぐに読んだという。他方で彼は既に、李禹煥の作品と、「全ては太初から実現されており、世界はそのまま開かれているのに、どこへまた何の世界を作り出すことができようか」というその思想を知っていた。ただ李禹煥の作品、自然石と人工物（ガラスとか鉄板とか）とを並置して、二つを「関係」づけることを「作品」とする方法には、戸谷は納得のいかないものを感じていた。彫刻表現と絵画表現と、さらにその中間にどちらともつかないような「レリーフ表現」を持つ（持ってしまった）文明のなかに生まれ育った彼は、「彫刻」を実現するためには、その「落差」に眼を瞑るわけにはいかない。そこで戸谷は、李禹煥の言葉を「世界はすでに在るのに、なぜ彫刻という余分をつけ足すのか」と読み直すことから試行錯誤を始める。自然界から例えば石を持ってきて作品という「コンテクスト」のなかに置いても、それだけでは新しい「彫刻」を保証することにはならない。

戸谷は、早くから、美術という芸術はつまるところ「まなざし（みること）」によって意味づけられていると考えていた。彫刻もじつは「まなざし」こそが作り上げ、「まなざし」との関係のなかで成立している。そして、「彫刻」は身体的な体験であるのにたいして、「レリーフ」は見られるだけの半立体であり、かつ絵画ではないことを確認する。西欧の彫刻を成立させているのは中心に向かって求心的に統一するという思想だから、その「思想」を外してみる。そうすると何がわかるか。「まなざし＝見ること」を可能なかぎり身体化させてみることだ。そうすれば、それができれば、空間は見えない「彫刻」で充満していることがわかる。為すべきはこの見えない彫刻をどう実現するか、ではないのか。

戸谷の試みが始まる。まず、一九七〇年代半ばから一九八〇年代初頭までの十年近くに及んだ「露呈する《彫刻》」、「仮説の《彫刻》」、「《彫る》から」、「《構成》から」などの連作群である。つまり、「見えない彫刻」を「露呈させてみる」「仮説的にやってみる」、「（彫るとは何かを問い直すために）彫ってみる」「（構成とは何かを問い直すために）構成してみる」、そういう試みだった。「見えないもの」を内側からまた外側から、概念的にまた感覚的に、「作る」ように、作るというのではないように、仮説的・疑似的にというか、いわば「眼が作る」かのように作ってみようと試みたのである。

しかしその結果に、彼は満足できなかった、あるいは行き詰った。そして改めてわかった――自分がやりたいのは「見える彫刻を作る」ことではなく、「見えない彫刻を出現させる」ことなのだと。この自覚は大きかったというべきである。その時に子供の頃から自分を育んできた感覚が蘇ったのは偶然ではないのだ。

子供の戸谷は山あいの森の中の枯草の上（地面と木の葉の厚みとの間）で昼寝をしたりした。「そこ」は離れて山や森を見る位置ではなく、内部でも外部でもない位置だ。そういう山と空の境界のところに寝そべっていると、「そこ」には幅があり厚みがあることが感覚的にわかる。自分の作品の位相はそういうものでなければならない。

また、竹藪に向って石ころを投げ込んで遊んだ。石ころは竹にぶつかり跳ね返りながら飛んでいくが、時には竹に当たらずにスーッと抜けていく。石ころの飛ぶ線を視線だとするなら、竹藪には幾つもの視線が入っていく。視線がそんなふうに辿りうる広がり、一つの宇宙のような空間こそが「見えない彫刻」を可能にするのではないか［図5-7］。

さらに、ポンペイの石膏の人型が思い出された。かつて人体だったものが周囲（空間）を埋められ熱が加わったことで、実体（人体）が空虚になり、空虚（空間）が実体になった。「一つの表面というものを境目として、内側と外側がどっちにでもひっくり返る」[11]。とするなら、「見えない彫刻」はそこ、その「表面という位相」のところに在るほかはないのだ。

以降、彼は「在り方としての森」にターゲットをほぼ絞り、そして彫刻家にとって視線とは触覚をはじめさまざまな感覚を含んでいるという考えのもとに、「視線」が「空間」を走り回ることを通して結ばれる像や形（戸谷はそれを「視線体」と名づける）を展開するという探求を続けてきている。勿論、「在り方としての森」とわたしが言うのは、「森」そのものだけではなくて、空との境界領域を含んだ意味での森という意味である。境界領域には幅が、広がりが、空間がある。

5–7：戸谷成雄《竹藪II》1975年（ビニール紐、竹藪。現存せず）

また、彼は世の中の状況にも無関心ではない。つまり常に批判的に関心を持っていて、それは間接的に（自分のなかで内面的に消化してから）作品に反映している。最近の一例をあげると、彼は「入会地」（異なる集落群が薪とか草とかの生活資源を共同保有する）という考え方にグローバリズムと国家主義の二極性を覆しうる可能性を感じて、それに自分の彫刻の可能性を重ねようとしている。西欧的な彫刻でもない、レリーフ止まりの中途半端でもない可能性である。

そういう戸谷の感性と思想は、「何もかもが『アート』や『芸術』という言葉に収れんされてしまっている[12]」ような現況を否定する。ところで、わたしが『逸脱史』で「類としての美術」を論じたことは、読んでいただいた通りである。読んでいただいたのなら、わたしが何もかもを「アート」や「芸術」という言葉に収斂させようなどとしてはいないこと、彫刻も絵画もレリーフも御破算にして全部を「類レヴェルのアート」にしてしまおうなどとは考えもしなかったことも、わかっていただいたはずだ。わたしは日本列島の美術の特異性を示す言い方としてそう言っているのである（もっとも、『逸脱史』刊行当時にもその種の誤解はあった）。

わたしは批評家として、もう絵画も彫刻も困難になった状況のなかで、しかもその西欧的な理念と展開とは別の仕方で絵画や彫刻を掬い上げたい、あるいは生み出したい、そういう願望を元にして、「作業仮説」として「類のレヴェル」を考えてみたのだ。そのレヴェルをうまく捉えられれば、「アート」というようなまるで無意識裡に西欧追随が骨がらみになってしまったかのように「片仮名」を平気で使う頭脳と感覚の「ていたらく」からは、少しは抜け出せると思ったのである。

そういう意味で、わたしの感性と思想は戸谷とほとんど変わらないだろう。だから、今の若い世代からはきっと「古い」と判断されるにちがいない。でも、五十年や百年くらいで古いも新しいもない。それが身に染みてわからないのは、そして新しいテクノロジーに惑わされるのは、「若い」ことの特権ではあるけれど。しかし美術においては、少なくとも「現生人類」（「ホモ・サピエンス種」）のなかで唯一の現存亜種である「ホモ・サピエンス・サピエンス」）段階では、いまだに所変われば品は変わるし、リセットもモデル・チェンジも無理である。

古いと見えるかもしれない「彫刻」に戸谷がこだわるのは、勿論、感性・思想・経験の綜合の結果である。長い時間と、さまざまな、あるいは多面的な試みを経ながら、彼は「視線体」の追究を深めてきている。最近の発表（個展「視線体」、二〇一九年九月〜十月、シュウゴアーツ）を例に挙げるなら、「見える《彫刻》を通して見えない《彫刻》を出現させたい」という彼の試みがきわめてはっきりわかる。しかも彼の考えでは、ここで「見えない《彫刻》」とは即ち「空間」そのものにほかならない。そこには、「見える『視線体』と見えない『空間視線体』は等価であり、互いに浸透、振動し合っているという思い」[13]が基底にある。いきなりこの言明だけを読んでもわかりにくいかもしれないが、戸谷の作品の展開を辿ってくれれば得心がいく。彼がやろうとしてきたのは「視線体」そのものを彫刻の「実質」にしようということなのである［図5-8］。

西欧的な彫刻は、わたしたちにはたぶんできない。それに、そういう彫刻はもう終わっていて、後はヴァリエイションと洗練しかありえない。レリーフではいつまでたっても彫

5-8：戸谷成雄《視線体―散》2019年9月（於・シュウゴアーツ個展。木、灰、アクリル。サイズ可変。作家蔵　撮影・筆者）

刻にならない。また、パロディだろうがシミュレーショニズムだろうが本歌取りだろうが、要するに前例を前提とする（繰り返しを前提とする）のでは生産的になるはずがない。かといって、実質的なところはすっ飛ばして「アート」や「芸術」と主張しても、それは「言葉」でそう言っているだけのことで、何かを実現していることにはならない。美術は「実現してこそなんぼ」なのだ。でなければ、苦労は要らない。この「実現」は、ほとんど不可能かもしれないくらいに難しいとしても、戸谷はその道をこそ歩んできている。何でもありそうなところには得てして何も無い。

わたしには、ふと、真面目な意味で、「人まかせ」をもじって（位相を変えて）、「空間まかせ」という言葉が浮かぶ。そうすると、「面々の御はからいなり」（親鸞）という言葉もまた、ふと浮かぶ。いや、ちらつく。何故だろうか？

それはさておき、確かなのは、「見える視線体」によって「見えない彫刻」を実現しようとしてきた戸谷が、「見える『視線体』と見えない『空間視線体』は等価」であるという地平にまで踏み込んだことである。「等価」、しかし両者を反転させて「後者」に（「後者」にも、と言うべきだろうが）むしろイニシアティヴを取らせるところへまで踏み込んでいる。言い換えるなら、「空間」をたんに取り込もうというのではなくて、それをこそ「彫刻」として実現しようとしているのだ。解るかしら、この違いが？

見えないから感じられないということはない。脳とそこに潜んでいるさまざまな感覚の可能性を、身体的にフルに働かせて、「空間それじたい」を見てみよう。感じられてくるものがきっとある。その時、わたしたちは「それ」を見ているのだ。戸谷の作品はそういうことを実現している。

遠藤利克——空洞を求めて

一九五〇年生まれの遠藤利克が美大を出たのは一九七二年、一方で西洋近代美術（モダニズム）の終焉が露わになり、他方で「もの派」が展開しつつあった時期だった。若き遠藤は、最初は自らもミニマリズムの思想に惹かれ、また水を「もの」と捉えていたので「もの派」的な枠組みに準拠して作品を作るのだが（例えば《水をよむ》シリーズ）、一九七八年、所沢野外彫刻展で中央に水を湛えた円形の穴を幾つか配置した《水蝕V》によって自身の方向を見出す［図5-9］。

水と大地（そして四大）との出会い（「水の発掘」）は、彼を彫刻（美術）の根底的な見直しへと導き、歴史・時間・文化・言語・思想・精神の綜合的な検証へと進ませる。「水」も「大地」もそれじたいで「形」を成すことはない。どうやったら「それ」を「彫刻化」できるか？　「彫刻」の事柄とすることができるのか？

試行錯誤が始まるのだが、彼は、真正の制作者として、言葉による自己検証をいつも怠らなかった。その歩みは『エピタフ　エロスへの衝動、火と水への転生、そして物質と精神』（一九九二年）と『空洞説　現代彫刻という言葉』（二〇一七年）の二著などに残されている。

試行錯誤とはいっても、自身もまた「日本のモダニズム」の申し子であることを明確に自覚しているので、その本質たる「分裂状況」から彼は眼を逸らさない。例えば言う――

日本のかたちというものは、借用された一神教的規範による「外的自己」と、「アニミズム的心性＝自他溶解＝母性原理」に占有される「内的自己」という、双極的な引

5-9：遠藤利克《水蝕Ⅴ》1978年（於・所沢野外彫刻展。水、大地、大気、太陽。現存せず）

き裂きに晒された状態として図式化できる。それはまさに、複雑に分裂した心的状況であり、迷宮的な混乱とすら言えるものだ[14]。

こういう認識および自己認識のもとに、彼は「ミニマリズム」や「もの派」とは違って「物語性」を追究する道を取る。なぜなら美術表現とは、つまるところ「何か」を表現することだからである。「美術のモダニズム」はその「何か」を削ぎ落し、そこから離脱しようという試みだったが、それでは「表現」が成立しない、と彼は考える。かといって、風景・人物・出来事を描けば物語になる、もうそんな状況にはない。ならば彼にとっては「何」が「物語」たりうるだろうか？

「それ」を求める試みこそが遠藤の彫刻だった。

そのために彼は、人間の記憶の根源のレヴェル、神話のレヴェル、生と死のレヴェル、言語以前と言語以降の段差の地平など、さまざまな角度・レヴェル・位相からの試みを展開してきている。

やがてその試みは、フロイトの「欲動（Trieb）」概念を借りながら、人間と社会（共同体）の根源的な欲望（エロスとタナトス）の「動き」の追究へと絞られてきているかに見える。そして遠藤は、「欲動（Trieb）」が集約されるものとしての「供犠」に辿り着く。「供犠」こそはエロスとタナトスが止揚される「場」でありかつ「現象」であり、人類に普遍的なものだと彼は考えるからである。これに関して、遠藤は人類史全体に目を配ってきているが、能登半島の富山湾に面した真脇遺跡（縄文前期〜晩期。発掘は一九八二年から）での大量のイルカの骨の発見が大きな刺激になったようだ。

そして「空洞説」という思想に到る。一神教である西洋には核に「中心」が存在するのにたいして、多神教の日本（東洋）では中心が空洞であるという構造になっている。しかし、中心部を垂直軸方向へと深く降りていけば、そこ（「空洞」）は根源的な「力」を生み出す、発生させる場でもある。遠藤は繰り返してそういう思想を語る。

こういう展開の過程で、彼は幾つもの作品群、あるいは幾つかのタイプの作品群を生み出してきた。名は体を表すと言うが、試みに一九七八年の《水蝕V》以降の作品について、主な作品のタイトルに着目してみる（平面作品は除く）。《水蝕V》以降、一九八三年までの作品名はほとんどが「無題」［図4-6、5-10］で、例外は《布置》と《三つの柱、或いは門》だけだ。一九八四年に入ると《寓話》が中心になり、一九八六年には最初の《エピタフ》、一九八九年には最初の《ロータス》や《泉》が現れる。一九九〇年前半は、《エピタフ》《ロータス》《泉》の他に《離程標》と《楽園》が現れる。一九九〇年後半は《Trieb（欲動）》が中心になる。《Trieb》のサブタイトルを幾つか挙げると「器」「水」「海馬」「記憶」「捏造」「振動」等。そして一九九九年には《足下の水（70㎥）》［図5-11］が制作される。二〇〇〇年代、前半は《Trieb》が続く。そのサブタイトルは「振動」「ナルシス」「水体」「海馬」等。そして二〇〇三年に《足下の水（200㎥）》制作。二〇〇〇年代の後半に入ると《空洞説》が登場し、それと拮抗するかのように《Trieb》も続く。《空洞説》は最初のものは「タンク山」というサブタイトルだが、以降は基本的にはローマ数字によるナンバー表記になる。《Trieb》の方のサブタイトルは「振動」や「神殿」があり、後はサブタイトルはこちらもナンバー表記がほとんどになる。他の作品名は《鏡像段階説＋空洞説》（二〇〇八年）、《鏡像段階説》（二〇〇九年）等である。二〇一〇年代は《空洞説》と《Trieb》が中心になる。前半に《鏡像段階説》が少し、後半に《寓話》が少しある。

こうした作品名列挙に付き合ってもらったのは、実はそれについて二つの事実をメモしておきたいからである。第一は、厳密に数えたわけではないけれど、作品名としては「無題」が、ならしてみるといちばん多いような気がすることだ。第二は、《Trieb》と《空洞説》が登場してからは「無題」が減っていることである。この事実は、一九九〇年後半以降、遠藤の思想が揺るぎないものになったことを裏付けている。そうはいっても、一九九〇年後半以前に彼の思想が定まっていなかったというわけではない。「以降」は作品名を幾つかに絞っても自信があるということなのだ。一つの作品のなかに揺らぎや多義性を包摂しえているからである。譬(たと)えていうなら、世界は「中心ならぬ中心である空洞」にこそ本質があり、遠藤の作品はどれも多かれ少なかれそういう「場」を実現しようとしている、そういう意味での「彫刻」なのである。

いずれにしても、作品名として「空洞説」と「Trieb（欲動）」が登場する前も後も、作品の形状と中身の基本に大きな変化がないことには留意しておいていい。

そうしておいて遠藤の作品を見渡してみると（といっても全作品を現場で見ているわけではないから、実見した作品を中心に考えるほかはないが）、ホワイト・キューブ（画廊や美術館）と非ホワイト・キューブ（屋外や、画廊・美術館ではない場所）とでは、当然だが作品の「たたずまい」がかなり違う。わたしはそういう感想にあらためて見舞われる。展示のためのニュートラルなスペースとそうではない現実の空間との違いである。

前者は限定されているから初めから求心性をもつ空間である。根底に「中心の空洞」をめぐる思考を抱く遠藤の作品はそういう場所ではより求心的になる。というか、結果的に、設置された作品はより求心性を帯びる。わたしの体験でいうなら、例えば秋山画廊のような小さなスペースだと、幅いっぱいに展示された円形の作品にしても、中央に置かれた棺の形の作品にしても、いわば画廊空間全体を巻き込むくらい求心力が強かった。同じ作品が美術館の広い空間に置かれると、作品は、場の空気を読むというか、ちょっと遠慮する感じで自身に籠る度合いを強めるような気配を帯びる。後者の場合、とくに屋外だと作品は、何というか、普通に自然な感じになる。例えば公園で円形の穴を掘って水を入れたり、空き地で棺の形のものを燃やしても、それは公園や空き地にとって特別な事ではない。つまり、彼が重視する「四大（地水火風）」はほんらい自然空間の、その中に人間も含む自然空間の、事柄だからである。

人間は自然との関係でいえば「反自然」である。一生物としては自然の一部にすぎないけれど、言葉の獲得が人間を反自然の存在たらしめた。この本質的な「矛盾」、そこに「空洞」が在る。あるいは、その事じたいが「空洞」である。わたしは遠藤の「空洞説」をそういう角度から（も）理解する。そこは、「エロスとタナトス」に限らず、すべての物質と現象が生じ、起こっては消え、最後にはなくなる地平である。だから「空洞」なのだ。遠藤の言う「物語」、彼が表現したいと願っているのは、そういう「物語」にほかならないだろう、それをも「物語」と呼ぶならばだ。

それを表現するには、絵画ではだめだし、従来の彫刻でもだめだろう。「インスタレーション」というチャラチャラしたものではもっとだめだ。だから、そして我々は今だに「モダニズム」のなか、あるいはその「末期」のなかに在る以上、遠藤はあえて「彫刻」という語を選択するのであり、そうするほかないのであり、そしてそれは正しいのである。つづめて言えば、日本ではすべてがいまだに「夏目漱石がいうところの内発性によるものとはなっていないんですよね。（中略）やっぱり外発性に足を突っ込んだまま、もう片方の足はどこに突っ込んでいいのやらわからない。それが現状であり、おそらくは我々が延々とその中でやっていくしかない場所なのだろうと思います[15]」。

最近わたしが実際に見た遠藤の作品と展覧会はいずれも二〇一七年の、《Trieb—雨為る森》（北アルプス国際芸術祭）と、埼玉県立近代美術館での（回顧的）個展「聖性の考古学」である。実際に見たもののなかでということで、印象深かったいくつかを（時間順に）挙げておきたい。

一九八三年の《無題》（木の柱を二十二本、円形に並べる作品。一九八八年にヴェネツィア・ビエンナーレに出品）［図5-10］。これは一九八八年度に東京国立近代美術館購入となり、以降、当時（二〇〇〇年度まで）そこの学芸員だったわたしは（彫刻係として）幾度も常設展示に出した。所蔵庫から展示まで指揮をし、最後に二十二本の柱の頂部の「お椀形」の窪みに、みずから薬缶で水を注ぎ、休館日には減った水を注ぎ足したものだった。二十二本の柱の頂部の「お椀」に水を注いでいると、単純な仕事なのにいつも（二十二本分の仕事だし）、何かわからないが儀式の一部のような不思議な感覚を覚えた。

二点の《足下の水（70㎥）》（一九九九年、箱根・彫刻の森美術館）〔図5-11〕と《足下の水（200㎥）》（二〇〇三年、越後妻有アートトリエンナーレ）。前者の鉄板の上をそろそろと歩くと、足下にあるのは水だとわかっていても奇妙な感触を覚え、足でトントンとしてみると空洞を感じ、それがまた不可思議な感触をもたらし、感覚の眩暈（めまい）のようなものを体験した。

それと、二〇〇五年四月に遠藤の故郷高山を訪ねた時に見た、国分寺の七重塔跡地に残る、木柱を支えていた礎石の穴にたまっていた「水」。玉垣に囲われたこの石は七世紀半ばくらいのもので、ほぼ方形で、全体は二メートル四方、地上からの高さは一メートル。石は流紋岩（高山の松倉城のある山から採ったからなのか、地元では「松倉石」と呼ばれているようだ）。中央の円形の穴は直径五十八センチメートル、深さは二十九センチメートルである。自然のままに水を湛えていた。普通の水溜まりなのだが、往時は高い塔を支えていたと想うと、流れた千二百年という時間との落差を感ぜずにはいられなかった。そこにもひとつの「空洞」、時間という空洞がある。

二〇〇六年の《Trieb―振動Ⅵ》（下山芸術の森発電所美術館）〔図5-12〕では、長靴に履き替え傘をさして、屋内の雨のなか、少し（数センチ）溜まっている水のなかを歩いた。屋内とはいえ元は水力発電をしていた大きな建物なので、雨漏りという感じはなく、確かに雨（水の落下）のなかを歩いているのだが、この造られた「雨中」はその全体が、何と

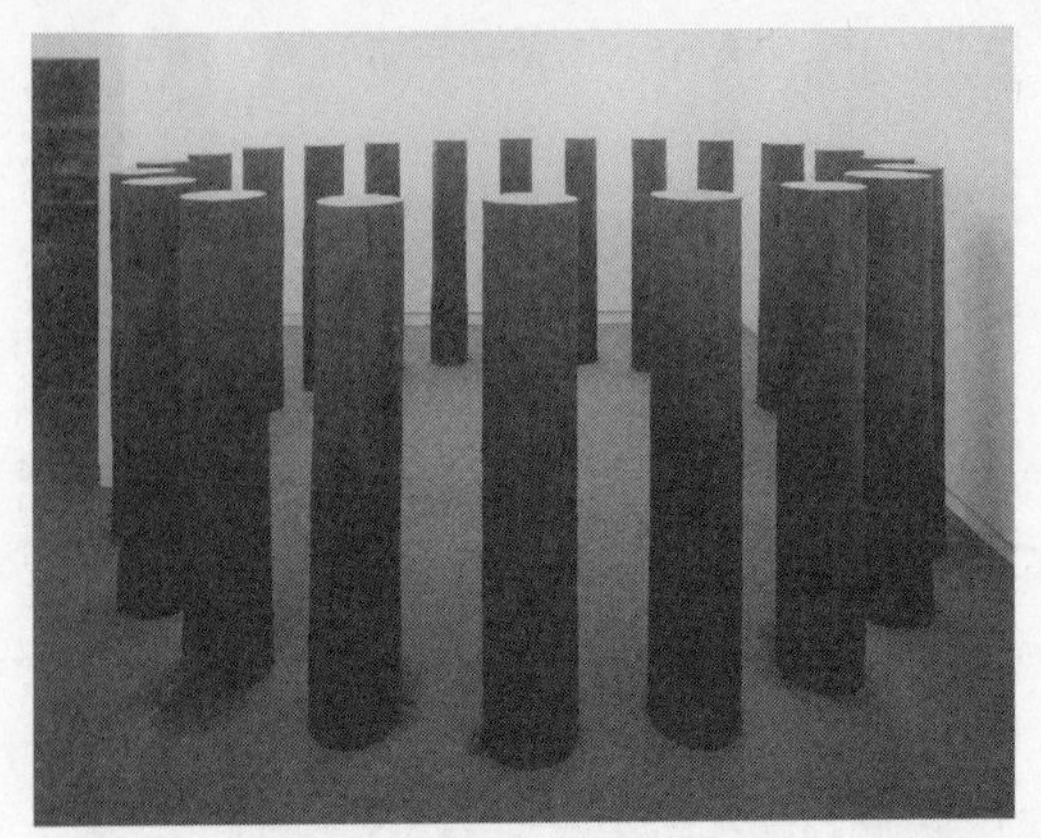

5-10：遠藤利克《無題》1983年（木、タール、水。22本を直径350×420 cmの円形に設置する。1本の高さ140 cm。東京国立近代美術館蔵　撮影・山本糾）

5-11：遠藤利克《足下の水（70 ㎥）》1999年（於・彫刻の森美術館。鉄、水。穴：600〔直径〕×274〔深さ〕cm。現存せず　撮影・筆者）

いうか、地中のようでもあり、空中のようでもあり、つまりは「空洞」のようでもある、そんな感じだった。

二〇一七年の《Trieb―雨為る森》(北アルプス国際芸術祭)は、湿地ではないが小さな水の流れのある杉の林(雑木林)にしつらえられた板の道を歩いて行くと、樹々の間に水が一筋、一本の樹のように、落ちている所に行き当たる。この垂直の一筋の水は、周囲と馴染んでいながら馴染んでいない、不思議な姿を成していた。それは水であり、しかし樹でもある、ふとそんな錯覚に見舞われないでもなかった。

だが、なぜ「水」の絡む作品がとりわけ印象に残るのか、ずっとよくわからなかった。「四大」の一つではあるが、それだけでは説明にならない。そうしていたところ、いま挙げた埼玉での個展の「トーク」で遠藤は次のように話している――神話世界を突き詰めていったら、風船がパチンと割れるみたいに世界が割れ、その中心に残っていたのは、等身大の自己としての私で、私にはも

5-12：遠藤利克《Trieb―振動VI》2006年(於・下山芸術の森発電所美術館。950×1450×1850 cm〔建物内部〕。現存せず　撮影・筆者)

うそこしか生きる場所がないが、そこは非物語的な場所で、そこにむきだしの自己が居る。
そしてそこにおいても、身体に直接突き刺さってくるものは、水でした。[16]ここにおいても水なんだと、安どするような悲しいような、イメージでした。

神話（物語）の構造を突き詰めた末に待っていたのは自分自身、身体・言葉・感覚・欲望が等身大に同居している自己そのもの以外ではなかった。その「自己」はむろん「共同体」のなかの一人ではあるが、「個」である一人でもある。誰にとってもその「場所」しか無いのであり、「空洞」とはじつはそういう「場」のことであり、そういう「私」のことであり、そういう「在り方」の「構造」のことなのである。あらゆるもの・生物・出来事がそこでなければ生起しえない場・空間・広がり、それを「空洞」という。そこで「身体に直接突き刺さってくるもの」が水であるのは当然なのだ。だって、人間（成人男性）の六〇％は（元素レヴェルではなく物質レヴェルでいえば）水でできている、つまり大半が水でできているからである。水がなければ脳も筋肉も循環器系も働かないからである。「空（気）」は見えないし、土をこねても「地」ではないし、「火」は点けないと現象しないし。

なぜ「水」か？　しかしその本質的な理由は勿論そこにはないのだ。「水」は「形」にはならないというところにこそある。「地」ならば、例えばその部分（土）を固めることができるが、水は固めたら氷でしかなく、氷はもう「水」ではない。遠藤は根源的な「物語」をはらみうる、そして根源的な「物語」ゆえに「形」として表現できない、そういう「彫刻」を求めてきている。しかもそういう「作品」は、中心ならぬ中心が「空洞」である、構造が本質的に空洞である、そういうものである筈なのだ。彼はそういうものが欲しい。

何らかの「形」によって作品を提示すれば、人はその「形」を見てしまう。それは仕方のないことかもしれないが、遠藤が「そこ」に見てもらいたいのは本質としての「空洞」である。本性として流れて止まない水を前にすると、観客は、いやわたしは、流れて止まない水が視覚と脳裏にもたらす「ひろがり」を感ずる。つまりそういう「ひろがり」を見る。そしてそれが、遠藤の言う「空洞」をわたしに感じさせる。つまり見させる。この感触がわたしに、彼の作品はこれまでにない空間をもたらしている美術作品であることを確信させるのである。

堀浩哉——絵画の底に触れたい

堀浩哉は「美術学生の反乱」の中心人物の一人であり、「七〇年代作家群」を代表する美術家の一人である。一九八〇年代、あらためて「絵画」を生み出すために、彼は絵画のいちばん基本的な構成要素である「色彩と線」だけに限定した試みから始めた。「三原色」の作品や「線」だけから成る作品［図5-13］である。他方でパフォーマンスも行っていた。

一九七七年、パリでクロード・モネの最晩年の小さな習作群に啓示をうける。それは「塗り込めない隙間から絵画の『層』としての構造を、たぶん無意識に暴き、そこに遠近法とは別の絵画の『空間性』を回復する可能性を開いて」もいる作品だったからである。[17] オランジュリーの《睡蓮》が、結局は画面を色で塗り込めてミニマリズムに陥って「絵画の死」へ到るのにたいして、彼はマルモッタン美術館の習作群の方に可能性を感じた。

これがきっかけとなって堀は、パフォーマンスをいったん封印して、絵画を中心とする活動に向った（後に、東日本大震災以降、パフォーマンスを新たなかたちと意味で再開している）。堀の考えでは、絵画とは層（レイヤー）の重なりにほかならない。一つの層を描き終えそれを熟視していると、画面は彼に訂正なり変更を迫る。その作業を彼は繰り返す。画面は彼に否定と肯定の入り混じった状態を強いる。そのなかで彼は熟視と「読み取り」を繰り返し、結果として層を重ねていく。この方法によって、つまり絵画を一つの「構造」とすることで絵画を「空間」として獲得する可能性を開く。それこそが絵画にその「下層にこそ語らせる」ことを可能にする。そうなって初めて支持体の向うからやってくる「光」をいわば現実的に呼び込む突破口を開くことができる。絵画はあくまでも虚構

5-13：堀浩哉《Line-Practice》1977年（墨、画布。45×45 cm。5点つなぎ。作家蔵）

なのに、そこに「光」をイリュージョンとしてではなく呼び込む可能性が生まれる。

堀の考えでは、絵画とは「透過光」と「反射光」のゲームである。外界の風景や人物は日の光を受けて（反射して）、見ている人の眼にやってくる。そこに板を立ててその風景や人物の記憶を描く、それが絵画である。眼が透過光として受け取ったもの（その記憶）を、眼からの反射光として板の上に描く。「『絵画の空間』とはその透過する光の記憶」なのである。しかし絵画とは、光（世界）は透過光としてやってくるのに、そこに板を立てて透過光を遮断し、その記憶（だけ）を反射光として描く。これは根源的な矛盾にほかならない。そうだとしても、絵画は昔も今も（そしてこの先も）、この矛盾を本質とする芸術なのだ(18)。ならば今、何をすべきなのか？

板の向うからやってくる光をこそ自覚して、なんとか絵画を成立させることを措いてほかにはない。彼はそのために、つまり「下層」の光を表にまで見えるような絵を実現するために、画布と油絵の具の代りに和紙や水溶性の絵の具を用いる。水溶性の溶剤なら光を通すことが可能だし、和紙なら下層の奥にまで空間を繋げうる〔図5-14、15〕。この思想・方法によって堀は連作《ローマで鳥を見た》をはじめとする優れた作品群を展開していく。

そこに、二〇一一年三月十一日に始まる「大震災・大津波・福島原発崩壊」が起こった。それは千年に一度の大地震、日本では初経験である原発の炉心融解、それに続いた人々の日常生活の激変など、我々に深甚な衝撃をもたらした。「団塊世代」の一人である堀は「敗戦後という廃墟」から出発したし、そういう「廃墟」を「近代美術の終焉」状況に重ねあわせることを通して美術に向き合ってきた。ところがこの大震災と原発の炉心融解は、「戦後という廃墟」はすでに去ったかに見えた二十一世紀初頭の日本に、さらに「根底的な廃墟」を突きつけてみせたといっていい。堀もまたこの状況を正面からうけとめる。わたしの言葉で言うなら、「廃墟」は復興されうるのではなく永続するのだという自覚を新たにする。そして「近代絵画の終焉」の状況に大きな変化は訪れていず、美術家はまだ、少なくとも当面は、この「終焉」の道を歩み続ける、極め続けていくほかはない。そう思い定めたように見え

5-14：堀浩哉《波-4》1985年（墨、アクリル、岩絵具、オイルスティック、画布。97×145.5cm。作家蔵）

5-15：堀浩哉《風の声-51》1990年（墨、アクリル、アルミ粉、岩絵具、画布に和紙。112.1×811 cm。韓国・個人蔵　撮影・筆者）

5-16：堀浩哉《起源—naked place-3》2011年（出力プリント、ダーマトグラフ。110×220 cm。作家蔵　撮影・筆者）

る。堀がこの大震災の後に描きはじめた連作のタイトルは《起源—naked place》［図5-16］だが、つまり、いま再び、再々度、またもや改めて、始めるのは「Naked Place—裸形になった地平」、「三・十一」によってまたしても露わになった現実の廃墟という地平以外にはない。

そういう自覚が、そのある種の切迫感が、一九八〇年から一貫している彼の絵画を、また一歩、先へと動かしている。というか、自身の根源へ自覚的に降りるという選択がかえって実質的には前へ、先へと作品を動かす、そういうことが起っている。《起源—naked place》に続いた連作は《記憶するために》（パフォーマンスのタイトルも同じ）だが、このタイトルには、直接的には大震災と原発が露呈した事態を「記憶する」という意味がこめられていることはいうまでもない。ただそこには、いま美術家は近代美術＝現代美術の「廃墟」状況をも、自覚的もあるのだ。

にせよ無自覚的にせよ、自身のなかに刻み続けつつ制作をするほかはない、そういう意味

そして堀は、ここでも、正面から「中央突破」を試みる。「三・十一」直後、彼は福島に行き現場を見ている。そのときヴィデオ撮影した海の映像をスチール写真にプリント・アウトして大きく引き伸ばし、その画面を「記憶するために」という文字で埋め尽くす作品の制作を始める。文字通り埋め尽くすので、それは文字であると同時に絵画の「要素」にもなっている。画面全体の「地」はよく見ないと水面とはわからず、ふつうの絵画の「地」のようにも見える。他方、文字のほうは読めるけれど、「記憶」とか「ために」とか「する」とか、「記」とか「め」とか「す」とかに分解ないし分断されてもいる。そうすると、それを見る観客は、自身で「読み直し」をすることで「記憶するために」を再構成することになる。じっくり見て初めてそれに気づく。

この時、観客であるわたしは、「記憶するために」がここでは書かれていると同時に「描かれている」ことに気づく。いや、むしろ堀はここでは「書いた」のではなく結局は「描いた」のだ。観客はそのことを納得する。「地」と「図」が繋がりながら、その間に空間が生れている。「記憶するために」という文字は「意味」を残しながらも絵の要素へと溶け込み、同様、「図」である海面はイメージでありながら文字のなかへと溶け込んでいる。イメージと文字という本来は異質の二つのものが反発しあい、かつ融合しあうことで、

そこにこれまでとはちがう「空間構造」が生れている。「空間」がこれまでにはない厚みをもちはじめ、実体的なものとして見え始めている。

次の《滅びと再生の庭》というタイトルをもつ連作以降は、文字が文字としてまだ読める絵もあれば、読みづらい絵もあれば、もう読めない絵もある。そういう「幅」のあいだを行き来しながら、堀は二つのことをやっている。ひとつは「事」(例えば「三・十一」という出来事)を視覚的に抽象化ないし純化する試みであり、もうひとつは、それを「空間」の実現という絵画の本来の試みそのものとする、という試みである。つまり、その二つの綜合を目指している。

彼はさらに展開して、読みあげられる文章(テキスト)を聴きながらそれを画面に「描いていく」という試みへも進んでいる。読みあげるのは彼のパートナーの堀えりぜで、文章を選ぶのは彼女である。「文章・文字」が堀浩哉を離れたところからやってくる。そうやって「他者化」されたものを(その通りに聴き取りながら、解釈しながら、聞き間違えたりしながら)聞き取り、それを元にして絵画が制作される。一個人の身体が陥りがちな慣れとオートマティズムを排除するために、他者としてのテキストと他者による発語というように「他者性」を二重にして介在させる。そうすると「文章・文字」はその「意味・物語・主題」をほとんど剝奪されて、絵画のなかへ入る。というか、意味と無意味の境界線上でいわば透明化されて、絵画に入ってくることになる。こうして「絵画」が、「構造」

として、「事」の地平までをも呼び込むまでに到る。少なくとも二つの試みが一つの試みになる。これは「絵画」にとってまったく新しい試みであり、まったく新しい達成といってよいのではないだろうか。

辰野登恵子——心の闇の中から

辰野登恵子が「絵画」に向き合ったとき、いわば「絵画」は不可能性だった。そこから何かをしなければならなかった彼女は、イメージを客観化することから始めた。最初は既存の写真に着目して、それをシルクスクリーンという形式を通過させることで一枚の作品にする方法を採った。初期こそ具体的なイメージ(例えばスリッパのような形)もあったけれど、次には水玉や格子、それからグリッドやストライプ(地下鉄のホームの壁)というように、画面は抽象化される[図5-17]。それは、しかし抽象化というのとも違っていた。画面上に何かが描かれるというよりは、画面を成す構造そのものが表に出ている。それこそが「主題」になった、といってもいい

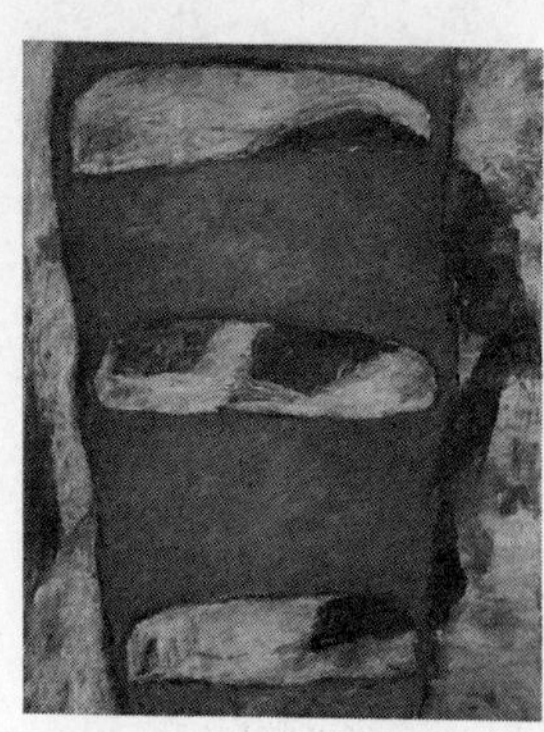

5-17:辰野登恵子《May-24-2007》2007年(アクリル、画布。162×130 cm。個人蔵)

だろう。「ミニマリズム」を意図していたわけではなかった。そう受け取られる危険性もあったが、彼女は「描くこと」をやりたかった。「描くこと」を別の位相にもっていきたかった。「何か」を、「描く」、のでなければ、それはやはり「絵画」ではないからである。「何か」も重要だが、まず「描く」を成立させなければ始まらない。なんらかのイメージを再現的ないし非再現的に描くのでもなく、「塗る」ことにしてしまうのでもない。一九七〇年代末からの試みは、だから、いわば「描くこと」を自立させる、そういう可能性を探るものだったといったらいいだろう。

もちろん試行錯誤は必然だ。「振れ」ないし「揺れ」は必然だった。むしろそれこそが彼女の絵画だったというべきかもしれない。すくなくともわたしにとっては、そういう「振れ」こそが彼女の絵画の魅力であり、そこに本質があったように見える。つまり、「振れ」とは絵画空間をどのようなものとして構造的に成立させるかということにほかならない。

そこに現れる「イメージ」は、これは辰野自身が言っているが、見えている世界からピックアップするものもあれば、心の闇の中から生れてくるものもある。前者は、経験のなかからおのずと生れ出てくるものとはいえ、つまりは彼女が選び取ったものである。それにたいして後者は、彼女の無意識のなかからいわば突然、直接的に現れてくるものである。

前者は意志の産物であり、後者は意志を超えたところからやってくる。辰野は最晩年は病のためにあまり作品を制作できなかったが、基本的には彼女はその後者にたいしていつも大きく開かれていた。というか、時間をかけてそういう地平にまで歩いていった。辰野の絵画の本質はそこにある。

彼女自身はこう言っている――

イメージは見えている世界からピックアップされてくるものもあれば、心の闇の中から生まれるものもあります。前者は視覚を通して感知するものなので、ある程度パースペクティブに沿った、形あるものですが、後者は無意識の世界から引き出されるので、相当観念的なものです。[19]

わたしは、後者は「相当観念的なものです」という点に、着目する。前者を視覚（感覚）としたので、後者はその対極（頭で考えられたもの）とみなされる、と理解するのは間違っている。辰野が言いたかったのはそういうことではなかったと思う。むしろ「無意識の世界から引き出される」というところがポイントで、普通にいう「観念」に囚われたものとはじつは真逆のことを彼女は考えていたのだ。

人の心の闇の中から生れるというと、普通は心的・感情的・精神的な事柄、情動にかかわる事柄を思い浮べるだろう。それはそれでいいけれど、わたしは、彼女がここで言おうとしたのはもうすこし深いレヴェルのことのような気がしてならない。人の心の闇の中——それはどこに繋がっていくだろうか？　そんな問いかけがやってくる。あくまでも辰野の作品を介してだけれど、そこには、あるいはその先には、彼女を超えている広がりのようなものが感じられるのではないだろうか？

辰野はその「広がり」を、視覚という感覚の世界と対比させていた。対比させてはいたけれど、ほんとうはその両方が相携えて「絵画空間」を成すと考えていたのだ。そこに胚胎していた考え方を、いまわたしなりに拡大して言うなら、彼女は絵画を、最終的には、心の闇の中の広がりがいざなう方へと持っていこうとしていた。最晩年の作品にわたしが感ずるのはそういうことである。そこには、何か、ある種の「破れ」のような気配すら、漂っている。破綻という意味ではなく、自作をさらに動かそうとすることに由来している何かである。この「破れ」の感触のなかにわたしは、彼女が心の闇そのものに向おうとする意志を読み取る。

真島直子——いのちの広がり

名古屋生まれの真島直子は、父親がシュルリアリスムの画家だったこともあって美術家を目指すことになったのだが、十五歳の時に「伊勢湾台風」に遭遇して目撃したその惨害に大きな衝撃を受けたようで、その事が後の彼女の作品にかなり大きな影響を与えているかもしれない。美大を卒業したのは一九六八年で、最初の個展は一九七五年である。

わたしが真島の作品を実際に見るのは一九七〇年代後半、銀座や神田の（貸）画廊での個展以降である。身の回りのものによるオブジェ作品で、それはポップ的でも日本反芸術的でもないものだった。そして、一九八七年から（東京芸大教授としてパリから日本に単身赴任した）工藤哲巳と共に暮らし始めると、その「オブジェ作品」は工藤の影響を大きく受けながらも、同時に、自身の方向性をより明瞭に示すものに展開した（参考までに、彼女は工藤との生活以前に工藤の講演を聞く機会があり、その時から影響をうけていたようだ）。古着、糸や毛糸や紐などから成るその作品は、不思議なことにいつもある種の「命」ないし「生命体」を強く感じさせるもので、とくに床上に配置されると「命の別次元」とでもいうべき広がりを現出させていた。

鉛筆画は、オブジェ作品の時からドローイングのように制作していたが、工藤の最晩年から本格的に始め、工藤の没後、大作にも取り掛かることになった。わたしは真島と工藤の二人展を二、三回見ているが、その際の真島の作品は確かオブジェというか立体作品が主だったと記憶している。二〇〇〇年代に入ると、オブジェないし立体作品は造らなくなったというわけではないけれど、大作の鉛筆画《地ごく楽》［図5-18］の制作が主となる段階を迎える。そして二〇一五年あたりからは、鉛筆画に色彩がついた「脳内麻薬」連作

5-18：真島直子《地ごく楽》2005年（紙、鉛筆。114×200 cm。作家蔵）

も始まっている。

最近の回顧展「真島直子　地ごく楽」展（名古屋市美術館、二〇一八年三月〜。足利市立美術館へ巡回）で彼女の作品を通覧する機会があった。「地ごく楽」、つまり「生と死」の通底といういわば仏教的な思想はもちろんオブジェ作品にも鉛筆画にも通底している。しかし、わたしは改めて鉛筆画（その延長である「脳内麻薬」も含めて）に大きな感銘をうけた。

真島直子は「鉛筆画」連作によって自身の内部を徹底的に掘り進めている。だが、それは「掘り下げ」なのに、在り方は空間の広がりに沿ってなのである。どこまでも平面に沿って、平面の上を、広がってゆく。そういう在り方が実現されている。ふつうの言い方に直すなら、それは「平ら」なのである。平らなのに、空間の広がりは平面方向にだけではないのだ。ふつうに言う「奥行き」というのとも違って、いつのまにか、見ているこちら側の観客も、絵の「向う側」も、同質の位相へと巻き込まれてしまっている。そんな感じなのだ。

近づいてよく見ると、描かれているのは藻類、いろいろなオタマジャクシ、胞子、サンゴ、いろいろな卵、モクモクした泡のかたまり、いろいろな精子、海流で横になびく藻類、キノコみたいなものの群れ、密集する植物群、樹木の根みたいなものであり、さらに時には鶏の足先とか人の骸骨の姿などまである。それらがびっしりと画面を埋めつくしている。画面から少し距離をおいて見ると、そこに描かれているのは、いやそこに在るのは、やはり「いのち」、「いのちのながれ」、そういうものの広がりのように感じられる。漢字ではなく平仮名で「いのち」であり、「いのちのながれ」である。

B6の鉛筆でもって、床に伸べた紙に描いてゆく。身体の緊張と根気のいる仕事で、時間もかかる。大きい作品だと数カ月もかかるという。勢い、制作は一種の修行の「行」のようになるだろう。ただ「仏教」と直接つながる「行」ではなく、制作行為が、つまり「身体」が要求する「行」である。彼女と会う機会に話を交わすと、制作は非常に疲れるといつも言う。疲労する代わりに画面はいわば「身体（性）そのもの」になる。誇張するならそれは「いのち」を削っての制作なのである。本人は「いのち」を削っているのだけれど、見る者には類まれな広がりの空間が与えられる。

彼女の「鉛筆画」は地塗りを施されていないのに、マンガやイラストとは全く隔絶している。地塗りのない「地」までを空間として取り込んでしまう、何というか、厳しさのようなものが全体に満ちている。それがこの「広がり」に独特の質と緊張感をもたらしている。彼女のすべての試みの底には、近代絵画が終わった後に絵画を新たな地平で成立させたいという明確な意図と意志があるのだ。

真島は二〇〇五年に駅の階段で転倒したために、床に敷いた紙の上にしゃがみこんで描くことが身体的に無理になったという。大作の「鉛筆画」は無理になったらしい。しかし彩色の《脳内麻薬》連作で展開を遂げている。それは、彩色の《地ごく楽》連作が画面をびっしり埋めるものが多かったのにたいして、より伸びやかになっていて、ここで言ってきた空間の「広がり」が彩色を得ることで、また別種の表現へと進んでいる。身体の不如意が、かえって作品には好結果をもたらしているのかもしれない。

Ⅲ 「ポストもの派」の展開 2

「ポストもの派」に続いて

人は生まれた時と場所とに左右される。これだけは当人には選べない。美術の流れを見ていくときにも、機械的に「世代」でまとめてしまう危うさに注意する必要がある。ここで取り上げる三人は生年の差は四年の間に収まるのだが、三人三様の道を歩んで美術家になっていった。

美術史的整理、ジャーナリスティックないしコメンテイター的整理、わたしが「カタログ主義」と呼ぶ「とにかく分類して纏めたい主義」の整理は、便利なものではあるけれど、美術の流れの本質と「便利性」とは相容れないことを忘れてはいけない。人はみな多かれ少なかれ好き勝手に生きるものだから、その歴史は都合よく整理され得るものではありえないのである。

川俣正——場力本願

川俣正は、ある講義のなかでこう言っている——

私は一九五三年生まれで、高度経済成長期に育ちました。重くて厚い時代です。高度成長があって、八〇年代バブル期があってそれらが終わり、もう二十一世紀に向かっています。そういう状況で、生活環境も含めて社会的に『近代』というものの考え方が、すでに有効性を持たなくなってきている。

私は美術大学に入るために絵を描いていたので、大学に入ってしまうと絵を描くこと自体にあまり興味がなくなってきた。なぜ自分は絵を描きたくないのかと思うと、自分の内面的なイマジネーションが非常に希薄だということに気づいたんです。内面的なたぎる熱意というのがほとんどないことがわかって、もう少し具体的に汗をかいたり、身体を動かしたりするということから自分なりの制作のモチベーションを生み出したいと思いました。（中略）だからあえて美術というものに距離を持っていたいということはあります。[20]

川俣が予備校を経て美大に入ったのは一九七〇年代半ばで、大学院を終えたのが一九八四年である。在学中から発表を始めている。すでに大学も世の中も静かだった。静かではあったが、変革の波がもたらした揺動は未だくすぶっていた。この「くすぶる揺動」の捉え方は人それぞれだったろうが、川俣は従来型の美術や自己表現には向いていなかった。わたしは彼の在学中の発表から見ているが、彼の口から「フットワーク」という言葉を何度も聞いた。彼は身体を動かして、美術という「ジャンルの内と外の間に立つこと」[21]を試み続けてきているのだ。「間に立つ」、それはわたしの言葉では「境界領域」、「類としての美術」、「メタ・レヴェル」の地平を視野に置くということになる。美術の外側へ出ようとして、なお、美術の地平と美術ならざる地平との「間に立つ」、それが彼の作品の在り方なのである。

一九八〇年代半ば以降は、海外からの制作依頼もあり、アメリカを皮切りに世界中を回りながら制作活動を続けた。一九九九年からは（東京芸大教授として）日本に足場を置き、しかし相変わらず海外を行き来する。そして二〇〇七年からはパリの「エコール・デ・ボーザール（国立高等美術学校）」教授となり、以降はパリ在住である。現実生活でもフットワークは悪くない。

彼は「場力本願」と言う。「場」が持っている「力そのもの」に関心があり、それに頼り、それを表出させてみたい。つまり「場」のそういう「力」を恃むのである。だから「場力本願」なのだ。

ところで、この「場」を彼自身は「サイト（sight）」と英訳して捉えている。「サイト」の第一義は「視覚、見ること・見えること、視野」だが、川俣はむしろ「光景」の意味、つまり人々が生活し、行き来するその「場所」という意味に使っている。抽象的な空間ではなくて、ふつうの人々の生活に関わる場ということなのだ。彼は人々が「生きて、愛して、死んで」いく、その「場」を恃むのである。求められれば勿論「ホワイト・キューブ」のスペースでも展示をするが、好みとしてはたぶん現実の空間、つまり現実の「サイト」を好んでいるようだ。

間もなく半世紀近くになるその作品ないし活動は非常に多様なのだが、材料はほぼ一貫して木材を主にしている。さまざまな木材、いろいろな木箱（梱包用パレット、トロ箱、リンゴ箱など）、木の椅子、等々である。いずれも「廃材」が調達できればそれを使う。ただし自然木はあまり見当たらない。

作品の形状は、与えられた「場」とその状況（むろん周囲の状況も含めてだ）によって異なってくる。川俣はそれを「サイト・スペシフィック」と呼ぶ。現実世界の「場」は基本的にすべてが「スペシフィック」だからである。彼は「場」にふさわしい「スペシフィシティー」を見出して制作するからである。建物（など）に添わせる形状、通路ないし橋のような形状、ドームとか塔のような形状、彼が「ツリー・ハット（樹の帽子）」と名づける鳥の巣箱のような形状、彼が「ファベーラ」と名づける廃墟、ないし崩れかけの、ないし冴えない、ないし囲いだけの家、のような形状、等々である〔図5-19、20〕。

言うまでもないが、同じ形状のものでも設置される「サイト＝場」によって「作品」は大きく変わる。そして同時に、「スペシフィック」な「サイト」に置かれた「作品」が、「サイト」をさらに「スペシフィック」に変容させる。その全体が、川俣の「作品」にほかならない。

一九九〇年代の半ばになるともう一つの展開が始まる。それまでは、多少とも大がかりな作品を川俣は「プロジェクト」と呼んできたのだが、以降、「ワーク・イン・プログレス」というように呼び始める。つまり「結果的に出来上がるもの以上にプロセスを重要視する方向で作品をつくる」、ないしは「プロセスをそのまま表現として提示することができないだろうか」、そう考えるようになったのだ。スイスのツーク（Zug）、オランダのアルクマール、そして日本の福岡の「コールマイン田川」などから始った。川俣の「ワー

5-19：川俣正《ファベーラ・イン・牛窓》1991年（於・牛窓国際ビエンナーレ。木材ほか。現存せず　撮影・筆者）

5-20：川俣正《ボックス・コンストラクション》2012年（於・韓国 大邱市美術館。りんご箱。現存せず　撮影・筆者）

5-21：川俣正《木の道》2009年（於・フランス　メール・ビエンナーレ。木材ほか　撮影・川俣正）

ク・イン・プログレス」（試みに訳して《「進行中」こそ作品》）というプロジェクトは、完成したものもあれば、中途で頓挫したものもあれば、途中で止まったままのものもある。「進行中こそ作品」なのだから、そういう「完成」にはあまり意味がない、とも言い得る。

とはいえ、完成していわば「恒久設置」されている作品、例えば野原に造られた木道のような作品を思い浮かべてみよう［図5-21］。そういう野原に人々がやってくる。木道は野原と一体なので、人々が木道の上を歩こうが歩くまいが、木道にとっても人々にとってもそれは関係ない。そこが都会の真ん中だろうと人影がまばらな郊外だろうと、木道は空間の一部に、というより空間そのものになっている。「作品」のこ

う いう「在り方」は特異である。彼は「自分は表現を無化したいと思っているところがある」という意味のことを幾度も語っている。野原を通った人々の記憶の片隅にでも残ってくれればそれでいい、集合的記憶のようなものになってくれればもっといい、という意味のことも言っている。そこには「作品」を「自分」から「他者」に向って開きたいという願望がある。

川俣は、こう言ってよければ「作品」を空間と時間に向って解き放とうとしている。思想と方法と現れとしての作品は、菅木志雄とはもちろん異なっている。それでも、この二者の作品が指し示している「地平」は、わたしにはそれほど違っているとは思えない。従来の意味での「作品を作る」ということからの離脱の度合い、伝統的な彫刻や西洋彫刻を超える地平を開示したいという意図、それらも類似しているといっていい。わたしたちがその中で生まれ、生きて、死んでゆく「空間」、その「広がり」というものにたいする思想、というより「感性」を手放さずに何かを創造する、そういう基本姿勢も、両者でほとんど変わらないように思える。違いは、菅にはそこに「人々」の影がないのにたいして、川俣はそこに必ず「人々」を含んでいる点だけである。菅は時空を超えた位相を見据えているのにたいして、川俣では「人々の時間」が前面に出ている。「サイト・スペシフィック」の「サイト」の「見ること」という意味が、「場」という意味と同格なのである。いわば川俣のほうが人に優しい。というか、つまり「他力本願」なのである。

西欧彫刻のように彫刻をつくることをわたしたちはいまだに実現しえていないうちに、「もの派」によって「つくる」ことの彼方を垣間見ることになった。それはこの列島に古くから存在する感性に根ざしているものだ。そしてわたしたちは、つくることの否定に逢着ないし到達して、眼のまえにひろがる空間のなかに身を横たえて終える可能性(危険性)に直面し、同時に西欧彫刻の側へとまた宗旨替えしてしまう可能性(危険性)に直面している。もちろん「もの派」と「ポストもの派」の最良の美術家たちは、おおよそのところ、このふたつの「あいだ」に自分たちの作品の可能性を探ってきた。菅木志雄は「つくらない」ことへと河岸を変え、「もの」と「空間」とから成る世界を開示してみせた。遠藤利克や戸谷成雄は、「もの派」の「つくらない」思想にたいして「つくる」方向で彼らの「あいだ」をたどってきた。

そして川俣は、彼もまた「あいだ」を探してきたのだが、菅の「つくらない」ことの思想と遠藤や戸谷が求めた「つくる」思想との、その「あいだ」をたどろうとしてきたと、そんなふうに言うことができるような気がする。彼の初期の文章のなかに、「椅子」の比喩を使って自分がやろうとしていることを語っている興味深いものがある——

我々がここで行おうとしていたことは、ズレるイスをズレるように作ろうというのではなく、完成されてすでにあるイス(建物、場所、その周辺地区、地域社会、あるいは都市など）に向って一つのテーゼとしてズレるイスのごとくにつくることの開かれた時間を、そこから顕在化させたいということであったのだと思います。[22]

この「ズレ」は、勿論、「つくることの開かれた空間」をも、わたしたちに顕在化させるのである。

中村一美――ある〈A〉の絵画

一九五六年に生まれ、「大学闘争」の時代は既に遠く、「バブル」がはじけて、「しらけムード」の中で育ったと言われたりした「八〇年代作家」の世代である。「ニューペインティング世代」よりは少しだけ早く生まれたために、「もの派以降」という状況をストレートに引き受け、かつ「ポスト・モダニズム」というのではないスタンスで、絵画を模索した世代である。初個展は一九八一年、その作品は抽象表現主義的なものだった。それは後に自ら廃棄したという。欧米で絵画がミニマリズムに極限化ないし局限化していって終焉を迎える、その直前に達成したのが抽象表現主義だった。西欧近代絵画のいわば最後の華だった。中村はその先へ行かなければならない。これが彼の出発点である。

ところで、中村にとっての大きな衝撃は、作家活動を始めて十年あまりが経った頃、「阪神・淡路大震災」（一九九五年一月）というかたちで訪れた、のではないだろうか。この「大震災」のいわば「表現者」としての受け止め方はもちろん世代によって異なっていただろうが、彼には深甚な衝撃を与えたように見える。美術家の場合、どんな社会的また個人的な出来事が作品展開の「きっかけ」になるか判らない。事はすべては個人的なレヴェルで、ある意味では当人にもよく解らないままに、推移したりするからだ。「阪神・淡路大震災」が中村にもたらしたのは、おそらく、日本そのものが「崩壊」する、そんな大きな感覚だった。そこで「崩壊する日本」には自身のそれまでの絵画の試みも含まれていた。それまでの彼の出自と育ちは、この「崩壊感覚」を通過することで言わば鋳直されたような気さえする。

ごく普通の人々にとっても大地震・大津波・火山大爆発・台風や豪雨とそれに伴う大自然災害・原発事故などは、当人がそれに直接巻き込まれなくても大きな出来事である。人によってはそのためにライフ・スタイルそのものが変わったりもするだろう。今わたしたちは「新型コロナ」によってまたも、もう一つのそういう体験の渦中にいる。美術家は、世の中の出来事なんか知らないよというタイプとその正反対のタイプと、対応が両極に分かれるかもしれない。中村は後者である。それゆえ「二〇一一年三月十一日」、そして今の「新型コロナ」も、他の多くの美術家同様、中村を大きく、強く揺さぶっている。

そう考えながら、中村の絵画について、わたしは前(「三月十一日」以前の二〇〇六年刊行の『未生の』)の時とは、すこし別のアプローチをするべきだという気がしている。

出発時点の中村には、「バブル崩壊」のなかで育ったので日本は崩れていくという「崩壊感覚」はあったにしても、それは未だ大まかなものにとどまっていただろう。それでも絵画については、西洋のすっきりした理論構成では日本の絵画は片づかないことは、はっきりしていた。西洋の絵画表現の構造は根本的には水平と垂直を基本とするグリッド（格子）構造から成っている。だがどうやら、国土じたいが（フォッサ・マグナと中央構造線のために）湾曲また屈曲しているこの日本列島では、どこをどう見ても、グリッド構造は水平と垂直ではなく歪んでいるらしい。見回せば西洋とは全く異なる気候風土・地形・山野・土地であり、それは過去の美術表現にも明瞭に現れている。そこで中村は、西洋的なグリッド構造を斜めに歪める、ないし崩すことで、そこに多視点という複雑さを持ち込み、意図的に多層的な構造を根底に置いて、絵画の構造と空間を捉え直そうとすることから始める。

それはまず一九八〇年代半ばあたりから、「Y字」と「斜め格子」の作品によって始まる。「Y字」は自分が育った環境のなかで馴染んだ樹木などの形に由来する。それは彼の原感覚に根差していて、同時にそれじたいが「斜め格子」の形をも宿している。そこからの方法化と構造化が一歩進んで出てきたのが「斜め格子」である。「Y字」は空間を少なくとも三つに明瞭に分節し、それと同時に「Y」というシンプルで強い「字」（構造）が空間に動きと流動する広がりを生む。ただ「Y字」だと、人はその「形」からどうしても象徴とかそれに連なる意味を連想してしまいがちだ。

その時、中村の眼が、法隆寺以来使用され、絵画にもよく出てくる「蔀戸（しとみど）」（例えば鎌倉初期の《紫式部日記絵巻》）の「格子」などに向けられたのは自然である。彼はそれを援用し、しかし「斜め」にすることで、動きと前後の空間の広がりを確保している。

中村は「非具象であれ、具象であれ、描かれたものがその描かれたものをストレートに表出しているもの。イメージ即イメージの絵画」――そういう「絵画」ではない「絵画」、つまり「非具象であれ、具象であれ、描かれたものがその描かれたものを提示しはするが、それだけでは解決のつかないあるものを、指向あるいは示唆しているもの」、そういう絵画を目指した。そこでは、当然「描かれたものと、その指向との間に一種のズレ（示差）が生じ、その結果意味が生み出される」[23]。そこにこそ「絵画」がある。そういう「ズレ（示差）」こそが絵画の根拠であると考える。彼はまず「Y字」と「斜め格子」とによって絵画の基本構造を追究する。

一九九〇年代に入ると間もなく、さらに「開かれたC型」の形をもつ作品が登場して、横方向への広がりと湾曲する線をその構造のなかに呼び込む。そこからの展開は、また《リクライニング仏陀》系統の作品をも生み、そこに改めて「斜め格子」を取り入れて展開させ、「破房」や「破庵」などの作品群へと展開する。

わたしが見るところでは、この辺りまでで、つまり二〇〇〇年代に入った辺りまでで、彼は自分が考える絵画、意味を生み出す「ズレ（示差）」を構造として絵画化する方法をほぼ手中にしている。「Y字」と「斜め格子」と「開かれたC型」とによって彼が探し求める「絵画」がいわば定まっている。それは、「Aでもなく、Aダッシュでもないある〈A〉を描くことによって、AからAダッシュへの変位効果を示すこと」によって実現しようとする「〈A〉の絵画」にほかならない。

いま挙げた「破房」、《連差―破房》の制作中に起こったのが「阪神・淡路大震災」である。衝撃を受けた彼はすぐに現地に行く。戻って相模原市藤野町の山林で、高さ五メートルの建造物《藤野町破庵》［図5-22］を作った（十月）。いわば衝撃に居たたまれず、現実の世界で、木材で、避難小屋のような破れ小屋を作る。まるで「崩壊」の感覚を確かめるかのように。そしてこれ以降、二年ほど、現実の「崩壊」の広がりをそこに籠めるかのように、絵画で多くの「破庵」を描く［図5-23］。わたしの感触では、この時には中村の方法論は既に確かなものになっていた。いうまでもなく絵画はあくまでも抽象的なものだが、待ち設けていたわけではない現実の大きな出来事にいざなわれ、まるで居たたまれずにとでもいうように、自身の絵画に「崩壊」を取り込もうとする。同様の出来事を後に体験することになる一観客であるわたし（たち）は、彼のその行動から生み出された絵画作品群が以前にも増して豊かになっているのを見た。

この体験を経て中村の制作は、ある意味で自在になる。もちろん常に自らの内に向かっ

5-22：中村一美《破庵（藤野町破庵）》1995 年（材木、釘、金具。492×406×664 cm。現存せず　撮影・中村一美）

5-23：中村一美《連差一破房（柿色のファサード）》1995 年（油彩、綿布。171×177.5 cm。作家蔵）

て絵画を問いかけながら、何かあれば、それは何かを吸収するきっかけになるのである。仏典（例えば『法華経』）でも、現実の出来事（例えば「三月十一日」）でも、彼は制作へと内在化していく。とはいえ、原発事故を伴うことになった「三月十一日」は特段に大きな出来事だったこともあり、彼は、表面的には崩壊が主題とも見られかねない「破庵」の形式を採ることをためらう。

「破庵」の制作は許されないのではないかとずっと考え続けるなかで、彼は、一方で「死」をめぐる考察にいざなわれ、「採桑老」や「死を悼みて」といった連作を手がける。「三月十一日」が惹き起こした膨大な「死」と「崩壊」を思うなら、当然のことだろう。

5-24：中村一美《存在の鳥 29（イヌワシ）》2005〜08 年（油彩、麻画布。259×194 cm。セゾン現代美術館蔵）

そして、しかし他方で、二〇〇〇年代あたりから「鳥」をテーマにする。「織桑鳥」（彼の造語で「フェニックス」のことだ）から「存在の鳥」〔図5-24〕へ、これまでのところ数の上で最大の連作を「鳥」に費やす。しかし、「死」と「鳥」は遠いわけではない。「不死」を冀（こいねが）う心は「死」に裏づけられているからである。そして二〇一〇年代に入ると「聖」の連

5-25：中村一美《破庵43（無垢路岐山）》2018年（アクリル、綿布。227.4×162 cm。ラチョフスキーコレクション蔵〔ダラス、アメリカ合衆国〕）

作も始まる。

そして二〇一六年、「三月十一日」以降初めて、「破庵」を四点描く。また、最近の個展（二〇一九年一月、ギャラリーαM）では、新作の「破庵」が多く出品された〔図5-25〕。それらの「破庵」のサブタイトルは山々の名前になっている。それらは、南麓に「遠野物語」を育んだ村のある早池峰山などを除けば、原発事故の地である福島周辺、とくに飯館村周辺の山々であり、また自分の親族に関わりのある土地の山である。彼は大学時代ワンダーフォーゲル部に入っていた。その山々の多くは、山好きの間で「低山」と呼ばれる標高六百～八百メートルくらいの山々である。

これらの作品で明らかなのは、「Y字」・「斜め格子」・「開かれたC型」などの構造上の試みも、また作品題名上のヴァリエイション（「北奥千丈」「オレンジ・プレート」「リクライニング・ブッダ」「連差―破房」「破庵」「採桑老」「死を悼みて」「織桑鳥」「存在の鳥」「聖」など）も、どちらもすべて一画面のなかに統合されているということである。

作品題名に籠めた意味のヴァリエイションや構造上のヴァリエイションがなくなっている、ということではない。あえて言うと、一点の作品そのものだけでも充分にさまざまなものが見る側にちゃんと伝わってくるのだ。しかもそれらは彼個人に根差している地平とともに、時代の大きな動きの意味をも取り込みえている。つまり「〈A〉の絵画」たりえている。そのことが見る側にストレートにというか、過不足なくというか、感じられるのだ。「破れた庵」、もともと山岳修行者・聖たちの粗末な小屋、転じて粗末な山小屋の意味だが、災害（天災、そして今やそれは人災でもある！）が度重なるこの列島では、中村も暗に語っているように度重なる災害で崩壊した人々の棲み処の「こと」にほかならない。だから彼が描く「破庵」の裏側、背景には、度重なる災害で命を落とし、棲み処を失った人々の「命」が、「かつての生」が、あの世での「かたち」が、そのさまざまな様態が、揺曳（ようえい）していると言うべきだろう。絵画は究極ではそういう「こと」まで表現できるのである。

小林正人――それはさ、やっぱり光なんだ

一九五七年生まれの小林正人は、三部作の「ビルドゥングスロマン」を執筆・刊行中である。(24) 類書はまずありえない、そういうたぐいの本だ。それを読めば彼と彼の絵画のすべてがわかるといっていい。ありのままを、そのまま書いているその本に、小林が「絵画」

に捉われたキッカケが語られている。

高校の音楽の先生に恋をした小林は、ひたすら彼女と早く寝たかった。ところが彼女、「せんせい」は、「小林君、画、描いてみない？」と言う。ある日、彼女は彼を自宅に誘った。喜び勇んで行ってみると、そこには木箱の絵具・画架・白い画布の新しいセットが用意されていた。彼は（ヌードを描きたくて来たのではなかったが）「ヌード描くよ」と言う。彼女は「本当に描く?」、「そう、あとで呼ぶから来て」と言って、二階に上がっていった。しばしあって「いいわよ！」の声。二階に上がってみると、彼女は一糸纏わぬ姿で横になっていた。その前で、彼は何も出来ずに一、二時間がたった。「見せて」。「何も描いてないよ。ごめん、描けなかった」。彼女はその真っ白のキャンバスを見て言った――「これが小林君の最初の画ね」！

描けるものなら、眼の前のキャンバスに眼の前の〝この美しいなにか〟を移したかった！(25)

絵画への出発として稀有な例といっていい。その後、美術の予備校を経て美大に入学して、もちろん現代の美術の状況を的確に理解してゆく。アートシーンに精通するというような意味ではない。自分にとって絵画とは何かをいわばストレートに捉まえていくのだが、それが現代の絵画の最先端だったということである。例えば彼はこう言う――

皆さんが普通に何かやったら、それは必ず造形的になるんだよ。非造形的にするというのは、無意識でやったら非造形的にならないよ。要するに、人は無意識でやれば造形的なことをするんだよ。僕は、何か作品ができるまでに、例えば「空」のとき、あれで最後まで気に入らなくて直さなくちゃいけなかったところは、そこの部分だけ絵画的な造形がなされていたからなんだよ。絵画的な造形の部分が気に入らない。絵画的な造形がなくならないと気に入らないんだよね。その絵画的な造形が絵画を損なうんだよ。[26]

小林はのっけから絵画ときわめて特異な出会いをしてしまってる。描きたい何かは、「この美しい何か」は、彼自身の中、彼の頭の中にある。「俺が思っている画っていうのは頭ん中にあって、つまりボディーがない。どういうかたちになってもいい自由なイメージの状態が画の正体で、だから画は誰にも見えない。それが頭の外に出て様々なかたちをとって現れたものが眼に見えるようになった画、つまりみんなが見てるのはそれだ」。だから、「正体と画が一致することは稀だよ。本人にしたらずっと未完成なんだ[27]」。それをどうやって外へ出すか、彼にとってはそれが「表現」である。そのために彼は自分自身だけの感覚を探っていく。そして、じっさいに絵を描きはじめた当初から、よく知られているあの特異な制作の仕方を直感的に摑み取る。しかも、その「表現」は造形的なもの、絵画的な造形であってはならない。非造形的な表現でなければならない。

俺には夢があった。平面に張られた白いキャンバスの前に立ってから描くのでは遅い。張った時はもうそこに描かれてる画。キャンバスを木枠に張ってから描くんじゃない、キャンバスに描いてから木枠に張るんでもない。木枠に張りながら描いてキャンバスと木枠と画をひとつにすることは無理かな……[28]。

まったく類例のない描き方だが、彼にとってはそれしかないし、それでないと「画」にならない。この三つが成している構造、「……その構造をいちどバラバラに」する。いちど壊して、それから三つを「全部一緒に、同時にひとつにする」。そうやれば、三つをひとつにすれば、「心と体がひとつになる」可能性が生まれる［図5-26、27］。

例えば「この美しい何か」が「空」だとする。小林は青い空の作品を制作する。だがそれは、「これは空を描いた作品じゃない。つまりそこにある空を描いたのじゃなくて、絵画の空をつくろうとしているわけです。つまりそこにある空とはもう一つ別の空」を描いた作品なのである。小林にとって「絵画」とは、「絵画的な造形ではない絵画」でなければ

5-26：小林正人　制作風景　2016 年（撮影・小林静香）

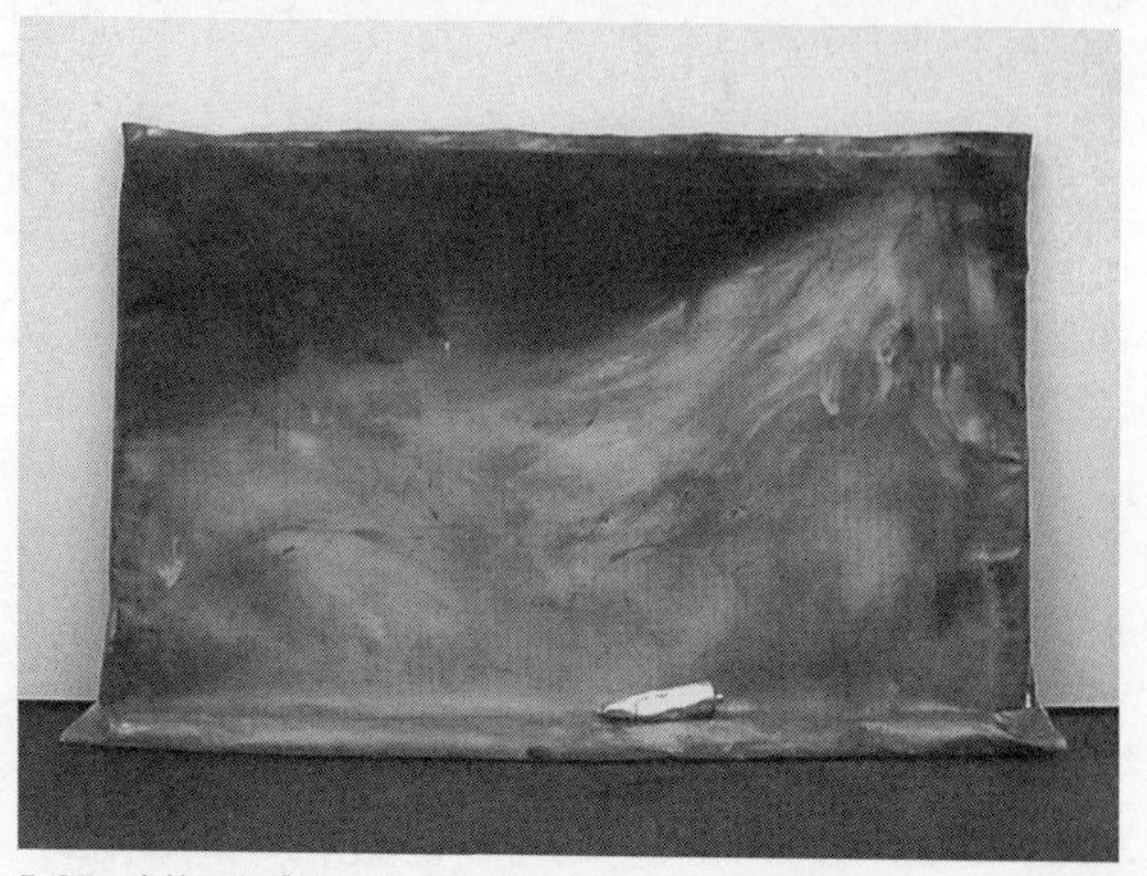

5-27：小林正人《Unnamed 2004 #11》2004 年（油彩、木、画布、油絵具チューブ。93×152×17 cm。個人蔵）

ばならない。「絵画の空」とはそういう意味である。[29]
「絵画の空」。ふつうに理解するなら「絵画としての空」だろう。しかし、それならふつうに白いキャンバスに描かれた空でも「絵画の空」でありうる、そう主張する人だっているかもしれない。小林が言うのは、彼の作品に《絵画＝空》というのがあるが、そういう状態のことだ。彼自身の中にある「空」が「そのまま実現されたもの」である。小林は「観念」や「概念」のレヴェルのことを言っているのではない。「作品」として現実化しなければ意味がない。だから木枠も白いキャンバスも許容するし、もちろん絵の具を使う。肝心なのは「直接性」なのだ。木枠とキャンバスを持ちチューブから絵の具を絞り出しながら直接「そこ」に描いてゆく。その三つ、描く行為・自分自身（心と身体）――それらのいわば登場を同時に実現すれば、きっと何とかなる。それができれば――

> 画を包むように、画の周りに、ほんのひとまわりスペースがあって俺はそこで画を制作してるんだよ。その場所ならバラバラのものをひとつにできる、ひとつになろうとする意志が働く場所だ。そういう空間が画の周りにある。画と一緒にある。[30]

制作の状態になると小林はひとつの空間に包まれる。すべてが「画」に向って、ある特異な場と成る。画家が「戦闘状態」に入る。場は静まり、密度を増す。その「場」、「画の周り」も「戦闘状態」に入る。その「場」に在るのは、画家・絵の具・キャンバス・木枠、だけだ。その時、画家の頭の中と呼応するのは何だろう?

彼は頭の中を「見ている」。そこに、これから描こうとするものを見ようとしている。「イメージの自由な状態」から「何か」を取り出すのだ。そう、それを教えてくれる、見せてくれるのは「光」だろう。「画の周り」が光の「場」になる。彼は、自分が「光」に導かれて描いていると感ずる。いや、彼自身の言葉を信ずるなら、むしろ「光で描く」。彼にとって油絵具は「光」そのもの、「光」を孕むもの、「光」を生み出すもの、でありうるからだ。油絵具から出てくる「光」で描く。

「光」そのものは描かれえるものではない。しかし、画家の心のなかの何処かには「光」を描きたい、「光」を表現したいという願いが潜んでいる。きっといつの時代もそうだったのだ。だから、これからもきっとそうだろう。だが、もちろん光あふれる風景・景色・光景を描いても「光」を描いたことにはならない。小林正人が特異なのは、彼は「光で描く」という感性に生まれてきている、ところにある。「光」に託することができれば「描く」ことができる。これは、真似のできることではないだろう。しかし「絵画」が困難な現在、小林の達成は、「光」と「空間」にもっと耳を傾ければ、いや「光」と「空間」にもっと眼を凝らせば何かが見えてくる、そういう可能性を信じていい、そういう希望を与えてくれる。

今、絵画の可能性を求めて、ツールとかシステムとか制度とか、そういう外側の事柄、いわば「お呼びでない」事柄の周辺をいくらうろついてみても、きっとあまり意味はない。芸術は、いつでも中央突破しか受け付けはしないような気がする。

Ⅳ 「いま」のあとさき

「ポストもの派」以降の新世代——下天の内をくらぶれば

「ポストもの派」の次にやってきたのは、「空白の時代」のいわば始まりとともに登場した「新人」である（参考までに、「第一次ベビー・ブーム」以降、出生数は下降し、一九五〇年代半ばは平均百五十万人くらいで推移し、上昇に転じるのは一九六五年で、そのピークが一九七一～七四年の「第二次ベビー・ブーム」となり、年二百万人ほど生まれた。その後は下降の一途を辿り、二〇一六年には年百万人を割る）。

彼ら・彼女らは、当初、美術ジャーナリズムからさまざまな名づけをもって迎えられた。ポストモダニズム、ネオ・エクスプレッショニズム、ポスト・ミニマリズム、ニュー・ペインティング、シミュレーショニズム、そして「サブカルチャー」派、などだった。ジャーナリズムというのは鵜の目鷹の目を信条とするのだから、混乱は仕方ないといえば仕方ない。後から検証するときに注意すればよいのである。相も変わらぬ「イズム」の氾濫、相も変わらぬ「外来名」の「イズム」の氾濫はいただけないが、わたしたちの文化は、例えば「internet」を「電脳」と翻訳するような努力すらとうの昔に忘れ去り、音を片仮名で「インターネット」とするだけになってしまって久しいから、仕方もない。

この「新しい世代」は、「スモール・ビレッジ・センター」（小沢剛・村上隆・中村政人の三人の苗字の最初の漢字の英訳を繋げたもので、勿論「日本反芸術」の高松次郎・赤瀬川原平・中西夏之の「ハイ・レッド・センター」に倣っている）、一九九四年結成の「昭和40年会」（昭和四〇年＝一九六五年生まれの集まり。会田誠、大岩オスカール幸男、小沢剛、土佐正道、パルコ木下、松蔭浩之ら）、「スタジオ食堂」（一九九四〜九八年。笠原出、須田悦弘、中村哲也、中山ダイスケ、藤原隆洋ら）、そしてその周辺に集った作家たちによって展開された（他には岩井成昭、島袋道浩、中明銀、中ザワヒデキ、福田美蘭らがいる）。その初期の知られた活動としては「ザ・ギンブラート」（一九九三年）や「新宿少年アート」（一九九四年）がある。これは（これも）、「九州派街頭展」（一九五七年。オチオサム、菊畑茂久馬、桜井孝身、働正ら）、「日本反芸術」の《山手線のフェスティバル》（一九六二年）、《首都圏清掃整理促進運動》《ドロッピング・イヴェント》（ともに一九六四年）などに倣った「新版」であるといっていい。本歌取りの動機が前例の踏襲・肯定・否定・乗り越え・無視・笑い飛ばし等、何であってもだ。

いずれにしても、「スモール・ビレッジ・センター」や「昭和40年会」の作家らも、今や幸若舞の「敦盛」や織田信長の「人間わずか五十年」はもう通り越して、間もなく還暦を迎える年齢になっている。時の流れは早いものだが、この間この「世代」はどのように展開してきたのか？

わたしには、『未生の』で触れたこと以上のことを言う自信はない。だが、そこで取り上げた代表選手四人のうち、一人は画商・プロデューサーの道を、もう一人はやはり美術教育者・プロデューサーの道を、どちらも着実に歩んでいる。また中ザワヒデキは、幾つかの試み、そして脳波に直接ドローイングさせる試みの後、今は「脳」の研究に集中しているようだ。「脳」による絵画を求める「研究」じたいは、わたしも素人ながら興味深いと思うけれど、その研究から何が出てくるかは、ちょっとわからない。小沢剛は、ずっとマイペースの美術家だが、遠目には、いま展開がけっこう難しいところに来ているように見える。

代表選手はもちろん他にも奈良美智、会田誠、大岩オスカール幸男、「チンポム」など、また関西にも中原浩大、松井紫郎、松井千恵などいるのだが、そしてその広がりの波及範囲は、「美術」を飛び出しうるものまで含んでいて、かなりなものだ。ただ、「ジャンル」のことではなくて「美術そのもの」の地平で見るなら、「境界領域」をどこまで攻め、どう超えていくかないし飛び出していくかは、なかなか、簡単ではないだろう。高齢化の時代を迎えて、身体に気を付ければ時間はまだあるとはいえ、この「世代」にとっても事は楽ではないだろう。

この世代を仮に「空白の時代の始まりを生きた世代」と名づけるとして、そのなかにはⅢ「ポストもの派の展開 2」で取り上げた作家らと年回りが重なる作家もいる。

新しい世代

それ以降に登場してきた美術家になると、ちょっとわたしの手には余る。それでも、はた目から勝手なことを言えば、正直なところ、あまり興味をそそられない。手元に東京都現代美術館の「MOTアニュアル展」(美術館の学芸員の眼による企画展、一九九九〜二〇二〇年)と横浜市民ギャラリーの「今日の作家展」(と新・今日の作家展)」(主に、一人ないし複数の外部の専門家に企画ないし作家選定を依頼する展覧会、一九九一〜二〇一二年と二〇一六〜二〇二〇年)の出品者を一覧にしてみたものがあるのだが、はた目からの第一印象は三つである。

「既視感(デジャヴュ)」に見舞われる作品が多すぎること、作家らの昔の「おもちゃ箱」をひっくり返しているような作品が大半であること、(とくに具体的なイメージを伴う作品において)みんな気持ち悪いくらい類似していること、だ。この三つの印象をもう少しだけ敷衍(ふえん)すると、二つくらいの感慨が浮かぶ。

ひとつは、表現というのは思い込みやひとりよがりを超えて他者の心に何かを響かせるものである（ものであった）はずだと思うのだが、何だろう、自己完結性がキッすぎる。もっとも、若いうちはどこまでも自己中心でも構わないようなものだけれど。そしてもうひとつは、変革の意志が弱いか、欠けているか、何か別のものに横すべりしてしまっているか、そんなふうに見える。もっとも、今どき変革の時代ではないのかもしれない。仮にもはや変革の時代ではないとしても、その状況に居直ることでは何も始まらないだろう。多くがデザインやエンターテインメント（あるいは「エンターテインメントもどき」）にしか見えない。もっとも、若い作家や作家予備軍が無意識裡に受け取っているだろうものは、わたしの年回りになるともうわからない。というより、既に感受する機能がなくなっているということはありうるかもしれない。

福岡道雄——力を抜いてさり気なく

この「増補」を「もの派」よりも前の世代に言及することで終えたい。できたら「空白の時代」まで「現役」で活動している（していた）作家がいい、しかし複数選ぶのはキツイかなと思いながら、例えば草間彌生、田中敦子、中西夏之らを思い浮かべたのだが、前二者は『未生の』ですでにある程度書いた。誰がいいだろうかと考えて、福岡道雄に想い到った。

そう想い到った直接の理由は、上で言った「デザインやエンターテインメントにしか見えない」というのは福岡の言葉だったと思い出したからである——は、「現代美術というのは、もっともっと先のことを見るのが現代美術と、僕自身はそう思ってて。（中略）今の人気のあるような作家を見てたら、僕らが思ってる現代美術じゃなくて、なんかデザイナー感覚というのか、そんな気がするんですけどね。うまいなぁとは思いますけどね。パッと今の人たちに呼吸が合うというのか」[31]。

福岡道雄は一九三六年生まれだから、「具体」世代より少し若く、「ネオ・ダダ」世代といっていい（大阪の堺生まれ。生後まもなく父親の仕事の関係で中国に渡り、北京そして済南で九年ほど過ごす）。発表活動は一九五八年からである。だいたいが群れで活動するのを好まず、また自覚的に「反具体」だったという。関西での活動が主だが、東京では一九六三年の「不在の部屋」展出品（中原佑介企画、内科画廊、七月。第二章のI「ハイレッド・センター」から『環境芸術』へ」を参照）以降注目され、一九七七年からは東京画廊での個展が始まる。（その間に、《位相―大地》と同じ野外彫刻展に、クレス・オルデンバーグがニューヨークのセントラルパークで一九六七年十月に穴を掘った作品の「土」が贈られてきたという「体裁（フィクション）」の木箱の作品《オルデンバーグからの贈り物》を出品した。この作品は現存しないが、ある意味では《位相―大地》といわば対になりうる作品なので、ここにメモしておく。）

途中を省くが、それからほぼ二十年後、一九九〇年頃（五十歳代半ば）、彼はもう「何もすることがない」という思いに捉われ、それからさらに十五年後、信濃橋画廊での「腐ったきんたま」展（二〇〇五年十二月）を最後に、「つくらない彫刻家」宣言をする。以降、「つくらない」けれど「彫刻家」である存在になった。

そのさらに八年後のことだ。八年ぶりの個展（ギャラリーほそかわ）でトークもあるというので、わたしは大阪まで出掛けて行った。会場での島敦彦さん（当時・国立国際美術館副館長）とのトーク後の歓談中、福岡さんは「こんなものをやっている」とマッチ箱から小さな《つぶ》たちを取り出して見せてくれた。つくらなくなった彫刻家が久しぶりにつくった《つぶ》たちだった。だがその「つくる」は、彫刻に対してひたすら「反（反抗・反対・反省）」の姿勢でさまざまな試みをやってきた彼が、もう何もすることがない地平に出てしまい、釣りをしたり草むしりをしながら、いわば彫刻の埒の外をも見据えながら過ごした「時間」が彼にもたらしたものだった。

ただ当人は「でも、もう彫刻じゃないような気が」すると言っている。続けて「『趣味であの人何かしてる』というような感じで思われたら楽ですね」とも言っている。しかしその本意は——

（前略）「現代美術にも引退があるんだぞ」ということを言いたいわけです。（中略）でも現代美術というのは、何と言うんですかね。ただ、日本自体が、現代美術を要ら

なくなってきたのかな、と思っているんです。(32)

というところにあるだろう。この福岡の見方にはけっこう惹かれるものがある。いま、美術の実態とはそういうことなのかもしれない。わたしは、このところずっと、「今はまだ近代美術の終焉期の渦中」にあると言ってきたけれど、そしてそれは間違ってはいないと思っている。けれども、この「終焉期」の先に来るものが何かは、正直なところわからない。ずっと「皮膚感覚と嗅覚」に頼ってきたという、この「つくらない彫刻家」の感触が、いちばん感度が高いかもしれない。幼少期を中国大陸で過ごし、混乱のなかで祖国に戻るなかで自ずと身についた感性は参考になると思うのだ。

とくに、日本そのものが現代美術を必要としなくなってきている、この感じはかなり当たっているような気がする。日本社会で「現代美術」がいつまでもマージナル、というより「ままこ」状態に近いのは、そもそもこの列島とは、どうやらいつまでたっても、歴史上の真正の伝統美術、「伝統美術」と称する現代のいわば「擬・伝統美術」、「美術の伝統化(伝統に回帰する美術)」、「美術」を「アート」と置き換えてやり過ごそうとする「まがいもの」等、どうやら、残念ながらそういうものしか受け入れない「場所」でしかないような気がしてならない。

それはそれとして、人は生きている限りは動く。それには人という生き物の生理の必然性もある。いくら暇をもてあましていても、「今度は何をしよう？」と、誰でも思うものだ。実作者の頭と手（身体）もまた、動くことをやめない。自分の手が動くことに、福岡の頭と身体は自らをごく自然に委ねる。

《つぶ》［図5-28］以前の最後の作品は《腐ったきんたま》［図5-29］であり、その少し前のは《馬鈴薯》だった。今にして思えばそれらは先触れだったことになるが、しかしたんなる先触れではなかった。いうまでもないが、《つぶ》は「きんたまの形のもの」でも「じゃがいもの形のもの」でもない。何かの「形」ではない。つまり《腐ったきんたま》も《馬鈴薯》も、振り返れば、「何かの形」ではなかったのである。

わたしたちの列島では彫刻とは今でも「彫塑」である。「彫る」か「捏ね上げる」かだ。この視点からは、例えば「フィギュアー」はだいたい「彫」だし、寄せ集め作品はだいたい「塑」だし、「インスタレーション」は「崩れた彫ないし塑」である。

福岡は基本的にはずっと「彫」をやってきたといっていいのだが、つくらない彫刻家になった彼の手（身体）がプラスチック素材を、飴でもつくるように転がしてみた。手も頭も、もう「形」を求めてはいない。その無意識の動きが、比喩的にいえば「塑」のような動きを採った。何らかの「形」に捏ね上げようというのではない「塑」の動きが、「ころがす」だけの動きに単純化、ないし究極化されたのである。「彫」が引き算なら「塑」は足し算だが、彼の手と頭は「塑」を彫刻の因果関係から解き放った。つくらないように何

5-28：福岡道雄　2つの《つぶ》2012年（FRP。各1.5×1.5×1.5 cm。作家蔵）

5-29：福岡道雄《腐ったきんたま》2004～05年（FRP。57.5×50.5×46.5 cm。国立国際美術館蔵　撮影・福永一夫）

かをつくる、そういう、境界領域という地平での手の動きが、おのずと「つぶ」になった。

この例が「現代美術」の「老後」にとって、あるいは「引退」後にとって、ひとつの示唆になるというのでは必ずしもないのだが。

ところで、福岡道雄の「現代美術の引退」は、わたしにいろいろなことを考えさせる。例えばこの『逸脱史』の第二章で触れた、松澤宥による特異な「美術の極限化」を想い起してみる。

前者は「引退」しても「つぶ」（という作品）へと手が自然に動く。後者は、「美術以後」でも（つまり地上を離れる地平を実現しても）、想念と身体はいわば「作品」に向って存在し続けることをやめない。日本列島という「場所」では、美術表現は、物理的にも理念的にも、現実的にも感覚的にも、最後には「無」ないし「未生」を、どういうかたちによってにせよ引き受ける（それは「実現する」と言っても同じだ）、そこまで辿り着くことで、はじめて「完結のない完結」を迎えるのである。

註

第一章

(1) 中原佑介「密室の絵画」、『美術批評』一九五六年六月号。

(2) 座談会「戦後美術批評の成立と展開」(東野芳明、中原佑介、針生一郎、彦坂尚嘉) 参照。『美術手帖』一九七二年一月号。

(3) この意味からすれば、新世代批評家のなかではいちばん最後に(一九六三年)登場してくる宮川淳は、新世代批評家というアメリカ派にたいするフランス派側からのゆりもどしの役割をはからずもはたすことになった、とみられなくはない。

(4) 「アンフォルメル以後の日本の美術 変貌の推移・モンタージュ風に」、『美術手帖増刊』一九六三年十月号「アンフォルメル以後」――のちに一九六五年七月に単行本として美術出版社より刊行。さらに一九八〇年十月に美術出版社より刊行された『宮川淳著作集』第Ⅱ巻に収録。

(5) たとえば竹林賢によるインタヴュー「ぶらり見参・吉原治良」、『美術手帖』一九五九年十一月号。

(6) その後一九七九年三月に東京書籍より単行本として『戦後美術盛衰史』刊行。すでに十数年たっていたこともあり、旧稿のほぼぜんぶに加筆・訂正をおこない、針生自身「全部書きおろしに近くなった」といっているものである。この単行本のほうでは第七章「アンフォルメルの波紋」の冒頭にいくらかの字数を割いて「具体」の活動をとりあげて、旧稿の欠落をおぎなうことなった。しかしそれでも、「今ふりかえると、そこにはのちにハプニング、ライト・アート、アース・ワーク、コンセプチュアル・アート（概念芸術）などとよばれるものが、未分化のまま投げだされていた」とはいっているものの、基調としては依然としてアンフォルメルの前座くらいのものとかんがえられているにすぎないようにおもう。

（7）外国側の出品者名を参考までにあげておく。――Karel Apel, Pierre Alechinsky, Jean Arp, Jean Atlan, Norman Bluhm, André Bloc, Roberto Crippa, Alexander Calder, Giuseppe Capogrossi, William N. Copley, Gianni Dova, Jean Dubuffet, Jean Fautrier, Sam Francis, Louis Fernandez, Lucio Fontana, Adolf Gottlieb, Hans Hartung, Paul Hultberg, Stanley William Hayter, Jacques Herold, Shirley Jaffe, Willem de Kooning, Wifredo Lam, Georges Mathieu, Roberto Matta, Richard Mortensen, Alicia Perez Penalba, Helen Philips, Jean-Paul Riopelle, Man Ray, Kurt Seligmann, Hedda Sterne, Saul Steinberg, Kay Sage, Maria Helena Vieira da Silva, Gérard Schneider, Francis Salles, Iaroslav Serpan, Mark Tobey, Dorothea Tanning, Shinkichi Tajiri, Victor Vasarely, Geer van Velde, Zao Wou-Ki, Isabelle Waldberg

（8）富永惣一「カレル・アペル　芸術的断言」（『みづゑ』一九五六年十一月号）、「今日の空間」（『みづゑ』一九五六年十二月号、特集「シニフィアン・ド・ランフォルメル」）など。徳大寺公英「日本現代美術の盲点」（『美術手帖』一九五七年二月号）など。

（9）「ロカビリー派と予測的知性派」、『美術手帖』一九五八年五月号。

（10）さらに「現代アメリカ美術　ヤンガー・ジェネレーションの冒険」（『みづゑ』一九六〇年三月号）などを参照。

（11）同様に、アメリカのアクション・ペインティングについては一九五九年十一月号と同十二月号の『みづゑ』に書いている。

(12) 一九五九年十二月の『美術手帖年鑑一九六〇』における東野芳明との往復書簡「明日の日本美術のために」では、さらにはっきりと、「幻想抽象」の方向を推測して、「無原理なアクションの氾濫にたいして、もっと強力なイメージの回復」、「シュルレアリスムからダダへのまき返し」を主張している。

(13) そのころになって東野のほうが、「反芸術」について、たとえば『美術手帖』一九六二年一月号の展評で「それは単に、人目につく怒りをあてどなくぶちまけただけの自爆行為にすぎなかったのである」というようになってきていたことはおもしろい。

(14) 篠原有司男の自伝『前衛の道』(一九六八年六月、美術出版社)によせた「解説にかえて——コラージュふうな戦後美術の歩み一九五六〜六七——」という文章で、中原佑介は「反芸術」、ネオ・ダダ中心のクロニクルをこころみている。針生の「盛衰史」とともに、批評史的側面についてては宮川淳の「変貌の推移・モンタージュ風に」が念頭にあったことは、「コラージュふうな」としるしていることからもあきらかである。二人のものよりも五年あとという時の経過にともなって、より客観的な見方ができるようにはなっていた。また事実関係でいうと、たとえば「具体」や「九州派」などにもふれているし、ネオ・ダダをアメリカ美術の登場とおさえる視点もはっきりしてきていた。しかし問題は、他人の本の解説という制約はあるにせよ、第一に「盛衰史」をそれほど超えてはいない点、第二に後述する宮川淳の問題提起がほとんど反映していないようにみうけられる点にあるだろうとおもう。

(15) 「わが心の自叙伝」。初出は『吉原製油社報』一九七二年三月三十日〜九月三十日。一九七三年四月の神奈川県立近代美術館における「吉原治良展」カタログに再録。ここでは同カタログから引用。

(16) 創立会員は東貞美、伊勢谷ケイ、上田民子、上前智祐、岡田博、岡本一、嶋本昭三、関根美夫、辻村茂、藤川東一郎、船井裕、正延正俊、山崎つる子、吉田稔郎、吉原治良、吉原英雄、吉原通雄の十七名である。

(17) 「0会」からの合流メンバーは金山明、白髪一雄、田中敦子、村上三郎である。七月の野外展を機に加入したのは浮田要三、大野糸子、木下淑子、柴田健、白髪富士子、鷲見康夫、田中圭三、橋上よし子、元永定正らである。ちなみに、もちろんこのあともメンバーの増減はある。一九五六年五月の神港新聞アンデパンダン展で大原紀美子、近藤照美、七月の野外展で喜谷繁暉、酒光昇、佐藤誠一、豊島隆、谷口朱鴻、原幸代、平出美代子、水口強一、村野康、吉田信彦、第九回芦屋市展で金木義男、永良維久子、西田保子、堀井日栄、第二回具体展で筒井基介、中橋孝一。一九五六年まではこういったところである。

(18) この読売アンデパンダン展には、従来の年表、たとえば前出の「具体美術の18年展」カタログなどでは「全員出品し、その全作品の題名を『具体』とつけた」とされているが、その出品目録によるならば、出品は岡田、岡本、上前、木下、嶋本、鷲見、関根、正延、山崎、吉原通雄、吉田の十一名であり、全作品を《具体》と題した。

(19) 参加者は上前、浮田、大野、金山、木下、嶋本、白髪、白髪(富)、鷲見、田中、村上、元永、山崎、吉田、吉原治良、吉原通雄。

(20) ここでは全体としての「具体」の検討が主になったために、とても個々の作家についてくわしく触れるわけにはいかなかったが、金山明についてだけは一言しておきたい。わたしのみるところでは、グループとしての「具体」全体の傾向に合致していたかどうかをべつにしていえば、このなかでもっとも鋭敏でラディカルだったのが金山である。初期の「具体」のメンバーの多くとはちがって彼だけはクールな幾何学的抽象の画家だったし、したがって「具体」のアンフォルメルへの総転向も彼にとっては自分とは異質なものへの転化だったりして、要するに金山だけは「具体」のなかの異邦人だったような気がしてならない。そういうなかで初期「具体」の時期だけは、彼が断然群を抜いたとさえいえる活動をしめしたのである。いま本文中でふれた「具体」の特徴の第三点の枠を体現したのは金山の作品にほかならず、そしてそれは質の高さとラディカリズムにおいて、むしろ先駆的すぎていたために「具体」の枠から遊離してしまっていたようにおもわれる。その意味で金山明は不幸な作家だった。しかも、そのうえにアンフォルメルの波までかぶらざるをえなかったのである。自分とは異質なものにこのすぐれた作家が耐えられるはずはなし、その後彼は制作を放棄ないし停止してしまうにいたるのだ。

(21) アメリカ・フランス現代絵画の特陳。そしてこの特陳部分のみが「アメリカ・フランス現代絵画展」として四月〜五月に大阪市立美術館に巡回されて展覧された。ポロックの出品は二点で、一九四九年作《第十一番》(現在インディアナ大学美術館蔵)と一九五〇年作《第七番》。アメリカの出品作家はマーク・ロスコ、アド・ラインハート、ウィリアム・ヘイター、マーク・トビー、クリフォード・スティルらである。

(22) 東京展のあと七月から九月にかけて大阪、名古屋、福岡、京都に巡回。ポロックの出品は一点で、一九五一年作《第二十一番》(現リー・クラズナー＝ポロック蔵)。アメリカの出品作家はアドルフ・ゴットリーブ、ジョン・マリン、その他である。抽象表現主義のものはそんなに多くはない。

(23) 「アメリカ・フランス現代絵画展」をみての中村真との対談から――初出は『関西美術』一九

五一年第十三号（前出の彦坂尚嘉の論文による）。ここでは彦坂の論文から再引用。

(24) フランスではアンフォルメル（l'informel）はとくにタピエによって用いられた語であり、おなじ抽象表現主義的動向を指すにも人によってさまざまな語が使われた――タシスム、抒情的抽象、熱い抽象、などである。

(25) 本章のはじめで断ったように、もちろん「日本アンフォルメル」はこれだけですむものではない。ただ、ここでのわたしの主題からは、とりあえずここでとどめておかざるをえない。フランスにあってアンフォルメルを直接的に体験した今井俊満や堂本尚郎、国内の白髪一雄をはじめとするいわば日本アンフォルメルの世代から、既成作家のアンフォルメル化まで、本格的には別途論じられるべきだろう。ただ、そのばあいには、日本アンフォルメルだけではなくて、五〇年代末期から六〇年代中期にかけての「絵画」総体の脈絡のなかで、論じられなければならないだろう。つまり、日本アンフォルメル以外にも、たとえば立石紘一、中村宏、岡本信治郎をはじめとする系列の絵画や、稲葉治夫、山田正亮、桑山忠明をはじめとする系列の絵画も、同じように取上げて、同列に包括しうるところでかんがえられる必要があるということである。

(26) たとえば中原佑介は前出の「コラージュふうな戦後美術の歩み一九五六〜六七」のなかで、「このアンフォルメルの熱風をかぶった若い連中が、その形式的な模倣者として登場するのではなく、ネオ・ダダあるいは廃物芸術、さらにはハプニングといった傾向をひっさげて美術界に出現した」といい、「『ネオ・ダダ』『冒険派』『実験』『ガラクタ派』『廃物派』『反芸術の作家たち』――いろいろな呼称がつくりだされたが、それらはいずれも、かれらアンデパンダン展第三期の世代を特徴づけようとして与えられたものだった」といっている。アンデパンダン展第三世代が「反芸術」の作家たちとなったことは事実だが、しかしそれだけで、「反芸術」

の内側からその意味があきらかになるわけではない。

(27) この論争は主としてこの二人のやりとりだったが、他の批評家たちもその機会に若干のコメントを発表している。宮川・東野間以外のものはさほど重要とはいいがたいが、それでも多くの人々が反応をしめしたということは興味深い。

(28) 九州派のこれ以外の主要メンバーをあげておく――石橋(田部)光子、糸井貫二、大神敏子、大黒愛子、大山右一、小野充子、小幡英資、尾花成春、尾張猛、片江政敏、川上省三、黒木耀治、菅原陽子、谷口利夫、長浜和敏、平山利、舟木富治、俣野衛、宮崎準之助。

(29) 前出。初出は『美術手帖』一九六六年二月号~十二月号連載。なお、ここで言及されているのは『読売新聞』一九五八年四月三日夕刊に掲載されたタピエの「世界のなかの日本の若い芸術家」という文章であり、そこでタピエは工藤、花厳淳、山口勝弘、篠原、さらに志賀健蔵、千田高詩、梶山俊夫、因藤寿、村山陽一、柿内朗子、三木、清川泰次、岡崎和郎らの名をあげている。

(30) この第一回展のマニフェストから――「一九六〇年の生殖をいかに夢想しようとも一発のアトムが気軽に解決してくれるように、ピカソの闘牛もすでにひき殺された野良猫の血しぶきほどに、我々の心を動かせない。真摯な芸術作品をふみつぶして行く二〇・六世紀の真赤にのぼせあがった地球に登場して我々が虐殺をまぬがれる唯一の手段は殺戮者にまわることだ」。

(31) このときに発表した宣言書のなかに、「われわれは知覚的現在を個人の活動の同時性とみて、明らかに、個々がそれをみる尺度の函数であるという前提のもとに表象し可視を行なう。従って体験と評価は、種々異なる過程に対応する個々によって立証され、その立証を規定する要因は多数であり、異質である。……作品における生起を各個との関係で位置づけることによって知覚の充足を図ろうとする」の一節がある。

(32) しかもこのばあい「外来の美術の導入過程」というとき、その「外来の美術」じたいが、つまり二十世紀の西欧の美術じたいが大きな質的変貌に見舞われつつ進行していたことにも留意する必要がある。

第二章

(1) この「晩餐会」については、さらにたとえば雑誌『機関』第十二号「風倉匠特集」(一九八一年五月、機関編集委員会編、ゆーコピア発行)を参照。

(2) 他の出品者はオチ・オサム、清水晃、須賀啓介、田中信太郎、福岡道雄らである。

(3) ほかには田名網敬一、福田繁雄、永井一正、磯辺行久らがあげられるだろう。

(4) 「グループ・音楽」——二年にわたる活動のあと、一九六〇年八月に正式に命名された。はじめは集団即興演奏のためのグループだったが、一九六一年九月の草月ホールにおける「即興演奏と音響オブジェのコンサート」以後、「自立した作家のゆるい結合体」へと変質し、また同年末頃から水野修孝と他のメンバーとの理論的対立などもはらみながら、活動を展開した。機関誌『グループ音楽』を刊行。主要メンバーは水野修孝、小杉武久、刀根康尚、塩見千枝子、戸島美喜夫、拓植元一らであった(「集団の波・運動の波」、『美術手帖』一九七一年十月号参照)。

(5) 「暗黒舞踏派」——土方巽を中心とする舞踏家たちの集団で、一九五六年頃から活動をはじめている。美術をはじめ諸ジャンルの活動をもまきこむかたちで展開された。芦川羊子、石井満隆、大野慶人、笠井叡といった舞踏家を生んでいる。

(6) のちに『赤い風船あるいは牝猫の夜』(八月発行)が当局により押収され、取調べをうける。同書所収の吉岡の写真により平岡と宮原が「ワイセツ」のかどで逮捕される。そして同書中の赤瀬川の千円札図版が、「千円札事件」の発端となるのである。

(7) 「フィルム・アンデパンダン」——一九六三年の内科画廊における内科シネマテークなどの動きをいわば前段階として結成された(「フィルム・アンデパンダンの提唱」、『日本読書新聞』一九六四年九月十四日号)。グループとしての発表活動は一、二回にすぎなかったが、のちのたとえば「プライヴェイト・フィルム」などの先駆的役割をはたしている。

(8) 山口勝弘とはべつの事象のおさえかたをしめすために、一例として一九六五年から六八年にかけてのものをいくつか列記してみる。

一九六五年——
六月、グループ「位」第一回展
七月、第十五回「具体」展
八月、アンデパンダン・アート・フェスティバル
九月、FLUX WEEK
十一月、バラ色ダンス—暗黒舞踏派提携公演「渋澤さんの家の方へ」
十二月、ミューズ週間

一九六六年——
四月、美術の中の四つの「観光」展
五月、代々木アクション大会
六月、アンダーグラウンド・シネマ/日本・アメリカ

七月、暗黒舞踏派「トマト——性愛恩懲学指南図絵」
九月、「色彩と空間」展
十月、ボックス・イヴェント（東京芸大）
十月、イヴェント・フェスティバル〈〇〇〇プラン〉（多摩美大）
十一月、「空間から環境へ」展
十二月、嚶嘔・バス観光ハプニング
一九六七年——
三月、アンダーグラウンド・フェスティバル
四月、イヴェント・フェスティバル〈〇〇〇プラン〉
五月、〇〇〇プラン／午前零時のための八つのイヴェント
十月、〇〇〇プラン
十一月、第一回実験映画祭
一九六八年——
二月、サイケデリック・ショー
二月、ルナミ・フィルム・ギャラリー
三月、狂気見本市
五月、イヴェント・フェスティバル／九紫ひのえうま・Face to face
六月、現代の空間'68「光と環境」展
七月、反戦と解放展
八月、Voyage Happening in an Egg

八月、Nipponかまいたち展
十一月、狂気見本市

（9）そういう意味から、日本における環境芸術（チカチカ、ピカピカ芸術、などとも揶揄された）をめぐっては、「発注芸術」そして「手（仕事）の失権」ということが論議されたことをあげておいてよいだろう。「発注芸術」ということばは一九六六年九月の南画廊における東野芳明企画の「色彩と空間」展のさいに生れた（東野芳明の、同展カタログの文章および『美術手帖』一九六七年十二月号の「『色彩と空間』展」参照）。そして東野芳明と、彼を批判した山崎正和とのあいだで数度にわたる応酬がおこなわれた。山崎は美術固有の文脈の基本的なことがらにほとんど無知でひたすら手の復権をとなえたにすぎなかったが、東野もその山崎の立脚点そのものを衝くことができず、結果的には「手仕事論争」に終始してしまった。——「特別講座　芸術制作の発注をどう考えるべきか?」、『美術手帖』一九六八年二月号参照。

しかし、発注芸術が手の失権をもたらしたとすれば、論じられるべきは手仕事如何などといった矮小な意味においてではなく、制作行為の失権ないし自立がじつは美術のどのような文脈と状況を背景として起ったのかという点だったのだ。

（10）Allan Kaprow, "Assemblage, Environments and Happenings", New York, Harry N. Abrams Publ, 1966.

（11）基本的な文献として、コンセプチュアル・アートにかんしてはUrsula Meyer, *Conceptual Art* (New York, E. P. Dutton Publ, 1972)、ミニマル・アートにかんしてはGregory Battcock, *Minimal Art A Critical Anthology* (New York, E. P. Dutton Publ, 1968）がある。また作家自身が書いたものでは、前者については*On Art; Artist's writings on the changed notion of art* after 1965 (Über Kunst: Künstlertexte), edited by Gerd de Vries (Köln, Verlag DuMont Schauberg, 1974)、また後者についてはドナルド・ジャッドの文章など。さらに、六〇年代後半のこうした動向のひとつのドキュメントとして Lucy R. Lippard, *Six Years: The Dematerialization of the Art Object from 1966 to 1972* (New York, Praeger Publ., 1973) がある。

(12) ここで「反芸術論争」以降の宮川淳の批評にふれておきたい。宮川は一九六三年に「アンフォルメル以後」によって登場したあと、「反芸術」ついでポップ・アートをめぐる論考を展開したが、一九六〇年代後半になるとしだいに状況の前面から後退し、美術をめぐって書くこともすくなくなっていく。じじつそうなのだが、すでに著作集も刊行されて宮川の批評の全貌を手にしているいま、すくなくとも六〇年代後半の彼の批評についてはもういちど精確に検討してみる必要があるようにおもわれる。つまり彼は六〇年代後半には美術の前線から撤退して本格的な美術批評を書かなかったといわれており、当時は宮川淳の沈黙などともいわれたりしたのだが、それはかならずしも正しくはないし事実でもない。ひとつには事実問題として批評文がけっしてすくなくはないからだが、しかしそれよりもなによりも六〇年代後半に宮川は批評上の展開をしめしているからだ。しかもその展開は、わたしのみるところ、宮川自身にとってばかりでなく当時の美術批評の全体にとってもかなり重要なものなのである。すくなくとも、これまではさほど注目されていたとはいいがたいこの時期の彼の批評が、しかしあらためて着目されてよいものであることはたしかである。

なるほど、この時期になると状況に密着した発言がすくなくなったことはたしかだろうが、しかしそうはいっても、ポップ・アートについてはいうにおよばず、環境芸術についても(たとえば「芸術の消滅は可能か」「手の失権」)、複製メディアの問題についても(たとえば「続・引用について 鏡の街のアリス 5―リチャード・ハミルトン」)、またミニマル・アートについても(たとえば「だが、なぜ引用なのか」ではじまる「引用について」)、すなわち「コンセプチュアル・アートという言葉はぼくのボキャブラリーのなかにはない」というコンセプチュアル・アート以前までは、それなりに状況にたいする反応をことばにしている。ただ、すでに様式的なとらえかたを断罪した彼は、様式史的なイズムの交代にいちいちつきあいはしなかっただけである。けれども、こうした六〇年代後半期の文章のなかで宮川は宮川なりに言うべきことは言っていたのであり、しかし当時の批評がそれを正当に理解することができなかったのだとおもう。この批評の無理解は、その時点で宮川そのひとによって幾度も指摘されていたことである(たとえば「理念と機構のあいだに」の末尾、「影の侵入」「ある架空法廷記録から」「僕自身のための広告」「千円札裁判私見」など)。

東野芳明との「反芸術論争」からそれにつづく影とイメージをめぐる中原佑介とのやりとりにかけて、つまり年代でいうと一九六四年半ばから一九六六年半ばにかけて、宮川は、様式概念としての現代と価値概念としての近代の不一致のはざまで「反芸術」がもたらした表現過程の自己目的化の意味をつきつめることをとおして、芸術の存在の不可能性から「芸術が存在しないことの不可能性」という視点をみちびきだしていた。存在しないことが不可能である以上、問題はつぎのように問われなければならないだろう――不在の、それじたいとしての現前とはなにか、あるいは/そして、不在の芸術はいかにして存在するか? 「芸術がトータルに存在するとすれば、それは不在においてのみだろう。問題は、不在そのものはしかし芸術ではない、ということだ。そこに作家の行為がなんらかの形で必然になるが、しかも、それは終局的には余剰なものだ。とすれば、不在としての芸術の現前は、余剰なものであるべき行為が、その自己運動のうちに相殺され合う過程として、はじめて可能になるだろう」(「月評」、『美術手帖』一九六五年八月号)。

ちょっとまってほしいといいたいところだが、わきあがる疑念と批判をひとまずおさえていえば、宮川が芸術が存在しないことの不可能性をどこへしぼりこもうとしているかは、この引用文からもおおよそ見当がつく。つまり、そしてじっさい、宮川は絵画(芸術)を無名の思想、なんらかの思想の表現ではなくて思想そのものであると断言するところまでいくのである。絵画という思想、むしろこの名付けられない無名の思想をわれわれはなお絵画(芸術)と呼ぶのだ。宮川のつぎのことばもおなじことのいいかえといってよい——「そしてわれわれが今日、なお芸術ということばを使うとすれば、それは芸術という自己同一性を信じるからではなく、まさしくこの自己同一性の間隙、そしてそこからたえずあらわれようとする無名性をそれ以外に呼ぶことばがないからであり、芸術と呼ぶことによってこの間隙をあくまでも間隙として、そこからあらわれ出ようとする無名性をあくまで無名性としてかろうじて保ちうるからである」(「無名性にむかう芸術」、『日本読書新聞』一九六七年十二月十一日号)。そして宮川はそこに「絶対的な自由への要求」をみるのであり、この「自由への根源的な欲望」あるいはこの本質的な無名性は、もっとも根源的な意味での「観念」、「われわれを垂直に立たせる観念そのものにほかならない」とする。「今日なお芸術と呼ばれるなにものかが存在するとすれば、それはわれわれのうちなる観念の存在がそれを要求してやまないからであり、しかもこの事実こそが、また同時に、今日の芸術を芸術と呼ぶにはあまりにも無名なものへ駆り立てることをやめないのである」(「芸術の消滅は可能か」、『小原流挿花』一九六八年六月号)。だとすれば、芸術とは、芸術とは別の名をもとめる緊張のことではないか、個々の作品として実体的に完結するものではなくて「作品を媒介ないし契機として見る者との間に事後的につくり出される関係として」とらえることができるのではないか、と宮川はいう。

そこから宮川は、「手の失権」(『美術手帖』一九六九年二月号)やいくつかの「引用」論において、「つくる」という概念の崩壊から「見る」ことの認識への転移、「創造」という概念そのものが「見る」ことにおいておびやかされていること、シニフィエの空位があきらかにされシニフィアンのたわむれが表面化していること、「作品」をなりたたせているものはじつは作品の背後にあるなにものか(超越的シニフィアン)ではなくてその手前に形づくられる「見ることの厚み」(シニフィアンの運動)なのだということ、を語るのである。芸術における当時の環境的な傾向や複製メディアの問題についても宮川はつねにこのような一貫した論理を語り、逆にいうとそれらについて語るなかで一貫した論理展開をしめしたのだ。

表現過程の自己目的化からここまでの展開はまったく論理的であり正当なものといってよいし、この論理と批評はいまでもなお十分に有効だとわたしはかんがえる。当時の美術の状況のなかにおいてもじつはきわめて有効だったことは、したがっていうまでもない。多くはそのようには理解せず、読みとりえなかっただけなのである。六〇年代後半の美術状況を的確に理解し深読みしえた批評家がほとんど一人も居なかったなかにあって、すくなくとも宮川は表現行為の自己目的化が美術における「つくる」こと、プラクシスの崩壊をもたらしたことの意味を的確にあるいは彼なりに把握したのであり、そしてこの美術の崩壊ないし喪失が、にもかかわらず同時に不在の美術の現前でもあることを洞察した、いいかえれば歴史としての美術ないし制度としての美術の名称論のレヴェル(不在の美術であれ結局は名付けられうるものであり、そうであるからには名称づけは引受けざるをえず、引受けるべきだということ）の自覚をしめした。そして、すくなくともここまでは、まったく正当だったといってよい。という意味は、当時の美術はじつはまさしくそういう地平におかれていたということである。そして、そこから宮川が無名の思想としての芸術（美術）、関係としての、つまり見ることとの関係としての、そして芸術（美術）そのものとの関係としての芸術（美術）という視点をうちだしたことも、けっして奇異なことでも難解なことでもない。彼の個性がそして個人的なある種のおもいこみがそこにみとめられることはいうまでもないが、それを考慮にいれたうえで、そこまでの読みこみをあえてしたことは評価されてよい。というか、そういう読みこみをしなければ、すなわち全文化状況ないし全思想状況のなかでの美術という視点をくりこむことがなければ、美術の状況にせまることもほんとうの意味ではできないし、また批評もなりたたないことを宮川は自覚していたのであって、この自覚が彼と他の批評家の言説とをへだてていたものにほかならないというべきだろう。

ならば、六〇年代後半の宮川淳の批評の問題点はどこにあるのか？　もちろん、宮川の志性の面でいちばん根本的にいえば、つくることではなく見ること（あるいはむしろ読むこと）に芸術の問題をしぼりあげようとしたこと、つまり一種の逆転をかんがえていたことじたいが問われるわけだが、そのまえの段階での宮川の状況認識こそが問われなければならない。問題点はいくつもあり、箇条書のように列挙することもできるし、いろいろな問いかけかたをすることもできるけれど、もっとも根本的な疑念の糸口は、「つくる（描く）」ことは終ったか、というところにある。宮川がいうようにつくること（創造）が表現過程の自己目的化によっておびやかされはじめ、ついで崩壊してゆくことはそのとおりだとして、しかしそのことはつくる

（描く）ことの全的廃棄をただちに意味しはしないのではないか。宮川はつくること（創造）と一般化してものをかんがえたが、つくることが描くことをふくむとして、しかし描くことはかならずしもつくることではないのであり、むしろ描くことがつくることとは完全にはかさならない部分が絵画の絵画たる所以であるわけだし、また、宮川の論理の土俵にたっていっても、芸術が存在しないことの不可能性というなら、それと同格のあるいはそのパラフレーズとしての「つくることをしないことの不可能性」の地平をも、論理のなかにくりこまないわけにはいかないのであり、そしてそれは見ないことの不可能性と等価・同位であり互換的ですらありうるものなのだ。しかし、それよりもなによりも、つくる（描く）といってもそれはかならず特定の文脈と特定の時代に規定されているという事実をふまえることがいちばん肝要なことである。宮川が「つくる」ことを検討し「見る」ことへの転移を語ったのはたとえばミニマル・アートや環境芸術的動向をめぐって論じたなかにおいてだったが、しかしよくかんがえてみると、どちらも真の意味では日本には根付きえず、じつはほとんど存在さえしなかったとすらいえる動向である。宮川は近代と現代のはざまという歴史的規定性のほうにはきわめて自覚的だったが、歴史的規定性に先行する（あえてふたつを分けていえばだ）地域的規定性（文脈の固有性）にはほぼ完全に盲目だった。だからこそこの後者の視点を導入するとき、というよりふたつの視点を同時にふまえるとき、宮川の六〇年代後半の批評が大きくいろあせてみえてくるのをどうすることもできない。「つくる（描く）」ということの意味の変質も、日本の美術の固有の文脈のなかで事実は事実としてふまえるところから考察されなければならなかった。

この視点からとらえかえすなら、六〇年代後半の日本の美術のなかで注目されるべきはミニマル・アート的傾向でも環境芸術的動向でもなく、観念芸術的動向（コンセプチュアル・アートではない）やグループ「位」などの活動や「反芸術」の展開過程としての動向（そして「もの派」）であり、そして、そうだとすれば、「つくる」ことをめぐって宮川とはむしろ逆に、あるいはちがう方向にかんがえてみることができる。宮川は「反芸術が伴ったあのクレージーなムードには、芸術が、あるいは芸術家の行為が、たとえ無償の行為としてであれ、なんらかのプラクシスたりうるという心情が託されてい」たが「しかし、もはや芸術ないし芸術家の行為はいかなる意味でもプラクシスたりえない」（「影の侵入」、『美術手帖年鑑一九六六』一九六五年十二月、傍点引用者）とかんがえた。プラクシスとはこのばあい「行為的実践」というほどの意味だろうが、そうであるとして、しかし六〇年代後半の美術のなかで問われていたのは「芸術→プラクシス」という発想そのもの、方向性そのものだった。すでに芸術はいかなる意味でもプラクシスたりえないとしても、あるいはむしろそれだからこそ逆に、芸術以後の文脈でプラクシスをとらえなおし、プラクシスのほうから芸術を志向することができないだろうか。プラクシスが芸術たりうるという逆転が可能となるのではないか。彦坂尚嘉ふうにいえば、美術家が美術の位相からのプラクシスとして行為をする（つくる、描く）ことがありうるのであり、そしてじじつ「具体」において垣間見られ、グループ「位」において展開のとばぐちをみせたのは、そのような可能性だった。いうまでもなくこれはすでに心情の問題ではなく、端的に持続の問題なのだ。しかもさらに、このような見方からすれば、宮川がつくることの崩壊とかんがえたことは、まったく逆にはじまりとかんがえることができる。つまり日本の美術においては西欧時間でいう近代と現代のはざまの時期になってはじめて、固有の意味でのつくる（描く）ことが緒につきはじめたのである。

おそらく、宮川はすべてを「見る」ことの地平にもっていきたかったのだ。それは、ひとつにはたぶん彼の気質に由来するだろう。なお必然であるほかはない作家の行為を終局的には余剰なものだと断定するあたりに典型的にあらわれている、いわば余剰をきらう気質がそれである。誰だって余剰はきらいだなどと半畳をいれるつもりはないが、これが気質の問題といってすませられないのは、宮川の「見る」ことは終局的には批評の地平としてかんがえられているが、しかし画家もまた見る者であり、そして画家における「見る」ことはいわば余剰以外のなにものでもないからだ。画家はいったい何を見ているのか、どこを見ているのかについてはここでは立入らないが、画家が描いているときの「見る」ことは余剰を本質としているのではないか。描くことがではなく見ることが、である。描くことにとって見ることは不可欠の前提かもしれないが、見るということはそれだけでは知覚と意識のことがらであるにすぎず、もちろん描く行為とも作品とも無関係だが、画家が描いて画布上に作品化してゆくとき「見る」ことは、画家の描く行為との相関関係のなかにおかれて意味と方向性を帯びてくる。それを余剰とよぶのは、もちろん批評としての見ることとの対比においてである。「見ることの厚み」ということばをつかえば、描くことにおける見ることにも「見ることの厚み」は存在しているが、内実がまったく異っている。宮川のいう見ることの厚みとは、要するに引用が無限に堆積されていくという意味での厚みであり、あえて譬喩的にいうと不在の画面と並行に横軸に展開する厚みであるとすれば、ここでは、最後は一点の実在の画面に収斂させなければならない、画面にむかう縦軸に展開される厚みなのだ。このとき、余剰なのは作品ではなく、画家から画布までの心的な距離のなかにつくりあげられる見ることの厚みのほうなのである。画家におけることの「見る」ことの余剰性をぬきにして、すべてを「見る」ことの地平へ拉致して語ることはできないだろう。

気質ということをべつにしていえば、すべてを見ることに一元化しようとしたのは、文化総体のレヴェルで「意味作用」が問題になっていると宮川がかんがえたところにその動機があった。「意味作用、いいかえれば意味のたえざる生産と消費が人間の他の文化行為、なによりもつくるというそれに対して問題になっているのだ。（中略）それは文化がその中で定義されてきた文脈（価値概念）そのものが問い直されていることではないだろうか。これまで文化は人間のものを創り出す力として、つまり創造という文脈において語られてきたとすれば（homo faber）、記号学的アプローチは文化を人間によるたえざる意味の分泌として、いいかえれば人間をhomo significansとして捉える」（「引用について」、『現代の美術』別巻『現代美術の思想』講談社、一九七二年、傍点宮川）。そしてこれを美術にも援用して、「創造、つくること、作品」から「見ること、読むこと、引用」（鑑賞、享受という意味ではもちろんない）への移行を語るのだが、この援用に無理があった。なぜなら、意味作用そのものの顕前といっても国と時代によってちがうだろうということはこのさいさておくとして、また文化一般のレヴェルとある国のある時代における美術という特定のレヴェルの差異を無視してものはかんがえられないということもいわないとして、宮川の論理に即してかんがえてみても、「見ること」や「引用」は、あいかわらず必然であるほかはない作家の「行為」を意味づけきれないように思うからだ。片方でつくることを必然としておいて他方で否定するのは矛盾だといった通俗的な批判をわたしはするつもりはないが、ここに宮川の論理のひとつの難点があったこともたしかだろう。つくること（制作）の崩壊を文化総体のレヴェルでの意味作用の問題に一般化する以前に、崩壊の実相なり、崩壊してもなお美術はつくることであり（ことでしかなく）、あるいはつくることがとにかく美術をめぐって展開されるということそのことじたいに、つまずいてみるべきだった。そうすれば、つくることの変質の姿がまったくちがうようにみえたかもしれなかった。

たとえば「美術」ということばと「芸術」ということばの区別という問題についても、それをはじめて指摘したのは宮川なのだが、しかし宮川は前者を制度のレヴェル、後者を価値のレヴェルとし、美術とは芸術の影であるというようにとらえたにとどまった。けれども、文化総体ないし思想総体のレヴェルを重要視するがゆえにこそ美術という特定のレヴェルにあくまでもこだわらなければならないとかんがえるわたしは、ここでも日本の美術の固有の文脈の視点の導入が不可欠だとおもう。くわしくは本文中でのべているが、「美術」と「芸術」の区別以前にまずあきらかにされなければならないのは欧米の文脈における「美術（芸術）」と日本の文脈におけるそれとのあいだの差異にほかならない。そうでないと、「美術」と「芸術」を区別することが弁別ではなく混乱をしかもたらさないからである。

批評じたいについていえば、面白いことに、宮川にとってはアイロニカルだったが、宮川のいわば垂直的な論理性はシニフィアンのたわむれとはあいいれないものだったのではあるまいか。余剰をきらう極北の論理は余剰にあそぶ批評には向いていない。いうまでもないが、意味作用やシニフィアンのたわむれということを論理的に意味づけることと、シニフィアンのたわむれそのものとしての批評を展開することとは、かならずしもおなじことではない。そして後者はわが国ではある意味で一九七〇年代後半以降の蓮實重彥をまたなければならなかったのであり、宮川の批評はあくまでも前者のそれであった。七〇年代に入ってからの宮川が美術をめぐってに限らずしだいに沈黙にむかっていったとするなら、それはひとつには彼の批評がほんらいシニフィアンのたわむれとしてのそれではありえないにもかかわらず、シニフィアンのたわむれをみちびきだしたところにもとめられるのではないだろうか。しかしこれはかならずしも否定的な意味あいでばかりいっているのではないのだ。

美術批評にかんしていえば、六〇年代後半までの宮川の批評の達成は何度でもくりかえして評価されてしかるべきである。たとえば彦坂は、宮川の「表現行為の自己目的化」をふまえ、しかしプラークシスの変質の意味を逆転させることでプラークシスとしての美術の概念をみちびきだしたのだし、また、いまわたしは日本の美術の固有の文脈の視点を導入することで宮川の批評をある意味でいまいちど賦活させようとしているのかもしれないのである。

(13) 松澤は一九五二年から読売アンデパンダン展などを中心に発表をつづけてきた。主として絵画作品だったが、一九六一年三月の第十三回読売アンデパンダン展と同四月の国立近代美術館における「現代美術の実験」展からオブジェやチラシの作品を発表しはじめる。そしてそれが一九六四年前半までつづく。しかしオブジェとともにチラシ(血裸紙)が出てきていることに象徴されているように、このときほとんど同時に「ことば」も出てきていた。ちなみにわたしの手元には松澤自筆の作品年表があるが、「美術作品年表　一九五二―一九六三」と「言語による美術作品年表　一九六一―(一九八二)」の二種類ある(もう一種、「言語による詩作品年表一九四一―一九六一」というのもある)。前者は「『プサイの意味』」、後者は「『カタストロフィ・アートさえも』さえも」と副題されている。多少かさなってはいるが、一九六四年がさかいめになっていることはあきらかである。

(14) 「作家のコンセプトを探る」、インタヴュアー/構成=寺山修司、『芸術倶楽部』第八号、「概念芸術」特集号、一九七四年四月。

(15) 「僕の出品物は〈反文明〉展という展覧会そのものだ。この一文は僕の出品物〈反文明〉展のネガだ。このネガを便りに諸君は諸君の意識の中に〈反文明〉展を焼付けていただきたい。それから今諸君の眼前に展開している全日本アンデパンダン展全体を、眼を閉じてまたは眼を開いて全く抹殺して、そこに! 僕のいや諸君の〈反文明〉展をそっくり置き換えていただきたい。それだけの手だてによって〈反文明〉展は諸君のものとなる。いやまだある。諸君は僕や彼になっていただきたい。そしてまた現在や過去や未来を自由に置き換えていただきたい。それらは美術史上最大のデペイズマン(配置転換)である」(松澤宥「物質消滅――〈反文明〉展を見て」、『現代美術』第六号、一九六五年六月)。

第三章

(1)「もの派」という語をこの動向、この美術思想をあらわすものとしてみとめることに異議をさしはさむ人もまだいるかもしれない。わたし自身、これまで何度か、これはとりあえず仮のものとして巷間流布されているままに用いるのだということを明記ないし留保しつつ、使ってきた。しかし、用語の適切さにいつまでも拘泥していてもはじまらない。「印象主義」「フォーヴ」「キュビスム」「表現主義」等、どれをとっても用語としてはどちらかといえば奇異で不適切なもののほうが多い。峯村敏明のことばをかりるなら「『もの派』なる呼称の起りは現時点ではまだはっきりしていない。しかし、呼称の由来が判然しないということは、それが広義に用いられるにしろ狭義に用いられるにしろ、七〇年前後に一つの共通の傾向があり、そのなかに自覚的な集団があったという事実を危くするものではない」(「〈もの派〉について」、『美術手帖』一九七八年七月号増刊)のだ。まったく、「もの派」とは「程度の低」い(同じ号の座談会「現代日本美術はどう動いたか」における東野芳明の発言)命名だが、程度が低いといえば「印象主義」でも日本の「反芸術」でも負けてはいない。それはともかく、喫緊の急務は呼称の起りをさぐることではなく、「もの派」の実体と実相をとらえ、位置づけ、意味づけることだろう。

（2）のちのものとして註（1）にあげた峯村敏明の小論があるが、それは「もの派」についてのひととおりの事象的な整理を試みたものという域を出てはおらず、六〇年代を主知主義と総括し、「もの派」の意味を「既知の芸術的媒体と形式の決定的な否定」、「媒体の歴史性そのものの喪失」とのべているにとどまる。これでは李禹煥の主張の真意も彦坂尚嘉の「もの派」批判もほとんどふまえられていないといわざるをえない。

なお、筆者自身に次のふたつの「もの派」論がある――

―"L'art du Mono-ha", dans *Artistes*, no. 16, été 1983, Paris.（これは「もの派」の小特集で、このほかに岡部あおみ訳によって李禹煥、菅木志雄の文章の抜萃、および多くの写真が図版として掲載されている。）

―「もの派論」、季刊雑誌『藝術評論』創刊号、一九八三年十一月刊。

（3）「李禹煥批判」、『デザイン批評』第十二号、一九七〇年十一月――『反覆――新興芸術の位相』（一九七四年一月、田畑書店）に再録。

（4）その当時こうした二極分解の動きを感じとっていた批評家の例として石子順造をあげることができる。石子はたとえば『美育文化』（一九六九年七月号）という雑誌に発表した「現代美術の底流」という文章のなかで、「美術における〈近代の超克〉を掲げ、もっぱら様式的に展開してきた〈美術の現代〉は、七〇年を目前にして、今日ようやく非物質化、観念化への志向と、先述したような事物化、知覚化という両極に分解しつつあると思える」と述べている――『表現における近代の呪縛』(一九七〇年十二月、川島書店)に再録。

ただ石子は、簡潔にして要をついた文章を書いた批評家だったが、死の訪れがすこし早すぎたこともあり、ついに全面展開ということをしきれなかった批評家で、ここでも残念ながらこれ以上の展開をしていない。

(5) それが李禹煥という在日韓国人によって口火を切られたことは興味ぶかい。これについては註(13)を参照。

(6) 峯村敏明は前出の「〈もの派〉について」のなかで、狭義のもの派と広義のもの派という用語をつかっているが、峯村のいう「狭義のもの派」はほぼわたしのいう「真正もの派」に対応している。また彼の「広義のもの派」は狭義のもの派以外のもの派を指している。つまり峯村の「広義のもの派」は狭義のもの派の対立項であって、「〈もの派〉について」でみるかぎり、広義が狭義を包摂しうる(そしてこのばあいにはある意味でその逆も真である)という視点はみられない。

(7) たとえば『美術手帖』一九六九年七月号におけるこの展覧会をめぐる座談会「《つくる》ということ《つくらない》ということ」も、そうした作品群の登場のひきおこした当惑がひとつのきっかけとなっていたとみられる(出席者—池田満寿夫、菅井汲、関根伸夫、堀内正和、東野芳明)。ちなみに関根はそこで、つくることを否定して「われわれにできうることは、ものの表面に付着するホコリをはらい除けて、それが含む世界をあらわにすることだけだと思うのです」(傍点原文)という発言をして、「もの派」の思想の一端を垣間見せている。

(8) 「事物から存在へ」、『美術手帖』第六回芸術評論コンクール応募作、佳作入選(一九六九年四月号に入選発表)、未発表

「世界と構造――対象の瓦解〈現代美術論考〉」、『デザイン批評』第九号、一九六九年六月
「存在と無を超えて――関根伸夫論」、『三彩』一九六九年八月号
「コンセプションと対象の隠蔽」、『SD』一九六九年八月号
「デカルトと西洋の宿命」、『SD』一九六九年九月号（＊）
「非対象世界への自覚」、『視る』（京都国立近代美術館ニュース）一九六九年九月号
「仕草の世界《現代美術の動向展》に参加して――京都国立近代美術館」、『SD』一九六九年十月号
「観念の芸術は可能か――オブジェ思想の正体とゆくえ」（マルセル・デュシャン特集）、『美術手帖』一九六九年十一月号（＊＊）
「明日をひらく芸術家・10　高松次郎――表象作業から出会いの世界へ」、『美術手帖』一九六九年十二月号（＊）
「人間の解体」、『SD』一九七〇年一月号
「出会いを求めて」（特集・発言する新人たち）、『美術手帖』一九七〇年二月号（＊）
「即の世界」、パンフレット『場　相　時』の序文、一九七〇年五月刊
なお（＊）印は単行本『出会いを求めて――現代美術の始源』二〇〇八年、美術出版社に再録されたもの、（＊＊）印は大幅に加筆訂正のうえ再録されたもの。

(9) このパンフレットには刊行年月日が記されておらず、一九七〇年二月以降、おそらく六月以前であることは、内容からあきらかだが、実際に編集にたずさわった李禹煥と吉田克朗に問合せた（一九八二年十月）結果、一九七〇年五月（頃）という証言をえた。

(10) 前項「もの派の成立」で事象を列挙したなかにいくつかあげたように、一九六九年五月あたり

のものが最も早い例であろう。ただし、コンクールに応募したものの入選しなかったことによって事実上発表できなかったものを取上げることには若干のためらいなしとしない。ここでは応募と落選という事実（したがってその作品の存在）を確認しえた例にとどめている。

（11）李禹煥の批評の形成、というか批評発表活動の展開にあたって石子順造の果した役割が大きかったことは留意されておくべきだろう。李は石子から多くのことを学びとったようである。石子の『表現における近代の呪縛』の第Ⅳ章に収められている諸論文を読めばそれがわかる。たとえば李が「出会いを求めて」（一九七〇年二月）のなかで「出会い」の象徴的な例としてあげている、川端康成がハワイでガラスのコップの美しさに出会ったエピソードは、石子が『芸術生活』の一九六九年七月号に発表した「美・世界・発見」という文章の冒頭で取上げていたものである。ただ、それは李が石子の思想を真似たというのではない。石子のほうも、一九六八年から六九年にかけて「本当に話しあうことのできる何人かの友人たちと研究会を持ち……」と語る一人として李禹煥の名をあげている。影響というなら、だから相互的なものだろう。

（12）李禹煥の西田理解は、なんといったらよいか、俗流解釈にちかいといった印象をあたえずにはいないものである。たとえば、西田哲学の肝心の「場所」論を李がちゃんと理解しているとはおもえない。李自身、「ここで付言しておかねばならないのは、すでに気づくことであろうが、西田の場所論とわたしのそれとの違いである。わたしは、場所論の多くを西田から学んだが（語法はほとんどそのまま西田のそれに従った）、しかし場所を純粋な意識の産物のようにみる立場にはついていけなかった。西田は場所を『意識の野』と呼ぶのに対し、わたしはそれを『構造の現実』と解した。そして、彼の自覚論が、構造をもよおすことなく、意識の純なる意識作用としての悟りであるべきことを強調するのに対し、わたしは、それにおいて観ることのできるいわば『即』の構造現前作業において、対象性を無にする身体の行為的直観的な出会いとして解明しようとしてみたのである。とはいえ依然わたしの場所論が、西田のそれの範疇を越えるものでないことを認めざるを得ない」といっている（『出会いを求めて』、傍点原文）。「ついていけなかった」かどうかはともかく、しかしこの西田理解ではなんとも不十分だろう。

わたしは西田哲学を解説できるような柄ではないが、西田幾太郎は『働くものから見るものへ』の後半部分で「自覚」から「場所」の立場、つまり述語的論理主義の立場に移行するという決定的な転回を果しはじめるのだが、それにあたってはフッサールの現象学がきっかけになっていた。すなわちフッサールのいう「意識の野」を西田は「場所」ととらえかえし、意識の「志向性」を「自己において自己を映す」場所の作用ととらえることを手がかりにして、それ以降、『哲学の根本問題 続編』中の「弁証法的一般者としての世界」から『哲学論文集 第三』中の「絶対矛盾的自己同一」にいたるまで、「場所」論を深化させていった。西田は「場所」の概念によって主語的論理主義から述語的論理主義へと、かつて三木清がいったように哲学史上ほとんど非ユークリッド的転回にも比すべき移行を実現したのだが、それはすなわち「意識された意識」というフッサール的現象学の地平をものりこえたことを意味しており、相対的無の場所が絶対無の場所の自己限定としてとらえられるということ、そしてその絶対無の自覚、その抽象的ノエマ的限定面が表現的個物の世界であること、を考察することで、あくまでも抽象的なものから具体的なものに肉迫しようとしたのである。「場所」の概念はしたがって、竹内良知のことばを借りていえば、「厳密な哲学的分析によって到達される哲学的概念なのである。場所の哲学は具体的実在の現象学にほかならない。西田は無の場所の概念によって、意識された意識ではなく、身体をもち意識する生きた具体的自己とその世界をとらえようとするのである」（筑摩書房版『現代日本思想大系』第十一巻『西田幾太郎』の解説、一九七四年、傍点原文）。

だから、西田が「場所を純粋な意識の産物のようにみる」というのは誤解であり、「彼の自覚論が（中略）意識の純なる意識作用としての悟りであるべきことを強調する」というのも正しくはなく、西田の「絶対無の場所」を彼の禅体験にむすびつけて神秘的なものと解するこれまでくりかえされてきている誤解を踏襲しているにすぎないだろう。

(13) 註（5）で触れたようにこれが日本人ではなく在日韓国人の李禹煥によって口火を切られたことは興味ぶかいというか、アイロニカルなことだ。李の「創造の否定→あるがままの世界の肯定（→そして「もの派」のあと彼は絵を描いていく）」というすじみちを可能にしたのは、結局のところは韓国の論理であり、韓国の美術の文脈の事柄かもしれないし、そうだとすれば東アジア全体の視点を導入してみることが必要になってくるかもしれない。たとえば竹内好が主として中国の視点を軸にしてナショナリズムの問題を東アジア全体の問題に拡大してかんがえたようにである。

(14) そのあと李禹煥は、一九七三年一月の東京画廊における個展には「もの派」を通過した平面作品といってもよい《刻みより》とともに、古い絵の作品も同時に出品し、これ以降は基本的には平面の作家、画家となる。同時に立体作品もつづけはするのだが、彼が大成するのは画家としてであり、つまり《点より》《線より》の画家としてなのである。そして、その本領たる画家としての作品は、こういいかたが許されるなら「文人画」をおもわせる。また、彼の立体作品も、たとえばそれから十年もたった一九八二年十一月のかねこ・あーとギャラリーにおける個展の立体作品がまるで「もの派」当時の作品そのままといってよい事態に象徴されているように、時間の経過を内包していない、時間を含みえない作品、ある種の非歴史主義的な作品ではないだろうか。

(15) 西欧の二十世紀の美術においては、日常世界に埋没しているもの（オブジェ）を作品として（あるいは作品のなかに）聖別することから、最低限の物質・ただのなんでもない事物・特定の事物を提示することにいたるまで、ものがものにとどまらずに世界全体をはらんでいるという認識には欠けていたといってよい。むろん前者はキュビスムのコラージュにはじまるオブジェの伝統を指し、後者はミニマル・アートにいたる流れを指しているわけだが、前者が聖別し、後者が最低限のところ（基底的なところ）で揚言し、いわば俗別するというちがいはあっても、ものを世界からきりはなしてとらえるという点では基本的にはかわりがなかった。そしてそれはおそらく、ものであれば世界ではありえず世界であればものではありえないといった西欧的な思考によるといってよいだろう。

(16) 「世界とのかかわりとしての美術」というばあいその「かかわり」の行為の側面はどうなのかという質問が出るかもしれない。だがわたしは「世界とかかわるという行為が美術である」と言っているのではない。それでは、またもや表現行為を自己目的化してしまうだけになる。「具体」や「反芸術」における表現行為をその行為の側面においてではなく世界とのかかわりの視点からとらえなおすことはできるが、「もの派」における表現行為にはもはや自己目的化という要素をみとめることはできない。というより、「もの派」にあっては表現行為から結果たる作品まではいわば一体化しているのだ。つまり、ポイエーシスの崩壊による「思考―制作―作品」過程の解体のあと、たとえば日本概念派は「思考」だけを独立させたが、菅木志雄に典型をもとめられる「もの派」になると(「作品」としてのものだけを独立させたのではけっしてなく)この三者をひとつに含んだところで美術の成立をかんがえるようになってきたといってよい。ポイエーシスとはちがうところで、いうならばこの三者がひとつのものとして身体化される地平にまで出てきたとかんがえられるのである。

(17) ここで「絵画・彫刻」の側というとき、それはいわゆる「現代美術」の絵画・彫刻のみを指すわけではなく、美術の本質の部分からいうとたしかにマージナルないしはあちら側の世界とでもいうほかはないいわゆる「画壇」のほうで生産される絵画・彫刻をも含めてかんがえている。数のうえでいえば、大衆文学と純文学の関係に似て、「画壇」が多数派であり「現代美術」が少数派である。しかし美術の本質は、そういう数とはほんらい無関係であり、したがって少数派だからそのほうに本質があるとも限らない。もはやそういう幻想にはとらわれずにものごとをかんがえるべきだろう。ただ、日本の多数派たる「画壇」、つまりあちら側で生産されている「作品」は、いまでは九〇パーセント以上、いやほとんど九九パーセントは「作品」ではなく、良くて「工芸」にすぎないことは厳然たる事実である。しかし、わたしたちは可能なかぎりトータルであることを心がけるべきで、あちら側をあちら側だからとか工芸にすぎないからというだけで排除することはしない。

第四章

(1) ここでは美共闘の軌跡を詳細にあとづけていくことはできないが、まずふたつの文章を引用する。

「……芝居をうち、映画をつくり、そして低俗映画研究会等々いくつかのアドバルーンをあげ、シンポジウムを開いていった。しかしそれはブルジョワ秩序に囲い込まれた〈表現〉の中で、表現を模索していることでしかなく、自意識過剰の〈私〉の中であげる苦渋の叫びであった。

僕は、今、僕達の運動が闘争へと至る過程をとり出してみなければならない。僕個人の中では、閉じられた闇の世界から、昼と夜の世界の接点の軌道をさぐる行為として、最も速く目覚めた部分である肉体が動いていた。

演劇運動——肉体のアクチュアリティと言語のラディカリズムの非連続的な連続の中で、僕達がそれを内発的な〝表現〟としてのみとらえる時、僕達は断続的な垂直運動として、或る励起した一瞬の空間の所有者ではありうる。僕（達）はしかし、アクチュアリティの本来的に孕む時間——水平運動と時空としてのヴェクトルを示し得ない事に、いらだたしさを覚えていた。僕達がヴェクトルを示し得ない時、僕達の表現は文字通り反映論として苦渋の中に充足していくであろう。こうして僕達が、裏返しになった目で見つめる行為を、或る極点へと移行させていった時、否応なしに皮膜一枚へだてた嵐を、肌身に感じる地点へ達していた。

——それが一九六八年一二月、存在論、表現論を中心に行なわれた「思想集団・存在」であった。一日、五〜六時間、六日間の討論によって今までの活動の限界が明かにされ、一九六九年の激動へと踏み切るための態勢がととのえられた。——存在、アウトサイダー、迷宮、オブジェ化、垂直運動と水平運動、表現、オナニズム、革命、キリストと大審問官、等が話された。

（中略）

僕らが全国学園闘争をまさに自らが担っていることを認識した時、僕達にとって闘争へと踏み出すバネは、学生という特権的に許された時間の中でのみ自由にはばたくという構造と世代の輪切りによる闘争という構造を否定はしないまでも世代を突き抜ける僕達の価値観をはっきりと提起する闘いへ、そしてそれ故に持続する闘いへと、僕達自身の若い震える魂と、感性とエネルギー自体を組織化することであった。それはしかし、僕達が普遍的価値としての或る綱領の基に闘うというだけの、無媒介的な言語で語ることによっては可能とはならないだろう。僕達のリアルな日常を見すえた時、普遍的価値としての綱領はあまりにもバラ色の未来図としてしか在りえないことを知るだろう。もし、そのバラ色が、決してバラ色ではありえない現実そのものを絶望的に見つめつつ、エネルギーの抽出装置として設定されたバラ色であるならば、僕達はなおさらに現在的に闘争を組織しなければならないと思う。

僕達が、どこへヴェクトルを向けようとどう全否定しようと、現実には体制内における或る媒介物を負わされている。僕達が持続する（組織的にではなく、エネルギーの原理的部分として）闘いを組もうとする時、僕達は、この媒介物——現実には体制内的でしかありえない〝名称〟——を、否定すべきものとして、確実に引き受けなければならないだろう。そこに全共闘運動の提起した原理としての自己否定があったのだと思う。僕達は、学園闘争を、この持続する闘争の拠点として闘わなければならないだろう。僕達の選んだ場としての、否定的媒介としての造型作家。僕達は、造型作家同盟を結成した」（堀浩哉「多摩美闘争——そして僕達の共有する問題点」、機関誌『渦状星雲HOME』第二号、一九六九年十一月二十七日発行——彦坂尚嘉『反覆』所収）

「美共闘、大美闘、美共闘学生戦線、桑沢全闘委を中心に思想集団SEX、多摩美ゼミ戦線を加えて四〇名を割る結集しか得られない状態の中で、僕たちは、いかなる地点から、いかなる位相から一〇・二一国際反戦デーの十二時間闘争を闘い抜いたのであろうか。それはもじどおりの十二時間闘争であった。一〇月二一日正午から桑沢デザインスクール前での集会、国鉄原宿駅までの単独デモ。浜松町から芝公園までの単独デモ。芝公園での集会。芝公園から日比谷公園までの統一デモ。日比谷公園での集会と全国全共闘統一集会への参加。日比谷公園から明治公園までの統一デモ。解散は二二日〇時半であった。明治公園近くでの街頭闘争まで加えて、一〇・二一闘争を闘い抜いた僕たちは、いかなる地点を獲得しえたのだろうか。(中略)

僕たちには三つのものが残された。敗北の『くやしさ』によって強化された闘争意志を持った僕たちの主体性。武装を解除されることによって露わにされた僕たちの身体性。そしてもうひとつ、実践の記憶が歴史的に沈澱することによって形成されてきた〈メディア〉だ。しかし今、これら三つのものは、互いに互いへの関係を失い並列化してしまっている。言い換えれば僕たちの〈主体〉と〈身体〉の相互媒介的関係構造としての〈メディア〉が、〈メディア〉本来の意味と機能と関係を失い、物化され石ころのようにただあるのだ。

この一〇・二一闘争は、スケジュール闘争がスケジュール闘争として物化され、情況内での相対的意味性を極度に稀薄化されて、有るものが有るとしてしかなかったゆえに、一〇・二一に出てゆこうとした時に僕たちはどうしようもない白々しさを感ぜざるを得なかった。メディアと自らの主体性と身体性が相互媒介性を失い並列化されている以上、白々しいのはあたりまえだ。今、僕たちがやらねばならないことは、僕たちの〈主体〉と〈身体〉の相互媒介的関係構造としてのメディア(媒介)を再び生み出すことだ。ここで僕たちが忘れてはならないことは、〈メディア〉とは実践の記憶として歴史的に生成されたものであるということだ。歴史的沈澱物であるゆえに、実践の記憶=メディアは、僕たちの〈主体〉と〈身体〉とを相互媒介させるという本来の機能を失っても制度として、実践のパターンとして、在るものが在るようにありつづけられるのだ。この一〇・二一スケジュール闘争のように可視的制度としてありつづけられるという意味でのみ言っているのではない。僕たちの下意識の領域に、いや僕たちの身体それ自身のうちに不可視的にありつづけられるのだ。だからこそ〈メディア〉とは実践の記憶なのだ。

僕たちがある実践を再び反覆するとき、僕たちの身体の内に沈んでいた実践の記憶は、再び実践それ自身の内に生き生きと可視的なものとして再び浮び上がってくる。〈メディア〉とは実践の類的歴史的反覆によって形成することができるものであり、実践の反覆の中でのみ変革しつづけてゆくことができるものなのだ」(彦坂尚嘉「階級形成」、BLF発行、一九七〇年十一月七日)

要するに、「美術家共闘会議」にはふたつの面がある。ひとつは、事実として、闘争運動体である側面であり、もうひとつは表現のための運動体だったという側面である。そして厳密にいえば「美共闘」じたいは闘争組織であって、それは一九六九年いっぱいでなくなる。そのあとは、したがって「美共闘」の流れをくむ人々の集団的また個的活動、表現への活動が展開されてゆくのである。

前者の側面の展開は——

全国の学園闘争の拡大という背景

一九六九年一月　多摩美大全学封鎖

一九六九年四月　造型作家同盟結成

一九六九年七月　美術家共闘会議結成
　　闘争の展開・拡大
一九七〇年十月　10・21闘争、ＢＬＦ結成
一九七一年二月　ＢＬＦ崩壊
というように動いた。これにたいして後者の側面の展開は、一九七一年から一九七四年にわたる「総括の組織化と表現の組織化」の動きであった。
一九七〇年秋　美共闘第一次 REVOLUTION 委員会結成（田島廉仁、刀根康尚、彦坂尚嘉、堀浩哉、山中信夫ら）
『美術史評』四冊刊行（一九七一年二月〜一九七二年三月）
一九七一年　「五人組写真集 REVOLUTION 委員会」結成
一九七三年八月　京都ビエンナーレにおける「五人組＋5」による写真集制作
一九七三年　第二次 REVOLUTION 委員会結成（池田昇一、鈴木完侍、彦坂尚嘉、堀浩哉、矢野直一、山中信夫ら）
一九七四年　一年間の制作中止
そこで、ここでわたしが「美共闘」というとき、それは闘争運動体としての現実の美共闘というよりは、美術表現の総体的な問いなおしの動きのほうを指しているといってよい。現実の美共闘や当時の状況とはなんのかかわりもない七〇年代作家すら含めてかんがえたいのもそのあらわれである。なお、一九七一年以降の問題、そしてとくにプラークシスの問題については、後の「プラークシスへ」を参照のこと。
（2）　たとえば「美術大学の造反《断末魔の近代》」（『美術手帖』一九六九年八月号）や、「バリケ

ードのなかの芸術《断末魔の近代》」(『美術手帖』一九六九年九月号)。

(3) 概念芸術のなかでいわば最も正統的でラディカルなかんがえかたを示した、ジョゼフ・コススに代表されるものを指す。

(4) Joseph Kosuth, "Art After Philosophy", in *Studio International*, October 1969(この部分の元は、"Four Interviews", by Arthur R. Rose, in *Arts Magazine*, February 1969) ——Reprinted in *Conceptual Art*, edited by Ursula Meyer, A Dutton Paperback, E. P. Dutton Publ, New York, 1972, p. 161.

(5) *Conceptual Art*., p. 170.

(6) かつて一九六五年に宮川淳はある短文のなかで、はじめて「絵画」と「芸術」との区別を示唆したことがあるが、彼は「絵画をInstitution」に属する事柄、「芸術」を価値の次元に属する事柄とし、「芸術は絵画の影である」と語った(「絵画とその影」、おぎくぼ画廊発行『眼』第六号、一九六五年十一月——『宮川淳著作集』第Ⅱ巻に再録、美術出版社、一九八〇年十月)。そしてわたしは、その宮川の問題意識を念頭において、「コンセプチュアル・アートから」という拙文においてこの両者の区別の問題を提起したのだった(『美術手帖』一九七六年八月号)。

(7) 土方定一『日本の近代美術』一九六六年、岩波書店(岩波新書)。
　ところで、このあたりのことに関する土方の把握にはあいまいなところがある。土方は「大正期の前半に支配的であった印象派、後期印象派の運動は、後半に入ると、ことに関東大震災(大正十二年)の前後になると、一方では、一九三〇年協会(大正十五年)、つづいて独立美術協会(昭和五年)として結実するフォーヴィスムの造形思考によって、他方では、未来派美術協会(大正九年)からプロレタリア美術協会(昭和四年)にいたる未来派、キュービスム、ドイツ表現派、ダダイスム、構成派、また社会主義レアリスムの移植によって、造形思考のうえで、また思想的、社会思想的に否定され、交替されることになっている。その背後に、大正期の思想的、政治的性格が興味深く反映しているのを容易に想像していただけるにちがいない」といい、さらに「わが国の未来派運動は神原泰、渋谷修など、未来派風の作品を描いているが、造形的に定着することなく、まして、文化、思想運動となることはなかった。このことは未来派の移植に対してばかりでなく、この時期のダダイスム、キュービスム、ドイツ表現派、構成派、超現実主義の運動について一般的にいえることである。だが、関東大震災後、時代の若いジェネレーションの精神をとらえたダダ的＝アナーキズム的な精神状況のなかで、雑多な造形思想がその表現の手段として次々と共感をもって採用されたことは時代思潮のうえで忘れ難い」といっている（いずれも『日本の近代美術』）。つまり、印象派および後期印象派の導入以降の主流はフォーヴの導入へとうけつがれたのであり、他方、前衛的諸動向は時代を反映している点で関心をひくにすぎないものだった、というのである。こういう見方を指してわたしは通念にとらわれた理解というのだ。むろんこれもひとつの見解にはちがいなく、それはそれとして尊重するにやぶさかではないが、しかしすくなくとも、第一にフォーヴの導入が独立美術協会結成というかたちで結実するよりもずっと早く十年以上もまえから未来派やキュビスムの同時代的移入がはじまっていた点、第二に一九一六年にはじまる日本の「新興美術」はひとまとめにいっしょくたにしてしまえるほど簡単なものではなかったということ、したがって第三にそれは時代思潮の反映にすぎないものとして片付けてしまうだけではなんとしても済まないということ、以上の三点については土方の理解は基本的に誤っていたことだけは指摘されなければならない。

（8）たとえば瀧口修造はかつて次のように書いた――「日本の近代美術発達史を見ようとする場合、『二科』と『独立』という二つの展覧会史の消長で抽象されると考えられるかも知れない。事実、二十四年も継続した二科は、周囲のあらゆる変化と激動にもかかわらず生き残ったという印象を与えている。／だがこのことは、二科成立の当初と現在とを比較して、作家も、またその質も大半転換していることを考えただけで、かなり根拠の薄いものであることがわかるのである。また二科は日本のほとんどあらゆる前衛運動に接触しつつ生きて来たともいえる。二科の特長は実にこの感受性と時代を象徴する自由主義とにあった。それがこの会の生き残り得た自在弁でもあったのであるが、同時に時代の鋭鋒を巧みに回避してきたとも言える。もちろん、二科はこうした社会の必然性に巧みに適応してきたのであり、その限りでは、多くの作家を生産して来た。しかし以上のような近代主義の思想は、はたして完全に吸収され発展せしめられたであろうか。これは残念ながら二科の職能ではなかった。／最近の二科展の印象にしても、既成作家の作品は、（極めて概念的に言って）すでに印象主義の完成と経営とに終始している。いわば芸術的な主張はもはや飽和するか、退化するか、中和するかしている。したがって二科本来の芸術的職能はその点にあったというべきであり、一部の作家の今後の動きを別にすればその点において停止しているというべきである」（「或る年表への註釈」、『美術文化』第二号、一九三九年十二月――『シュルレアリスムのために』に再録、せりか書房、一九六八年）。

（9）「大正期前衛美術」のメルクマールをいくつか列記する――

一九一六年九月　第三回二科展（東郷青児《パラソルさせる女》）

一九一七年九月　第四回二科展（未来派的、立体派的作品増える）

一九二〇年九月　普門暁を中心に未来派美術協会創立、第一回展開催

ロシア未来派のダヴィッド・ブルリュークらが来日
一九二〇年十月　ブルリューク、パリモフらによるロシア未来派展開催
一九二〇年十一月　黒耀会展（橋浦泰雄らによる最初のプロレタリア美術運動）
一九二一年十月　第二回未来派美術協会展
一九二二年十月　神原泰初個展
一九二二年十月　木下秀一郎を中心に三科インディペンデント展（第三回未来派美術協会展に当る）
一九二二年十一月　二科会の若手によって「アクション」創立（矢部友衛、神原泰、古賀春江、浅野孟府ら十三名）
一九二三年一月　村山知義ドイツより帰国
一九二三年四月　アクション第一回展
一九二三年五月　村山知義展（「意識的構成主義」を宣言）
一九二三年六月　「マヴォ」結成、第一回展（村山知義、柳瀬正夢、尾形亀之助、住谷磐根、ブブノワら）
一九二四年三月　意識的構成主義展（村山知義、高見沢路直、イワノフ・スミヤヴィッチ＝住谷磐根）
一九二四年四月　アクション第二回展
一九二四年七月　『マヴォ』創刊
一九二四年十月　アクション、未来派、マヴォ、ＤＳＤ（第一作家同盟）などが合同して「三科造形美術協会」結成

一九二五年五月　三科第一回展
一九二五年五月　築地小劇場で「劇場の三科」公演
一九二五年九月　三科第二回展（会期中、内紛により三科解散）

(10)

「昭和期前衛美術」のメルクマールをいくつか列記する——
一九三四年三月　日本プロレタリア美術家同盟解散声明
一九三四年五月　「新時代洋画展」第一回展（長谷川三郎、津田正周、村井正誠、山口薫ら）
一九三四年九月　「飾画」第一回展（糸園和三郎、斎藤長三ら）
一九三四年十二月　「ＪＡＮ」第一回展（帝国美術学校生十二名による）
一九三五年三月　「黒色洋画展」第一回展（清野恒、小野里利信ら）
一九三五年四月　「アニマ」第一回展（矢崎博信、小山田二郎ら）
一九三五年九月　「新日本洋画協会」第一回展（北脇昇ら）
一九三六年一月　「フォルム」第一回展（難波田龍起ら）
一九三六年一月　「表現」第一回展
一九三六年四月　アヴァンギャルド芸術家クラブ結成（瀧口修造ら）
一九三六年九月　「動向」第一回展（浅原清隆、矢崎博信ら）
一九三七年一月　「エコオル・ド・東京」第一回展（寺田政明、麻生三郎ら）
一九三七年二月　「自由美術家協会」結成
一九三七年六月　海外超現実主義作品展
一九三八年五月　「絶対象派」第一回展（斎藤義重、山本敬輔、高橋迪章ら）
一九三八年七月　「創紀美術協会」京都前哨展（糸園和三郎、土屋幸夫、古澤岩美、寺田政明、

小牧源太郎、阿部芳文、北脇昇ら）

一九三八年九月　「九室会」結成

一九三九年五月　「美術文化協会」結成

一九三九年七月　第一回聖戦美術展

一九四〇年四月　美術文化協会第一回展

一九四〇年十月　紀元二千六百年奉祝展

一九四一年三月　瀧口修造と福澤一郎、シュルレアリストとして検挙される（三カ月間拘留）

(11) たとえばアンドレ・ブルトンの『超現実主義と絵画』が瀧口修造によって訳出されたのは昭和五年（一九三〇）と早かった。

(12) たとえば「黒色美術展」（一九三五年〜）、「新時代洋画展」（一九三四年〜）などは抽象画の傾向が主であり、「新造型美術協会」（一九三四年〜）、「飾画」（一九三四年〜）などは超現実主義傾向が主であった。

(13) いわゆる「日本画」はどうなるのかと問う人もいるだろう。しかしわたしは明治以降の日本画、とくに戦後の日本画は「洋画」に準じてとらえてよいとおもう。日本画というのは、伝統的な様式・技法・画材を墨守しているにすぎないのであり、その意味では外来の様式・技法・画材を用いる洋画と好一対である。ただ、洋画にはまだ柔軟性があるのにくらべて、日本画は、伝統的な様式・技法・画材だけに限定して制作するという必然性が明治以来今日まで次第に失われてきているにもかかわらず、なおそれに縛られている点でより悲惨であり、じじつ悲惨な作品しかもはや生みえなくなっている。いまだに限定された伝統的様式・技法・画材だけに制約されねばならない理由がはたしてあるのか。あるなら、それは何なのか。わたしたちは納得しうる説明を耳にしたためしがない。日本画を欧米語に訳すとJapanese traditional style painting とでもするしかなく、つまり日本を一歩はなれて客観的にみるとそれだけのものでしかない（つまり伝統的なスタイルだけ繰返す工芸的物品でしかない）ことがわかるのだ。限られた伝統的様式・技法・画材を墨守するだけでは、表面的には「日本的」なもののようにみえても、それは形骸だけになった日本的なものにすぎず、ピントの外れた奇体なナショナリズムしか生まないことは自明なのだ。

また、いまわたしたちが「日本画」といっているものは、本当は、明治以前の真の意考での伝統と直接つながっているわけではない、明治十年代の国粋主義運動から生れた、きわめて新しいものであることを忘れてはならない。

(14) メンバーは池田昇一、伊藤久、稲憲一郎、紫田雅子＋彦坂尚嘉、鈴木完侍、高見澤文雄、堀浩哉、矢田卓、矢野直一、渡辺哲也であった。

(15) 西武美術館発行の『アールヴィヴァン』の第六号（一九八二年八月）が最も早く特集を組んだのが例外だったといえばいえる。

増補

(1) 関根伸夫オーラル・ヒストリー、梅津元・加治屋健司・鏑木あづさによるインタヴュー、二〇一四年五月三日、日本美術オーラル・ヒストリー・アーカイヴ（URL: www.oralarthistory.org)。

(2) 関根伸夫「〈もの派〉誕生の頃ころ」、『もの派―再考展図録』（国立国際美術館、二〇〇〇年十月〜十二月）、七三〜七五頁。

(3) 同前。
(4) 註(1)に同じ。
(5) 小清水漸オーラル・ヒストリー、菊川亜騎・加治屋健司によるインタヴュー、二〇一六年十月二十四日、日本美術オーラル・ヒストリー・アーカイヴ(URL: www.oralarthistory.org)。
(6) 同前。
(7) 同前。
(8) 菅木志雄、二〇一六年の「創造の場所―もの派から現代へ(新・今日の作家展2016)」(横浜市民ギャラリー、九月~十月)のパンフレット中の「インタビュー」。
(9) 千葉成夫「菅木志雄―空間の奥へ」、『徘徊巷』第十六号、二〇一六年十一月。
(10) 吉本隆明「彫刻のわからなさ」、『吉本隆明全著作集』第八巻、一九七三年二月、勁草書房。
(11) 戸谷成雄「美術、私の場合―逆転する世界観を表現」、『戸谷成雄 彫刻と言葉 一九七四―二〇一三』(ヴァンジ彫刻庭園美術館、二〇一三年三月)、六六頁。
(12) 戸谷成雄「彫刻家として社会に問いかける『視線』。戸谷成雄インタビュー」、『ウェブ美術手帖』二〇一九年九月二十六日。
(13) 戸谷成雄、この個展を見てわたしが彼に送ったメールに対する、二〇一九年十月十日の彼からのメール。
(14) 遠藤利克「アートにおける物語性について」、『空洞説――現代彫刻という言葉』二〇一七年、五柳書院、一七五頁。
(15) 遠藤利克「遠藤利克展―聖性の考古学 スペシャル・トーク」二〇一七年七月二十三日、同展展示記録集、九頁。

(16) 遠藤利克、同前、一〇頁。
(17) 堀浩哉「ロングインタビュー 堀浩哉 今、自分を語る」(聞き手・畠中実、土屋誠一)、『起源展』(二〇一四年)図録所収。『徘徊巷』第十四号(二〇一三年九月)に再録。
(18) 堀浩哉「堀浩哉が語る」(聞き手・千葉成夫)、『堀浩哉展』図録所収、二〇一〇年三月、韓国・ソウル(スペース hongjee)と釜山(ギャラリー604)。
(19) 辰野登恵子「辰野登恵子 談」、安東孝一企画『インタビュー』二〇一九年二月、青幻舎。
(20) 川俣正「プロジェクト・コールマイン田川の出発と現在」、千葉大学での講義、一九九九年十二月、川俣正『川俣正デイリーニュース』所収(二〇〇一年十一月、INAX出版)。
(21) 川俣正『アートレス マイノリティとしての現代美術』二〇〇一年五月、フィルムアート社。
(22) 川俣正「ズレるイス」、冊子『スリップ・イン・所沢』所収、一九八四年、テトラハウス出版局。傍点原文。
(23) 中村一美「中村一美展図録」二〇〇二年、いわき市立美術館。
(24) 小林正人『この星の絵の具[上] 一橋大学の木の下で』(二〇一八年)、『この星の絵の具[中] ダーフハース通り52』(二〇二〇年)、いずれもアートダイバー刊。
(25) 小林正人、同前上巻、一〇二~一〇三頁。
(26) 小林正人「オープン・ディスカッション『小林正人の絵画』」、二〇〇〇年七月十五日、『小林正人展』(宮城県美術館、二〇〇〇年七月~十月)図録所収、五七頁。
(27) 小林正人、同前中巻、三四〇頁。
(28) 小林正人、同前上巻、四二~四三頁。
(29) 小林正人、同前・宮城県美術館「小林正人展 ギャラリー・ツアー」六四頁。

(30) 小林正人、同前上巻、四五〜四六頁。

(31) 福岡道雄オーラル・ヒストリー、江上ゆか・鈴木慈子によるインタヴュー、二〇一三年二月一日、日本美術オーラル・ヒストリー・アーカイヴ（URL: www.oralarthistory.org）。

(32) 同前。

あとがき

日本の現代にはいまだ「美術」が生れていないのではないか。あるいは、日本の現代の美術はふつう「美術」と言われているものとは、なにか違うものなのではないか――そういう問いが自分のなかにいすわってしまったのは、わたしがパリに留学していた時のことだった。わたしにとってその留学は、一九七二年の秋にはじめてオルリー空港に降りたち、バスで、遠くに見えるパリの街へと入って行った際、空気が、空が、光の具合が、日本とはまったく異質であることに衝撃をうけてはじまった。西欧の近代―現代美術史を専攻していたわたしは、留学のテーマに従って勉強を続けたが、美術史といっても、新しいところをやっていたので、美術館や画廊での現代美術の展覧会に接することも多かった。

そんな折、パリ市立近代美術館で開かれた「第四回パリ青年ビエンナーレ」展（一九七三年）を見た。日本の作家をめあてに行ったわけでもなかったし、だいいち日本の作家が出品しているかどうかも意識していなかった。その会場で、菅木志雄、高山登、長沢英俊、北辻良央、狗巻(いぬまき)賢二の作品に接したのである。しかし、衝撃はすぐにはやってこなかった。

会場では、正直なところ、「ずいぶん違うなあ」と軽くおもったぐらいだった。わたしはまた日常の研究生活に戻った。だが、留学も一年経ち、すっかりにわか「国粋主義者」になっていたわたしは、パリ・ビエンナーレの日本作家が放っていた「異質さ」が、ひどく気になりはじめた。

わたしはすでに日本でこの作家たちの作品を見ていたから、同じ作家の作品が異質な風土のなかに置かれたばあいどうみえるかを比較する機会を得たことになる。それまでは、日本に外国の作品が輸送されてきて日本の作品と一緒に展示されるのを見ても、質の差異は、見えていなかったことがわかった。わたしは、この「差異」は何なのかを考えはじめた。

日本の現代にはいまだ「美術」が生れていないのではないか——本書はそういう問題意識ないし危機意識のなかで書きはじめられ、そして、ひょっとするとその「未生」の状況のまま、社会全体のある「崩壊」に呑みこまれてしまいかねない段階に入りはじめたいま、上梓されることになった。「未生」のなかからどうしたら「創出」が可能なのか、あるいは、「未生」の状況をどう読みかえたら「創出」へのいとぐちをたぐりだしうるかを、戦後の流れの検証を通して探ってみたもので、一応の整理と、それなりの見通しはつけられたのではないかとおもう。ここに示した視点がどのくらいの射程をもちうるかは、今後の

実作の推移にまたなければいけないが、現在にまでかろうじて踏込みえたことで、という
より否応なく踏込んでしまったことで、スリリングな地平に向きあったところで終った、
というかたちの本になった。

現代日本の美術を「未生」ととらえる見方——それは、しかし、欧米の美術とくらべて
未生ということでは、すでにありえない。ある意味で、すくなくとも近代以降の日本の美
術の歴史は「敗北」の歴史だった。西欧にたいして敗北というよりは、西欧の受容の仕方
において、その受容から自己の表現を創り出そうというところにおいて、みずからにたい
して敗北しつづけてきた歴史だった。しかし、この敗北は未生と置きかえることもできる
はずである。敗北の流れを反対側から読みかえて、未生の歴史となすことが可能であるは
ずなのだ。そうでないと、うかばれないのではないか。

敗北を未生に転位させるすじみちが見えたとき、わたしは戦後の美術全体の実相に立ち
戻ってみた。通念を離れて、戦後日本の美術が現実に残してきた作品群、どのようなもの
がどれだけ実際に残されたのか、さらに、達成されずに挫折したのかを、確かめることに
した。その財産目録がたとえいかに貧弱なものでも、実際に創られ、残された作品群をも
とにして話をするしかないからである。はたして、その財産目録はわたしにはけっして豊
かなものとは見えなかった。しかし、まったくの未生状態で話にもならないというのとは
ちがっていた。未生からそれほど出ているとはいえないにしても、未生状態を動かす可能

性は十分にはらんでいるとおもわれたのである。視点や仮説の立てかたによっては、この未生状態は創出の前史と読みかえられることがわかった。

それに、貧しいから否定するしかないというのはおかしいのではないか、というおもいがわたしにはあった。貧しいけれど、語るに価する作品に欠けているわけではない。すくなくとも、ある種の造形的な精神に欠けているわけではない。そうである以上、それらの作品を、あるいは精神(こころ)を、貧しさともども、まるごとすくいとれはしないか。すくいとる視点があるのではないか。貧しさを隠蔽するためではなく、現実の総体をつかみとるのである。しかもそれは、無責任な現実肯定や現状追認であってはならない。

日本の美術の基底そのものを明るみに引出していったん崩してみようという本書のような試みは、いままでに類例がほとんどないかもしれない。だが、美術の実作のうえでは、一九六〇年代最末期以降、ひいては「具体」以降、そのような場所からこそ作品を創出することを余儀なくされてきている。その事実、あるいは確信が、この試みを支えた。

本書は、筆者が属している世代によって規定されているところがあるだろう。つまり、わたしは「七〇年代作家群」と同世代で、一九六〇年代後半から現代美術を見はじめ、そして、一九七二年秋からおよそ二年半の外国留学によるブランクをへて、一九七〇年代半ばからは、かなりきめこまかく持続的に見てきている人間である。美術のばあい、実作と現場に持続的につきあうことが基本として大切だとわたしは考えている。

自分の批評の仕事のために、わたしはまず二本の基軸を想定している。ジェネラリゼーションによる総論と、個別の作家論による各論のふたつである。これまでは、ほとんど前者を中心にしてやってきた。本書は、それをまとめたものに当る。一九七三年のパリ・ビエンナーレ展での体験をきっかけに、自分のなかにいすわってしまった問いに、これで一応の回答を与えることができた。

書名で使った「逸脱」の意味についてふれておきたい。わたしたちがふつう「美術」と考えている場所から逸脱したところで展開されているのが現代日本の美術である、という意味である。「現代美術」というと、前衛的なもの、先鋭的なもの、美術らしからぬものとして、その他の普通の美術から区別するために用いられる傾向が、一般的にはまだまだ強い。擁護する側は聖別するために、伝統主義の側は排除するために、まるで「現代美術」という特殊なものがあるかのように使っている。しかし本当はそんなものはない。どのようなものでも、「現代の美術（コンテンポラリーないしアクチュアルなアート）」である。ただ、わたしの考えでは、「現在」のなかで本質的（ラディカル）たりえているかが、基準になるだけなのである。だから、わたしが「逸脱」といっても、それは、クリシェになってしまっている「現代美術」を積極的あるいは消極的に逸脱として評価する、ということではない。そうではなく、現代日本の「美術」総体をひとつの「逸脱」としてとらえる視点がありうる、ということだ。そうとらえたほうが、「具体」から現在までの日本の美術の実情に近い、ということである。「美術」というものじたいが本来ひとつの逸脱かもしれないということ(ロゴスにたいして)、そして、西欧の美術概念および日本の伝統的な美術概念の双方にたいして「逸脱」するところでしか美術の実践が可能でなかったという、現代日本(ひいては明治以降)の現実――「逸脱」はこのふたつを意味しているだろう。

本書のもとになったのは、一九八一年九月から翌年四月にかけて、ほぼ一カ月に一回の割で七回おこなった「美術の現在・研究会」(とわたしは呼んでいた)だった。それは、「具体」から現在までをたどる七回の発表を、わたしと同世代および一つ下の世代(つまり「七〇年代作家群」と「八〇年代作家群一番手」)の美術家数人に聞いてもらって討論をする、というかたちの研究会だった。そのあとわたしは、出版のあてもないまま原稿を書きはじめ、一九八二年のうちに脱稿した。本体の脱稿から刊行まで、およそ三年が経過したが、「序」を大幅に手直しし、また、本体脱稿後のあらたな動きをフォローするために最後の「美術の現在」の部分を書き直した。

本書のようなささやかな試みですら、じつに多くの人々の、直接また間接の支持が裏づけになっていることを感じている。そのすべての方々の名前をあげることはできないが、まず、実作者としてそれぞれ楽なはずはない時期に、八カ月ものあいだ「美術の現在・研究会」につきあってくれた堀浩哉、彦坂尚嘉、井川惺亮、川俣正、そして間接参加の野村仁（関西在住のため、いつも事後に研究会の録音テープを送って聞いてもらった）の諸氏に、深く感謝したい。あちらこちらと場所を変えながらおこなった彼らとのさすらいの研究会は、わたしにはかけがえのないものだった。そして、あえて付加えさせていただけるなら、この五人は、他のすべての美術家の代表なのだった。僭越かもしれないが、わたしは本書を、現代日本のすべての美術家に向けて書いたつもりである。直接の言及やオマージュがなくとも、またたとえ批判することがあっても、わたしは彼らにこそ向けて書いている。

そして、たとえその言説を批判したとしても、その批判を通して多くを負っているはずの針生一郎、東野芳明、中原佑介、宮川淳、そして李禹煥、菅木志雄の諸氏に感謝したい。また、わがままで横紙やぶりなところのあるわたしを理解してつねに励ましつづけて下さった宮脇愛子、山本孝、向井加寿枝、山本進、岡崎球子の諸氏をはじめとする、多くの方々に心からお礼申しあげたい。

最後に、勝手にあてもなく書きはじめた、このいわば無謀な仕事の出版を引きうけて下さった晶文社の方々に、お礼を申しあげる。

なお、本書は書下しだが、「もの派」論はそのダイジェスト版を季刊誌『藝術評論』の創刊号（一九八三年十一月、中延学園ＴＳＡ）に、また、第二章の長い註（12）に若干の加筆訂正をほどこしたものを、同じ雑誌の第三号（一九八四年、七月刊）に「美術批評家・宮川淳——『反芸術論争』以後」と題して、それぞれ発表したことを書き添えておく。

一九八六年二月　千葉成夫

文庫版あとがき

一　旧版のために

一九八六年出版の『現代美術逸脱史』は、いわばすでに「歴史的」なものになってしまっていて、書き直すのは簡単ではない。時は戻らないのだ。変に手を入れると、戻ることのない時間を操作するようなことにもなりかねない。だから、間違いの訂正、少しの字句訂正、図版の配置の若干の訂正などにとどめた。旧版は、一九八〇年代半ば（迄）という時代状況をそれなりに反映したものにはなっているだろう。わたしの文章の「若気の至り」というか「つたなさ」というか、それはそれで仕方がない。

その後もわたしの考え方は基本的にはあまり変わっていない。「三つ子の魂百まで」というのか進歩がないというのか。

二　増補のために

「増補」では、旧版からの「連続」ということを考えて、旧版までの登場人物の幾人かの展開を取り上げることにした。一人の批評家にできるのは、実作者と共有した「渦中」から、あるいは「渦中」に近い場所から語ること以上ではないのだろう。

自著を読み返し、増補部分を書きながら、あらためて、この列島の美術はこれからも、あるいはこれからますます、大変だろうという思いを強くする。増補の遠藤利克論のなかで夏目漱石の「内発性」のことに触れた。漱石の講演「現代日本の開化」から百年あまりが過ぎたけれど、「内発性」の自覚なしには何も生み得ないという状況は、そんなに変わっているとも思えない。旧版で近代日本・現代日本の美術の歴史を「逸脱」という角度から捉えようとしたのも、作業仮説として「類としての美術」というレヴェルないし地平の視点を導入したのも、また、日本の現代美術は「未生」だと意図的に言ってきたのも、「内発性未だし」の思いからだった。

『三四郎』の広田先生は日本は「滅びるね」と言ったのだが、昨今の日本という国の、多方面に認められる明らかな劣化ぶりに接すると、この「滅びるね」が胸に重く響く。いや、この列島は、ある意味でもう滅びているのかもしれない。もっとも、滅びても人々は生きていかなければならないし、だからといってどうということはないのかもしれない。それがこの列島なのかもしれない。列島そのものの現況は美術どころではないとしても、この身は、「美術」について思い巡らすほかには、さしあたって仕方もない。

それだけではないかもしれない。本家（だった）西欧近代美術の方はその「内発性」のままに歩んだ結果として、ほぼすべてを出し尽して「終焉」に逢着し、以来ずっと、多少の（あるいはなかなかの）「洗練」を示しながら、「終焉期」を辿り続けている。西欧では、つまりは元来そういう「道行き」だったのだ。そうも見える。仮にそうだとして、この列島の状況の方は漱石の時代よりさらに厄介なところに来ているのかもしれないし、逆になんらかの可能性に近づいているのかもしれないし、まったく「未知」の状況に向っているのかもしれない。この列島の「未生」の「先」は、いったいどういうことになるのだろうか？「内発性未だし」の状況、漱石の時代と同じようでありながら、もちろん漱石の時代とは変わっている状況下、この列島の美術に何が起こっていくのだろうか？

このところ、美術の、つまり近代・現代美術の最後の表現主題は「もの」でも「こと」でもなく（あるいは「もの」や「こと」に仮託してでもいいけれど）、「空間そのもの」ではないのかと、そんなことを考えてきた。「空間芸術」と分類されてきた「美術（絵画と彫刻）」だが、「分類」とは別の次元で、「美術」にとって「空間」とは本当は何であるのか？美術表現の「地」であるのか、それとも、「地」を超えてそれこそが表現されるべき本体なのではないのか？あるいは、「美術表現」というもの全体の「場」と言えばいいのか？事はレトリックの問題なのか、そうではないのか？

ふと、『歎異抄』のよく知られた言葉が想い浮かぶ——念仏を信じても捨てても、それは「面々の御はからいなり」。信ずることと信じないことは同じなのだ。同じところ、すなわち「解体の地平」にまで行くほかはない。言うまでもなく、これはわたしたちが吉本隆明に教えられたことだ(『最後の親鸞』)。それこそが(少なくともこの列島では)「信」の本来的な在り方であるほかはないのである。「絶対他力」すら、そして「信」そのものすらが解体される。「美術」にせよ「芸術」にせよ、わたしが考えてきた「類の地平」は、つまりはそういう「解体の地平」以外ではないのかもしれない。表現そのものが解体される広がり、もう「未生」ではないけれど次元が一つ大きく変わった地平、とでも言えばいいのだろうか。

それはそれとして、もういちど福岡道雄さんの言い方を借りるなら(ちょっと変えるけど)、しかし「引退後というのも、また、あるんだぞ!」。

末尾になったけれど、図版の使用について作家や関係者の方々のご理解とご協力をいただきました。感謝いたします。また、「解説」を書いて下さった光田由里さん、有難う。そして編集担当の守屋佳奈子さん、お世話になりました。

二〇二一年八月、今後、手を変え品を変え出続けるであろう「新型コロナウイルス」のたぐいの出来事、その最初の波のなかで、(やがて来るであろう)この地球の生態系全体の解体、五ないし六回目の絶滅を遠くに、しかし結構はっきりと、感じながら。

千葉成夫

文庫版解説にかえて

光田由里（多摩美術大学アートアーカイヴセンター教授）

『現代美術逸脱史』の刊行は一九八六年三月、いまだニューアカ・ブームは好調で、これからバブル期が本格化しようとする、右肩あがりの時期にあたる。まだ、昭和だったのだ。拙い一読者のわたしは西宮市出身で、京都アンデパンダン展の末期（京都市美術館で毎年開催、一九九一年が同展最後となった）に通えば観客は少なく、大展示室を占領して「犬」パネルを掲げた大掛かりな林剛と中塚裕子の裁判所インスタレーションに驚き、ヨシダ・ミノルの袋の中でうごめくパフォーマンスに遭遇することもできた。兵庫県立近代美術館（当時）のアニュアル展、アート・ナウは活気があって、写真とペインタリネスを融合させた森村泰昌や石原友明の官能的で新鮮な画面、松井紫朗の軽やかな中空彫刻や松井智恵の繊細なインスタレーションなど新鋭たちが活躍し、「具体」を引き継ぐ堀尾貞治のフリーハンドが共存していた。具体美術協会初期メンバー（一九五四年結成）は大御所で、白髪一雄の大作、ポップで凄みのある元永定正の新作も身近に見ることができた。

『逸脱史』では論の外だったデモクラート美術家協会（一九五一年結成）メンバーの泉茂が健在で、瑛九の話を聞くことができた。先輩諸氏は「ようやく現代美術に活気が出てきた、七〇年代は色もない地味な作品ばっかりだったから」と語り、忙しそうだった。日本現代美術草創期の作家たちが活躍中で、「関西ニューウエーブ」の活気も重なるなかに、『逸脱史』とともにわたしは現代美術に入門した。

毎月の『美術手帖』には難解な文章が目立ち、巻末の画廊個展評に、フーコーかデリダの文章が必ず引用されて、前半部分でそれを検討し後半に実作批評を置くというスタイルが定番化していた。その逆をいくかのような、同誌連載の東野芳明（一九三〇―二〇〇五）の「ロビンソン」シリーズは、粋なスタイルなのか意味不明なタイトルながら、フランク・ステラからアリス・エイコック、ローリー・アンダーソンまで欧米現代作家を個別に論じて読みやすく、情報量も多かった。単行書『ロビンソン夫人と現代美術』（一九八六年十月、美術出版社）にまとめられたのは『逸脱史』と同年である。登場作家たちは立派なモノグラフィーと国際的マーケットをもって斬新な仕事をしなやかに展開し、謎の「ロビンソン夫人」にはリッチなオーラがあった。ニューヨーク、パリを往還して彼らと同じ地平に視点を置くかのような東野は、特権階級のように感じられた。

『ロビンソン夫人』のあとがきに、「日本の現代美術について、こんな本が書けないか、と思うことしきりの今日この頃だ。」（三八三頁）と東野は書いていた。彼は「状況論に興味はなく、作家論を書く」と流派やイズムについて拘泥せず、彼の鋭敏な触覚に触れた作家を個別に論じる態度を保持してきた。新人評論募集で一席を獲得、美術評論家となって（一九五四）、戦後美術草創期から常に第一線で書き続けた東野芳明は、これ以上ない当事者経験と知識をもっていた。しかしながら日本現代美術に対して「こんな本」を書くとしたら、『ロビンソン夫人』と同じ方法を採れただろうか。同書と対極的にさえ見える『逸脱史』を読むとき、そう疑わずにはいられない。

日本戦後美術史を見渡す視座が、待望されていた。誰もが必要だと感じながら空席だったこの役割を、千葉成夫の『現代美術逸脱史』が担うことになる。著者は東京国立近代美術館の研究官、戦後美術の歴史を七〇年代いっぱいまで書ききった稀なる単行書（連載ではなく書きおろしである）の登場は、もちろん大きな話題をさらった。千葉が「通史のやり方はとらない」と言ったとしても、類書はなく、通史としてあらゆる美術愛好者に読み継がれる必読書となったのは周知のとおりである。

美術館でも通史をめざす動きはすでに始まっていた。東京都美術館が断続的に行った年代展「現代美術の動向Ⅰ　一九五〇年代――その暗黒と光芒」（一九八一）、「現代美術の動向Ⅱ　一九六〇年代――多様化への出発」（一九八三）、「現代美術の動向Ⅲ　一九七〇年以降の美術――その国際性と独自性」（一九八四）、加えて「一九六〇年代――現代美術の転換期」（東京・京都国立近代美術館、一九八一―八二）はカタログ巻末資料も充実して、古書を通してこれらの展覧会を知る者にも役立った。古書といえば、戦後美術「通史」教科書として、福住治夫編集長時代の『美術手帖』特集「年表：現代美術の50年 上・下」（一九七二年四月、五月）および「日本の現代美術三〇年」（一九七八年七月増刊）が有用だった。日本の現代美術が五十年なのか三十年なのかを分けるのは、前者が大正アヴァンギャルドを起点（一九一六）とし、後者が敗戦（一九四五）から始めていることによる。

パリのポンピドゥー・センター「前衛の日本 1910-1970」展が開催されたのも、この年のトピックだった。日本前衛美術の大規模展は国内外で初めてのことである。現代美術五十年（以上）説を採り、ダダとシュルレアリスムの受容が中核に置かれた。カタログを見ると、ダダから戦争をはさんでリアリズム、具体、反芸術、万博芸術、もの派動向、建築、デザイン、映画、演劇、写真と多岐にわたるサーベイである。千葉は同展の調査に協力したといい、カタログにもの派初期とグループ〈位〉を論じる「一九六〇年代末期という一つの極限的な時期」（原題：Situation d'une periode critique a la fin des annes 60）を寄稿している。タイトルに「もの派」の語を使用していないことに注目したい。

さて同カタログにも寄稿した針生一郎（一九二五—二〇一〇）には、著書『戦後美術盛衰史』（一九七九年、東京書籍）がある。東野芳明より一足早く一九五二年から常に第一線の評論家で目撃者であった針生は、一九六三年から通史の連載を始めた。針生の動機は、敗戦後の混沌から「現代美術」が生まれてくる過程の記録にあった。時事問題と密接にかかわり社会運動の要素をもった前衛美術活動は、六〇年安保反対運動の挫折の時期、「現代美術」として定着する。その時、根本的に変質したものは確かにあっただろう。例えば、針生の連載開始時は、ハイレッド・センター(HRC)の活動期にあたる。HRCは安保闘争とは別の方法で、すなわち社会問題や政治をテーマに掲げて主張を訴えるのではなく、現実生活を直接「攪拌する計画(ミキサープラン)」を考案し実行した。針生はそうとらえなかったかもしれないが、彼自身は左翼政党が文化活動に及ぼす影響力の急落をはっきり意識していた。千葉が「ドキュメンタリー風のルポルタージュ」と指摘したように針生は手際のよい目くばりで事項を整理し、リアリズム、戦争画の封印、シュルレアリスムの復権、ルポルタージュ絵画など四〇年代末から五〇年代前半の、具体以前の東京の活動に重点を置く。続いてアンフォルメルと具体、ネオダダ、反芸術を挙げた。連載時から十五年以上たって大幅に増補した上で単行本になった同書は、ポップアート、万博と「人間と物質」展をとりあげたのみならず、針生らしい視野の広さで、画商とマーケット、日本画、デザインにも章を充てた。このサーベイは、ポンピドゥーの「前衛の日本」展の後半とかなり重なりが多い。

では『逸脱史』はどうだろう。『逸脱史』は具体美術協会が始点に選ばれ、今まで挙げたどの現代美術史より短い歴史となる。著者の千葉成夫が示した時代区分は、具体・アンフォルメル、反芸術、環境芸術、日本概念派(千葉の造語なのだろうか)、「もの派」、美共闘、七〇年代作家群、となる。千葉のとらえる「現代美術」を絞り込んでいた。

松澤宥を中心とする「日本概念派」を「もの派」の対極に据え、千葉が一九七〇年代美術の極北としての重要性と独創性を説いたのは、この書の独自な成果のひとつである。瀧口修造、ヨシダヨシエらが極めて高く評価した松澤宥は、メールアートやイベント、展覧会をツールとして賛同者と「観念」を送りあってコミューン形成を行い、国際的な活躍も著しかった。だがこの特異な作家が当時、大変重視されているようにはわたしには見えなかった。千葉の本を読んで、岡崎球子画廊での松澤のイベントに東京まで出かけて行ったとき、わたしは茫然とした。全身に黄色の顔料を浴びた少年が立ってじっと動かない。しばらくあって、全身白のスーツ姿の松澤が登場し、二二二二年の人類消滅を宣言した。すると拍手。終わったのだ。あのマジックのようなイベントに、参加できてよかった。松澤のはがき絵画は、わたしの最も好きな作品のひとつである。それでも松澤の作品をコンセプチュアル・アートと呼ぶことがわたしにできないのは、波動係数ψが量子物理学を見せ、曼荼羅形式が仏教哲学を示しながら、神秘とユーモア（オカルトと哄笑ではなく）の彼方、アート圏外に連れ去られる戦慄を感じるためである。

さらに千葉が「もの派」を分析してこの「派」に留保を持ちながら、「真正もの派」「広義もの派」と「ものによる美術」を詳細に分類して論じ分けた点を、大変重要だと考える。「ものによる美術」と呼ぶべき動向が確かに存在しながら、その意義があいまいなまま

「もの派」の語の背後で見えなくなりつつある現在、改めてこの分析に着目してみたいと思う。「もの派はグループではない」不確定な語であるのに、〝もの派とは何か〟〝もの派の起源は〟等の転倒した問いが発せられている。今一度千葉の分析に立ち返っておきたい。菅木志雄をもの派のひとつの軸と認め、関係作家たちのそれぞれの展開を「もの派」に閉じ込めずに見ていくのが千葉の姿勢だろう。

美共闘に対する共感と評価は、千葉が明らかにした新たな提案であり、彼自身の立脚点でもある。もの派を批判的に乗り越えようとつとめ、美術という制度そのものと正面から対決した美共闘について、千葉は「現代美術」史の必然的な帰結、それを通過しなければ次へと進めない起点だと高く評価した。堀浩哉、彦坂尚嘉、山中信夫らの当時の作品はその時は見ることがかなわなかったため、千葉の本を読んで、彼らの出していた『美術史評』、『記録帯』の一部をわたしも手にしてみた。メンバーの研究成果とともに、高松次郎や刀根康尚らの寄稿もあり、執筆と編集の純粋な熱を浴びる思いだった。彼らは自作に着手する前に、自らの立つ地盤を一から作り始めなくてはならなかった。自らの位置を歴史の中に置いてとらえ直すには、作家たちには歴史観を探り出していく必要があった。

千葉が実行したのは、そのための土台を用意することだったのではないだろうか。千葉は、「日本の美術がいま置かれている状況の本質をまるごと」つかむために、歴史をたどり直して「この土台を構築し整備すること」と「その先へと批評のことばをつむぎだしていく」ことを自分に課してこの本を書いた。それは美共闘のメンバーが行っていたことに重なる営為だと思われる。

美術の根底を問い直す「極限的な時期」に際し、日本の根底が脆弱だと認める時、千葉は土方定一以来の問題と向き合う。『近代日本洋画史』(一九四一)で土方が指摘した、「移植文化」問題である。「土台」がない場所から彼が提出した新たな解が、最大の問題概念「類としての美術」だった。この語は本書の要となる。

「「絵画・彫刻」という「種概念」のレヴェルを超えたところで展開されている「美術」」、「ひとつけたあげされた意味での「美術」」が「類としての美術」だという。種としての絵画・彫刻から見れば「移植文化」の脆弱性は避けられないとしても、具体以後の現代美術の流れを「類としての美術」ととらえ直すとき、別の地平が開かれる。

耳慣れないこの語はわたしに驚きを与えた。絵画・彫刻と呼ばれなくてよい、西欧の正統性とは別個の地平で見れば日本の現代美術の展開に矛盾を抱える理由はなくなるというのだ(千葉が写真や映像の作品についてほとんど触れない理由もここにありそうだ。種としての絵画・彫刻の外部にあるということだろうか)。これを文化多元主義や文化多様性と混同するのは避けたい。千葉は日本の美術の場に立って、欧米と対峙するゆえにこの概念を提示している。彼自身は韓国や中国の現代美術に通じ、そこでも活躍している評論家だが、彼はこの語を、日本の美術家たちに、より狭義には美共闘の苦闘の先に掲げようとしたと思う。

本書の最大の特色とは、美術の現場に立つ当事者性なのかもしれない。パリ留学で日本の美術を外から見た千葉は、いまだ「美術未生」の地の評論家だと自認し、特異な風土と歴史のこの地では、現代美術は逸脱するほかはないとする。だがその総体を「類としての美術」として肯定し、わたしたちの営為として語り直せる言葉をもつことが、彼の批評となるだろう。

「総論と作家論」の「二本軸」で本書が書かれているのも、著者が現場の批評家たる由縁だと思う。「実作と現場に持続的につきあうことが基本として大切」とする千葉は、こまやかな画廊まわりを続けてイズムや派のレッテルに収まらない個々の作家たちと語り合うなかで、こうした姿勢を作ってきた。私的な研究会の場（一九八一―八二）で「同世代およびひとつ下の世代の美術家数人に聞いてもらって討議する」かたちで、本書は準備されたという。作家との協働作業がこの本の底流にある。

ここで千葉の仕事に先行する書のひとつとして、藤枝晃雄（一九三六―二〇一八）著『現代美術の展開』（一九七七年、美術出版社、一九八六年六月改訂版を参照した）を挙げておきたい。千葉とは全く対極的な姿勢でありながら、独自の当事者性を示した書だと思うからだ。アメリカ同時代美術の動向を批判的に読み解くと同時に、七〇年代日本の現況分析に少なからぬ言を費やし、比較しうる日本作家を採りあげて批評する。藤枝はアメリカ美術と日本の美術にヒエラルキーを設定していない。ジャクソン・ポロックが象徴する「質の高い芸術」を明確な目標として掲げ、希求する評論家である。ほとんどの場合それに到達し難い現状について、厳しい査定を下しながらかすかに理解を忍ばせる複雑な記述がある。藤枝はアメリカ美術を日本に紹介しようとしてはいない。彼の想定読者はおそらく、千葉と同様に日本の美術家たちなのだろう。藤枝は自身の求める美術の質に達しえない実例を挙げて注意を喚起し、作家たちを叱咤していたのだと思う。この書は一九七〇年代日本現代美術史として読める可能性がある。

さて、約三十五年の時を経て、本書は増補版として復刊される。筆者は長く座右に置いたままで気づかなかったが、古書市場で値段が高騰し、本書は入手困難な貴重書になっていた。それはともかく、大きな「増補へ」が加わった本書の、新たな読者との出会いを喜びたい。

著者の脱稿した時点と現在の美術状況とが、大きく変貌したのは明らかだ。再刊までの期間に、いくつかの戦後美術史が生まれた。そのなかで最も知られているのが、椹木野衣著『日本・現代・美術』(一九九八年、新潮社)だろう。九〇年代の章以外は、逆順ながら本書とほぼ重なる章立てで千葉の史観を枠組みとして使用しながら、椹木は自在なテキスト解釈で批判的に「逸脱史」を読み替えた。日本を「悪い場所」と呼んで椹木が特権化したのは、「移植文化」問題の別の表現なのかもしれない。ニューヨーク在住の研究者、冨井玲子の戦後美術研究も千葉の作った枠を踏襲して展開し、国際的な影響力を形成している。

千葉自身、本書の続編ともいえる『未生の日本美術史』（二〇〇六年、晶文社）を刊行した。「日本」を「この列島」と言い換えて風土とともに記述し、江戸絵画までさかのぼって「基底」を描写しようとした。この続編からも十五年が経過し、いま書き加えられた「増補へ」で、本書刊行後の動向に対する千葉の新たな見解が明らかにされる。

本書は、一九八六年三月に晶文社より刊行された。文庫化に際し、一章を増補した。

ちくま学芸文庫

増補（ぞうほ）現代美術逸脱史（げんだいびじゅついつだつし）１９４５〜１９８５

二〇二一年九月十日　第一刷発行

著者　千葉成夫（ちば・しげお）

発行者　喜入冬子

発行所　株式会社　筑摩書房
東京都台東区蔵前二―五―三　〒一一一―八七五五
電話番号　〇三―五六八七―二六〇一（代表）

装幀者　安野光雅

印刷所　株式会社精興社

製本所　株式会社積信堂

乱丁・落丁本の場合は、送料小社負担でお取り替えいたします。

ISBN978-4-480-51070-9 C0170